Radikal Apostolisch!

Die Realität, die Führung und die Belohnung des Ruf Gottes!

Charles G. Robinette

CONTENTS

WIDMUNG

Dieses erste Buch ist allen apostolischen Amtsträgern gewidmet, die ihr Leben dem Ruf Gottes widmen, sich danach rüsten, ermutigen und daran glauben. Wir würden nicht im Dienste des Herrn sein ohne die Apostel, Propheten, Evangelisten, Pastoren und Lehrkräfte, die uns selbstlos beraten, um apostolische Prinzipien zu praktizieren und in dieser Generation die globale Ernte zu erleben.

Dieses Buch ist auch den drei pastoralen Stimmen gewidmet, mit denen wir in den letzten 46 Jahren gesegnet wurden und die uns kritische apostolische Beratung, Ermutigung, Vorbereitung, Ausbildung und Zurechtweisung geboten haben. Gemeinsam haben sie uns darauf vorbereitet, die Herausforderungen der apostolischen Reise zu meistern. Besonderer Dank gebührt daher Pastor William Nix, Pastor Billy Cole und Pastor Raymond Woodward für ihren Glauben an uns!

Dieses Buch ist meiner wertvollen Frau Stacey und meinen beiden Töchtern Aleia und Brienna gewidmet, die treu diesen apostolischen Weg mit Freude an meiner Seite gehen. Sie erlauben mir nie, den Glauben an Gott oder den Menschen zu verlieren. Obwohl sich der apostolische Entwicklungsprozess oft im Schatten der Kritik abspielt, finden meine Töchter und meine Frau immer einen Weg mich zum Lächeln zu bringen und die Last der radikal-apostolischen Entwicklung mit Gnade zu tragen. Sie sind wahrlich mein Reichtum!

Lassen Sie mich auch einen Moment Zeit dafür nehmen, um dem Herrn dafür zu danken, dass er uns ans Herz gelegt hat, dieses Buch zu schreiben. Meine Frau und ich sind nicht im Dienst aufgewachsen und haben keinen Bekanntheitsgrad. Das Privileg, dass der Herr uns erlaubt für sein Reich benutzt zu werden und wir in dieser Zeit Bekanntschaften auf der ganzen Welt mit vieler seiner apostolischen Elite-Gesandten schließen konnten, dass er uns diese apostolische Reise anvertraut hat, die so viele reichhaltige Erfahrungen mit sich gebracht hat, die wir mit Ihnen in diesem Buch teilen dürfen, macht uns sehr demütig.

Wir sind Gott so dankbar, dass er uns auserwählt hat, diesen apostolischen Weg zu gehen! Wir sind für den Ruf Gottes in unserem Leben immens dankbar! Wir fühlen uns so geehrt, dass wir auserwählt sind, eine kleine Rolle in Gottes globaler Vision für die weltweite Ernte zu spielen! Wir könnten nie unsere Dankbarkeit gegenüber Jesus Christus, unserem mächtigen Erlöser, angemessen ausdrücken! Wir haben uns verpflichtet, diesen Lauf des Lebens zu Ende zu bringen und ihm in dieser und in der kommenden Welt freudig alle Kronen und irdischen Auszeichnungen zu Füßen zu legen.

BESONDERER DANK

Das Foto auf dem Umschlag dieses Buches, das den Moment festhält, als Gott den Regen in Bangladesch stoppte und einen doppelten Regenbogen über das Evangelisationsgelände spannte, wurde von einer unserer lieben Freundinnen, Schwester Aimee Myers, aufgenommen. Sie und ihr Mann, Pastor David Myers, Pastor der Eastwind-Pfingstkirche in Palm Bay, Florida. sind einige unserer liebsten Freunde, und wir sind so dankbar, dass Gott sie in unser Leben gerufen hat.

Wir möchten allen Dienern des Evangeliums von Jesus Christus danken, die zu den kraftvollen apostolischen Zeugnissen beigetragen haben, die in diesem Buch enthalten sind. Ihr seid die Elite-Kämpfer Gottes! Es ist uns eine hohe Ehre und erfüllt uns mit Demut, jedem in seinem Reich zur Seite zu stehen.

Vielen Dank an Schwester Denise Johnson für die grammatikalische Bearbeitung dieses Buches. Sie war meine Englischlehrerin und für mich persönlich, in der Zeit am Indiana Bibel-College, ein Segen.

Ich bin Pastor Michael Robinson und Schwester Robinson sehr dankbar, dass sie mich inspiriert haben, dieses Buch zu schreiben, während wir im Anschluss an das Treffen der United Pentecostal Church International (UPCI) im Virginia Bezirks-Camp zusammensaßen und Zeugnisse über Wunder austauschten. Ich verdanke es ihnen, dass sie den Samen in mein Herz und in meinen Geist gepflanzt haben. Sie haben die Verwirklichung dieses Projektes für mich erleichtert, so dass ich dies durchführen konnte. Ich liebe beide samt ihrer Familie sehr.

Vielen Dank an Pastor Aaron Soto und Pastor Raymond Woodward für die inhaltliche Bearbeitung dieses Buches. Wir sind so dankbar, dass der Herr uns die Gabe ihrer Führung und Freundschaft geschenkt hat. Wir danken beiden, dass sie uns und das Reich Gottes verteidigt haben, indem sie die geschriebenen Worte sorgfältig durchgelesen und uns sogar herausgefordert haben, unsere Motive während des gesamten Schreibprozesses im Gebet zu bedenken.

DANKE an die gesalbten Diener des Herrn, die dieses Buch bereits in mehrere Sprachen übersetzt haben! Richard Podstatny und Amber Crumbley (Deutsch), Melany Murillo (Spanisch), Betty Kasidi (Französisch), Rev. Daniel Borges (Portugiesisch), Rev. Josh Barsotti und das Team in Vietnam (Vietnamesisch). Ihr alle seid enorme Gaben Gottes!

Zum Schluss danken wir alle unsere apostolischen Freunde! Ihr seid enorme Geschenke Gottes ! Wir lieben euch alle sehr!

VORWORTE

In jeder Generation erhebt Gott apostolische Stimmen, um seine Gemeinde herauszufordern. Zukünftige Generationen werden sie als Pioniere der Erweckung und als Helden des Glaubens feiern. Da aber die Herausforderungen niemals einfach oder bequem sind, werden diese Stimmen in ihrer eigenen Zeit oft als „RADIKAL" wahrgenommen.

Das Wörterbuch definiert RADIKAL als „deutlich vom Gewöhnlichen oder Üblichen abweichend; Begünstigung von revolutionärer Veränderungen in den gegenwärtigen Praktiken, Bedingungen oder Institutionen." Im heutigen Straßenjargon bedeutet das Wort radikal "ausgezeichnet" oder "wunderbar". Aber das Wort RADIKAL kommt aus dem Lateinischen und bedeutet wörtlich „zurück zu den Wurzeln oder Grundlagen; ein Erreichen des Zentrums, des Fundaments, des Ursprungs oder der Prinzipien; zurück zur endgültigen Quelle." Das radikale Christentum ist die Wurzel des Christentums. Es ist das ursprüngliche Christentum.

RADIKAL-APOSTOLISCH zu sein, ist weder in den Augen der Welt noch in den Augen eines durchschnittlichen Gemeindemitglieds normal. RADIKAL-

APOSTOLISCH zu sein bedeutet, einen unstillbaren Durst nach dem Übernatürlichen, eine unaufhaltsame Leidenschaft für das Königreich und eine ungewöhnliche Fixierung auf die biblischen Prinzipien des Opferns und der Unterwerfung zu haben. RADIKAL-APOSTOLISCH zu sein bedeutet, weit über das hinauszugehen, was ein Durchschnittsmensch überhaupt zu leben wagen würde.

Zum Glück erhebt Gott in jeder Generation apostolische Stimmen, um seine Gemeinde herauszufordern. Mein Freund Charles Robinette ist für diese Generation einer dieser Stimmen. Dieses Buch beschreibt seine klare Berufung, um ein radikales Leben zu führen und um radikale Ergebnisse für Gottes Königreich zu sehen. Sie werden von den Ältesten, die ihn betreut haben, von den Erfahrungen, die ihn geprägt haben, und von den Fehlern, die ihn reifen lassen haben, lesen. Das Buch, das Sie in Ihren Händen halten, enthält Geschichten aus erster Hand, Zeugnisse zur Glaubensbildung, kraftvolle Prinzipien und praktische Lektionen. Es ist ein Lehrbuch über die Wiederbelebung und Erweckung.

RADIKAL APOSTOLISCH ist nicht nur ein Buch, das Charles Robinette geschrieben hat. Es ist auch ein Leben, das er gelebt hat, mitsamt seiner wundervollen Frau Stacey und ihren entzückenden Töchtern an seiner Seite. Ich ermutige Sie, sich ihnen auf dieser Reise anzuschließen und alles zu werden, wozu Gott Sie berufen hat.

Raymond Woodward

Pastor
Capital Community Church

In seinem Buch „Salt from My Attic" (Salz von meinem Dachboden) machte John A. Shedd eine starke Aussage: "Ein Schiff ist im Hafen sicher, aber dazu sind Schiffe nicht gebaut worden."

Rev. Charles Robinette verließ den Hafen vom Beginn seines Dienstes an und lebt seitdem auf der hohen See des Glaubens und der Widrigkeiten. Sein Buch „Radikal Apostolisch" erzählt eine faszinierende Geschichte von heftigen Stürmen und erstaunlichen Zielen. Für die Christen, die im Hafen eine heilige Unzufriedenheit verspüren, dient dieses Buch als Karte für ihre Reise.

Rev. Charles Robinette ist ein reinrassiger apostolischer Erweckungsprediger. Er ist in der Pfingstgemeinschaft als ein Mann des ungewöhnlichen Glaubens bekannt. Wunder, übernatürliche Zeichen und Ausgüsse des Heiligen Geistes treten bei jedem Treffen oder jeder Konferenz auf, wo er predigt.

Es war mir eine Ehre, Rev. Robinettes Dienst von Anfang an zu verfolgen. Wir wurden bereits in der Bibelschule Freunde und wir sind während unserer verschiedenen Arten des Dienstes eng verbunden geblieben. Außerdem ist meine Frau Heather mit Charles und seiner Frau Stacey aufgewachsen, sodass wir eine besondere familiäre Bindung haben.

Ich erinnere mich, als Bruder Robinette Jugendpastor in Ypsilanti, Michigan war. Er war bereits ein ausgewachsener, kompromissloser, apostolischer, erweckungsgesinnter Leiter. Er und Stacey waren nicht nur Jugendpastoren, die Pizza bestellten und Eisbrecherspiele anleiteten. Sie führten ihre Jugendlichen zu Gebetstreffen und zur Evangelisation in der Gemeinde. Sie erlebten ein exponentielles Wachstum und viele Wunder in ihrem Jugenddienst.

Einige Jahre später waren Bruder Robinette und ich eine Zeitlang als Evangelisten engagiert, in der wir durch das Land gereist sind. Ich rief meinen Freund regelmäßig an und teilte ihm die Berichte unseres Dienstes mit.

„Charles, wir hatten dieses Wochenende eine großartige Erweckung. Sechs Menschen haben den Heiligen Geist empfangen und acht Menschen wurden im Namen Jesus getauft!"

Er würde sagen: „Aaron, das ist unglaublich! Ich weiß, dass dein Dienst ein Segen für diese Gemeinde war."

Ich würde fragen: „Nun, Charles, wie war dein Wochenende? Was hat Gott bei deiner Erweckung getan? "

Er antwortete schlicht, aber überzeugt: "Gott hat hundert Menschen mit dem Heiligen Geist erfüllt."

So verliefen die meisten unserer Gespräche, während wir evangelisierten. Ich war immer begeistert, die Berichte zu hören. Ich hatte Ehrfurcht vor den ungewöhnlichen Gaben, die Gott in das Leben meines Freundes gelegt hatte. Wenn die Familie Robinette in unserem Haus war, wurde mir klar, dass die Kraft, die durch Charles Leben floss, nicht nur das Ergebnis seiner Gaben war, sondern auch der Weihe, des Gebets und des Fastens.

Letztlich gingen unsere Dienste andere Wege. Ich wechselte in den pastoralen Dienst in Wisconsin und Bruder Robinettes Dienst wechselte sowohl zur Missionsarbeit in Europa, als auch zu Kreuzzügen für die Erweckung auf der ganzen Welt. Er ist einer der gefragtesten Prediger in unserer Kommune geworden.

Bruder Robinette war immer so freundlich unsere Familie in Wisconsin zu besuchen und in der örtlichen Gemeinde zu dienen, in der ich als Pastor dienen darf. Jedes Mal, wenn er predigt, schwingt sein Glaube wie eine Sturmflut durch den Gottesdienst. Er hebt all diese Schiffe im Hafen auf und zieht sie in tiefere Gewässer. Wir erleben unglaubliche Ausgüsse des Heiligen Geistes und sehen Wunder.

In seinem Buch „Radikal Apostolisch" lernen Sie die Dienstreise von Charles Robinette kennen. Sie werden über seine prägenden Jahre lesen, wie er die Kultur der Erweckung kennenlernte und wie sein Leben von einer Vielzahl von Führungskräfte beeinflusst wurde. Sie werden auch lernen, dass Sie die nicht verhandelbaren Dinge verstehen müssen, um apostolische Ergebnisse in Ihrem Leben zu erzielen: Vermittlung, Gebet, Unterwerfung, Demut und Opferbereitschaft. Bruder Robinette packt diese Kernpraktiken meisterhaft aus und weist uns den Weg in tiefere Gewässer.

Eine letzte Sache, die Sie wissen sollten, bevor Sie dieses Buch lesen: Die Geschichten und Zeugnisse werden Ihr Leben verändern. Jedes Kapitel ist mit persönlichen Berichten gefüllt, die jede Praxis anschaulich darstellt und beleuchtet. Mein Glaube ist gestiegen, als ich dieses Buch gelesen habe. Ich bete auch dafür, dass Ihr Glaube wächst.

Aaron Soto
Pastor
Apostolic Truth Church

Unsere Erfahrungen und unser Umfeld prägen unsere Wahrnehmung von dieser Welt. Meine fünfundfünfzig Jahre im Dienst waren hauptsächlich in den Vereinigten Staaten, wo die Menschen vom Materialismus und vom Kummer des Lebens überwältigt werden. Wenn ich an Amerika denke, erinnere ich mich an das Gleichnis von den vier Bodentypen in Matthäus Kapitel 13. In vielen Fällen haben die Dornen das Wachstum der Pfingstkirche des 21. Jahrhunderts erstickt. Ich habe fünfzig Jahre lang Pastorenarbeit geleistet und mehrere Wochen lang beobachtet, wie der ein oder andere den Heiligen Geist erlangt hat, während andere wieder abgefallen sind. Wir sehen sehr wenige Zeichen und Wunder. Die Besorgungen des Lebens und die Täuschung des Reichtums sind die Hauptgründe für diese traurige Realität. Daher ist es für uns fast unmöglich, uns auf einen Dienst zu beziehen, über den Sie lesen werden. Bruder Robinette streckt sich nach uns allen aus, damit wir die unendlichen Möglichkeiten erkennen, die da kommen, um radikal apostolisch zu sein.

Während seiner Deputationsreise in den USA hatten wir die Ehre, die Familie Robinette für einige Jahre in North Little Rock, Arkansas, unterzubringen. Schwester Stacey Robinette, Aleia und Brienna waren ein Segen für unsere Gemeinde und für die christliche Schule, als sie hier waren. Ich kann nur sagen, dass es nie eine ernsthaftere, aufrichtigere christliche Familie gegeben hat, als die Familie Robinette. Sie lehren die Heiligkeit und die Trennung von der Welt ebenso leidenschaftlich, wie sie die Erweckung fördern.

Wir waren sehr gesegnet, da Bruder Robinette mehrmals in unserer Gemeinde und in unseren Schulversammlungen für uns gepredigt hat. Wir haben gesehen, wie viele den Heiligen Geist, Heilungen und Wunder empfangen haben. Ich weiß aus erster Hand von meinem Sohn, Pastor Nathan Holmes, der gesegnet war, an einem Kreuzzug mit Bruder Robinette teilzunehmen. Gott kann in der Masse Wunder vollbringen. In den vierundzwanzig Jahren seines Dienstes habe ich noch nie etwas gesehen, das ihn so beeinflusst hat wie seine Kreuzzugserfahrung. Er kam zurück und freute sich über das Zeugnis einer großen Ernte von Menschen, die den Heiligen Geist empfangen hatten.

Sie können seinen Eifer an der Kanzel nicht begreifen, bis Sie erst seine Inbrunst im Gebet erlebt haben. Ich kann Ihnen versichern, dass diese Familie ihre Kraft und ihr Herz ausschütten, um das Werk des Herrn zu tun.

Bruder Robinette schüttet seine ganze Energie aus, um die Ernte und das Wort Gottes deutlich darzustellen. Er wird sich immer physisch, finanziell und emotional einsetzen. Die Familie Robinette ist wirklich eine radikal apostolische Familie.

Bischof Joel N. Holmes
First Pentecostal Church

DIE REALITÄT

PROLOG

Radikale Unterordnung, radikale Demut und radikale Opferbereitschaft bereiten Sie immer auf eine radikale apostolische Verwandlung vor.

Radikal-apostolisch zu sein bedeutet, sich vorbehaltlos den Lehren, der Doktrin, den Beispielen und den Handlungen der ersten Apostel zu verpflichten. Es bedeutet, ein Leben zu führen, das in völliger Übereinstimmung mit der frühen Kirche der Apostelgeschichte steht!

Wo es eine radikal-apostolische Verwandlung gibt, wird es immer eine radikale Freisetzung von einer geistigen Darlegung und Macht geben. Dies wird die Kirche und die Welt für die globale Ernte bereitstellen!

Ich glaube an die Globale Ernte!

Zum Zeitpunkt der Verfassung dieses Buches gibt es in unserer Welt 7,8 Milliarden Menschen.

Es ist nicht Gottes Wille, dass seine Gemeinde eine 10%ige globale Ernte erfährt! Es ist auch nicht Gottes Wille, dass seine Gemeinde nur eine 50%ige globale Ernte erfährt!
Gemäß 2 Petrus 3,9 ist es nicht Gottes Wille, dass kein

Einziger verloren geht.

Gottes radikal-apostolische Kirche sollte den absoluten Glauben haben, dass es der Wille Gottes ist, eine vollständige, 100%ige, multi-kulturelle, mehr-sprachige, generationsübergreifende, multi-ethnische und ja, sogar eine multi-organisatorische, globale Ernte gibt!

Gemäß **Apostelgeschichte 2,17-18.21** prophezeite Joel über Gottes Vision für die weltweite Ernte:

Apostelgeschichte 2,17-21

17 Und es wird geschehen in den letzten Tagen, spricht Gott, da werde ich ausgießen von meinem Geist über alles Fleisch; und eure Söhne und eure Töchter werden weissagen, und eure Jünglinge werden Gesichte sehen, und eure Ältesten werden Träume haben;

18 ja, auch über meine Knechte und über meine Mägde werde ich in jenen Tagen von meinem Geiste ausgießen, und sie werden weissagen.

21 Es soll geschehen, dass jeder, der den Namen des Herrn anrufen wird, errettet werden wird.

Gottes radikal-apostolische Kirche muss sich zwei unbestreitbare Tatsachen zu Eigen machen:
Die Globale Ernte ist der Wille Gottes!

Gott beginnt gerade jetzt einen apostolischen Umbruch in seiner globalen Kirche!

Ich habe keinen Zweifel daran, dass Scharen von apostolischen Gläubigen dazu bereit sind, so dass Gottes

Endzeitplan die ganze Welt erreichen wird. Sie sind bereit ihren Teil zu Gottes Vision der globalen Ernte beizutragen!

In den Herzen von Gottes Volk herrscht wie nie zuvor ein Hunger nach dem vollen Wirken des fünffältigen Dienstes und nach den Gaben des Geistes, die in Diensten und Gemeinden freigesetzt werden.

Gottes Volk ist angestrengt darauf bedacht, die volle Darstellung und Kraft vom Geist des Herrn mit eigenen Augen zu sehen!

Es gibt eine Generation von Josuas und Kalebs in unserer Mitte, die die nicht-apostolischen Reaktionen von früheren Generationen gesehen und gehört haben. Sie flehen uns an, diesen Moment der radikal-apostolischen Wende nicht zu verpassen.

So wie Elisa beim Pflügen auf den Feldern als treu empfunden wurde, so sind es auch die Diener dieser Generation.

Sie haben das Signal des Geistes gehört und, wie Elisa, schlachten sie die Ochsen und geben die Verstrickungen dieser Welt für eine radikal-apostolische Wende auf.

Sie tauschen bereitwillig positionelle Autorität gegen geistliche Autorität aus.

Sie spüren, wie die Mäntel und Berufungen des fünffachen Dienstes von Aposteln, Propheten, Evangelisten, Pastoren und Lehrern im Geist freigesetzt werden.

Wenn Sie Ihre geistlichen Ohren öffnen, werden Sie eine Josua-, Kaleb- und Elisa-Generation hören, die sich an die weltweite apostolische Kirche wendet:

4. Mose 13,30

30 ... Lasset uns hinaufziehen und das Land einnehmen, denn wir können es überwältigen.

Die radikal-apostolische Kirche muss so arbeiten. Wir müssen glauben, dass Gott uns unsere Städte überliefern kann und will!

Die radikal-apostolische Kirche muss den Glauben haben, dass Gott uns Nationen geben kann und will!

Die radikal-apostolische Kirche muss arbeiten und glauben, dass Gott uns eine globale Ernte geben kann und auch geben wird!

Als Jonathan und sein Waffenträger in den Kampf gegen die Philister gezogen sind, war es für zwei Männer physisch unmöglich, eine ganze Garnison zu besiegen. Die Garnison der Philister war eine befestigte militärische Besatzungsmacht. Es wird geschätzt, dass 40 000 Soldaten und 6 000 Reiter eine Philister-Garnison bildeten. Aus strategischer Sicht war der Plan bestenfalls ein selbstmörderischer Plan. Zwei gegen 46 000, das ist nicht mutig, es ist geradezu verrückt! Aber Gott liebt diese Aussicht an Chancen. Gott liebt es, jede Möglichkeit auszuschließen damit niemand seine Ehre rauben kann. Gott liebt es sein

Volk so zu positionieren, dass der Sieg völlig von ihm abhängig ist.

Werfen sie einen Blick in **2. Chronik, Kapitel 13.** Abija, der König von Juda, der Urenkel von König David, war zwei zu eins in der Unterzahl, als er seine Armee gegen Jerobeam führte, den König von Israel. Können Sie sich vorstellen, an der Seite von König Abija zu stehen und zu erkennen, dass zwei feindliche Soldaten bereit waren, gegen einen einzelnen seiner eigenen Kämpfer zu kämpfen?

Zu allem Überfluss schickte König Jerobeam auch noch Truppen hinter Abijas Armee her, um seine Soldaten in einen Hinterhalt zu locken, damit sie wie Feiglinge vor der Schlacht flüchten würden! Aber Gott liebt es, dem Feind das Gefühl der Sicherheit und der Vermessenheit zu geben. Gott liebt es auch, wenn sein Volk völlig von ihm allein abhängig ist. Im Moment der sicheren Niederlage vollzieht Gott sein bestes Werk im Namen seines Volkes! Wenn Sie das Ende der Geschichte lesen, sollte Ihr radikal-apostolisches Herz vor Freude springen:

2. Chronik 13,14-18

14 Als sich nun Juda umwandte, siehe, da war Kampf vorne und hinten! Da schrien sie zum HERRN, und die Priester bliesen in die Trompeten.

15 Und die Männer Judas erhoben ein Feldgeschrei. Und als die Männer Judas ein Feldgeschrei erhoben, schlug Gott den Jerobeam und ganz Israel vor Abija und Juda.

16 Und die Kinder Israel flohen vor Juda; denn Gott

gab sie in ihre Hand,

17 also dass Abija mit seinem Volk ihnen eine große Niederlage zufügte, und aus Israel fielen der Erschlagenen 500000 auserlesene Mannschaft.

18 Also wurden die Kinder Israel zu jener Zeit gedemütigt, aber die Kinder Juda wurden gestärkt; denn sie verließen sich auf den HERRN, den Gott ihrer Väter.

Gideons Sieg über die Midianiter ist ein weiteres Beispiel einer biblischen Vorlage, wie Gott uns alles vertraute wegnimmt und uns allein von ihm abhängig macht.

Ich liebe diesen Abschnitt in Richter als Gott zu Gideon sagt: "...des Volks ist zu viel, das bei dir ist..." (**Richter 7,2**).

Gott sagt zu Gideon, wenn du diese große Armee mitnehmen wirst, werden sie sagen, dass sie das durch ihre eigene Hand oder aus eigener Kraft getan haben. Sie dürfen annehmen, dass Sie diesen großen Sieg durch Ihre eigene Kraft erreicht haben. So ist Gottes Anweisung an Gideon, all jenen zu sagen, die Angst haben, dass sie nach Hause gehen sollen. Die Armee, die Gideon befehligte, schrumpfte sofort um 22 000 Soldaten!

Wenn Sie Gideon wären, würden Sie sich unwohl fühlen und sich wahrscheinlich fragen, ob ein Karrierewechsel nicht sinnig wäre. Sie sind kein General, ja nicht einmal ein Soldat, und Sie haben keine Kampfausbildung. Sie verlieren 22 000 Soldaten am ersten

Tag als General von Gottes Armee, und Sie haben noch nicht einmal eine Schlacht gekämpft. Mit nur noch 10 000 kämpfenden Männern wischen Sie sich den Schweiß von der Stirn und rücken vor. Gerade als Sie spüren, dass alles in Ordnung sein wird, spricht Gott wieder und erklärt Ihnen, dass es immer noch zu viele Menschen in ihrer Armee gibt. Gott sagt Ihnen, dass Sie mit den Kämpfern, die noch übrig geblieben sind, zum Wasser hinuntergehen sollen, damit er Ihnen hilft, noch mehr Menschen nach Hause zu schicken.

Gott schickt 9 700 weitere Kämpfer vom Ufer aus nach Hause! Schon vor der Schlacht hat Gideon über 30 000 Soldaten verloren, und ihm bleiben nur 300 Männer übrig.

Dann sagt Gott: "... Durch die dreihundert Männer, die das Wasser mit ihren Händen zum Mund geführt haben, werde ich dich retten und die Midianiter in deine Hand geben ..." (**Richter 7,7**).

Das war definitiv nicht das, was Gideon hören wollte.

Beachten Sie die Größe der Armee, gegen die Gideon und 300 Mann angetreten sind:

Richter 7,12
12 Die Midianiter aber und die Amalekiter und alle Morgenländer waren in die Ebene eingefallen wie eine Menge Heuschrecken; und ihre Kamele waren vor Menge nicht zu zählen, wie der Sand am Gestade des Meeres.

Erkennen Sie das Muster? Das sind die Gewinnchancen, die Gott gefallen! Das sind die Quoten, bei denen die Herrlichkeit und der Glanz des Königs der Könige und des Herrn der Herren in voller Pracht dargestellt werden!

Ich liebe den biblischen Bericht über den Sieg, den Gott Gideon und seinen 300 Soldaten geschenkt hat:

Richter 7,20-22

20 Da stießen alle drei Haufen in die Posaunen und zerbrachen die Krüge. Sie hielten aber mit ihrer linken Hand die Fackeln und in ihrer rechten Hand die Posaunen, und sie bliesen und riefen: Schwert für den HERRN und Gideon!

21 Und es blieb ein jeder an seinem Platze stehen um das Lager her; aber das ganze Lager schrie und floh.

22 Denn während die dreihundert die Posaunen bliesen, richtete der HERR in dem ganzen Lager eines jeden Schwert wider den andern. Und das Heer floh bis Beth-Sitta, gegen Zererat, bis an das Ufer von Abel-Mechola, bei Tabbat.

Gott liebt es, seine Feinde offen zur Schau zu stellen!

Diese Erkenntnis veranlasste Jonathan, seinem Waffenträger in die Augen zu sehen und zu sagen:

1. Samuel 14,6

6 ...Komm, lasst uns zu dem Posten dieser Unbeschnittenen hinübergehen! Vielleicht wird der HERR durch uns wirken; denn es ist dem HERRN nicht schwer, durch viele oder durch wenige zu helfen!

Weder die Größe des Feindes noch die Unmöglichkeit

der Aufgabe veranlassten Jonathan in seinem Glauben zu schwanken.

Die Bibel sagt:

1. Samuel 14,13-15
13 Und Jonathan kletterte auf Händen und Füßen hinauf und sein Waffenträger ihm nach. Und jene fielen vor Jonathan, und sein Waffenträger tötete sie hinter ihm her;
14 so dass Jonathan und sein Waffenträger in diesem ersten Gefecht auf ungefähr einer halben Juchart Ackerland etwa zwanzig Mann erlegten.
15 Und es kam ein Schrecken in das Lager auf dem Felde und unter das ganze Volk; auch die, welche auf Posten standen und die streifenden Rotten erschraken, und das Land erbebte, und es wurde zu einem Schrecken Gottes.

Freunde, das ist die Art eines Sieges, die Gott seiner radikal-apostolischen Kirche in diesen letzten Tagen schenken will! Die Erde wird erbeben! Der Feind wird vor uns fliehen! Unsere größten Tage liegen nicht hinter uns, und sie liegen auch nicht vor uns. Wir leben gerade im größten Moment der Kirche!

Der Herr sagte zu mir, ich solle sein prophetisches Wort, das sich in **Jeremia 30,16-17** befindet, in dieser letzten Stunde seiner radikal-apostolischen Kirche verkünden:

Alle, die dich fressen, werden gefressen werden... (Jetzt!)

Man wird alle deine Feinde gefangen führen... (Jetzt!)

Alle, die dich plündern, sollen geplündert werden... (Jetzt!)

Alle, die dich berauben, will ich zum Raube machen... (Jetzt!)

Ich will dir Genesung bringen und deine Wunden heilen... (Jetzt!)

Im Jahr 2019 wurde ich gebeten, während der apostolischen Konferenz in Madison, Mississippi zu predigen. Die Parkway Church war Gastgeber dieses Treffens, und sie konzentrierte sich darauf, ein Segen für die nordamerikanischen Missionarsfamilien zu sein. Pastor Dillon und seine Familie gehören zu den besten apostolischen Menschen in der Welt. Wir sind sehr dankbar, dass sie unsere Freunde sind.

Während ich mich im Hotelzimmer auf die Predigt vorbereitete, bat mich der Herr nachzuprüfen, wie viele Stadien es auf der Welt gab, in denen über 40,000 Menschen passen würden.

Eine Google™ Suche nach diesen Informationen ergab, dass es weltweit mindestens 500 Stadien mit mindestens 40,000 Sitzplätzen gab.

In diesem Augenblick gab mir der Herr eine Vision von einem Tag, an dem große Regentropfen des Feuers des Heiligen Geistes gleichzeitig auf alle Nationen der Welt herabfallen werden. In der Vision waren die Stadien auf der ganzen Welt mit Menschen gefüllt, die gleichzeitig, mit erhobenen Händen und tränengeströmten Gesichertern, mit dem Heiligen Geist erfüllt wurden und in anderen Zungen sprachen.

Der Herr hat mir im Geiste versichert, dass wir, wenn wir radikal-apostolisch sind und dem Bericht des Herrn Glauben schenken, diese 500 Stadien mit jeweils mindestens 40,000 Menschen gefüllt sehen werden. Das heißt, wenn wir daran glauben, wenn wir eine Vision davon haben, wenn wir eine Vision dafür entwerfen, wenn wir dafür planen, wenn wir dafür Opfer erbringen und wenn wir in Einigkeit daran arbeiten, dass es geschehen wird, werden wir sehen, dass über 20,000,000 (zwanzig Millionen) Menschen ihre Sünden bereuen und mit dem Heiligen Geist erfüllt sowie in Jesus Namen getauft werden!

Aaron Soto ist ein Pastor und ein lieber Freund, der mir wie ein leiblicher Bruder ist. Er ist einer der großartigsten Leiter, auf das Königreich ausgerichteten ist, den ich je kenne.

Diesen enormen Vergleich teilte er uns, während einer Sitzung des virtuellen Leiterschulungstreffens der Vereinigten Pfingstkirchen der Deutschsprachigen Nationen (UPCGSN) zum Thema „Apostolische Familien- & Ehe-Mentoring", mit:

Er fragte: „Haben Sie jemals auf der Rückseite einer Shampoo-Flasche die Gebrauchsanweisung gelesen? Die meisten Anweisungen besagen: Haare nass ma-

chen, Shampoo auftragen, Haare ausspülen, wiederholen. Wenn es um Ihre Familie und Ihre Ehe geht,
dürfen Sie sich nie auf Autopilot stellen, sondern
müssen täglich spülen und gesunde Prinzipien
wiederholen."

Bruder Soto wird wahrscheinlich verärgert über mich
sein, aber als er diese Analogie während des Men-
toring-Seminars - über apostolische Familien & Ehe -
mit uns teilte, schweiften meine Gedanken und mein
Herz ein wenig ab, und ich überlegte, wie wir apostolische Prinzipien, Glauben und Verfahren wiederholt
umsetzen könnten, um Gottes Vision der globalen
Ernte zu erleichtern.

Visionen vermitteln, Glauben aufbauen, aufopfernd
geben, Evangelisationsteams aufbauen, Ortansässige
ausbilden, Stadien sichern, effektiv fördern, entsprechend planen, 40,000 Seelen ernten, und alles
WIEDERHOLEN! Natürlich gibt es noch so viele weitere Punkte, die bei der Planung einer so großen Vision zu berücksichtigen sind, aber schließen Sie für
einen Moment Ihre natürlichen Augen und lassen Sie
zu, dass Ihre spirituellen Augen geöffnet werden. Lassen Sie Gott Ihnen ein spirituelles Bild davon geben,
wie aufregend und ehrfurchtgebietend es sein wird,
wenn die Stadien in Ihrer Stadt oder Ihrem Land mit
seiner globalen Ernte gefüllt sind.

Während ich auf der oben erwähnten apostolischen
Konferenz vor heldenhaften nordamerikanischen
Missionaren predigte, sagte mir der Herr, dass er die
Vision seiner radikal-apostolischen Kirche erweitern

werde. Der Herr sagte mir, ich solle damit beginnen, zu erklären, was er im Hotelzimmer vor dem Gottesdienst über die Stadien offenbart hat, die überall auf der Welt gefüllt sein werden.

Gott sagte mir: „Erkläre meiner radikal-apostolischen Kirche, die ich schon jetzt erweckt habe, dass ich diese Stadien für sie gebaut habe! Ich habe diese Stadien für meine radikal-apostolische Kirche gebaut! Ich habe diese Stadien für meine weltweite Ernte gebaut! Die globale Ernte, die ich geplant habe, wird nicht in eure Gemeinden hinein passen, aber von Anfang an habe ich Veranstaltungsorte vorbereitet, die ihr nicht gebaut und für die ihr nicht bezahlt habt. Diese Veranstaltungsorte werden mit hungrigen Seelen gefüllt sein, noch bevor ich zurückkehre".

Gott sagte an jenem Nachmittag zu mir: „Wenn du Glauben hast und sprichst, was ich dir gezeigt habe, wirst du es mit deinen eigenen Augen sehen!"

Ich werde nie die Reaktion der Pastoren und Ehefrauen dieser nordamerikanischen Missionen vergessen, als sie die Verheißung der globalen Ernte des Herrn zu hören begannen. Ihre Herzen begannen zu springen. Die Schuppen fielen von ihren spirituellen Augen. Der Glaube schwebte im Gebäude. Die Pastoren füllten die Altare auf, als Gott ihnen Visionen und Glauben für die Stadien gab, die in ihren Städten und Nationen gefüllt sein werden! Gott begann, diesen Pastoren Visionen zu geben, nicht für 10% ihrer Städte, nicht für 50% ihrer Städte, aber Gott begann, seiner radikal-apostolischen Kirche den Glauben für eine vollständige weltweite Ernte zu schenken!

Jeden Monat führen wir mit den Missionaren in Deutschland, der Schweiz, Österreich und Liechtenstein eine einstündige Konferenzschaltung mit Vision, Gebet und Planung durch. Während dieser Konferenzen sage ich ihnen immer wieder:

Deutschland hat 82,9 Millionen Seelen ... das ist Gottes Vision und muss auch unsere Vision für Deutschland sein!

Österreich hat 8,7 Millionen Seelen ... das ist die Vision Gottes und muss unsere Vision für Österreich sein!

Die Schweiz hat 8,4 Millionen Seelen ... das ist Gottes Vision und muss unsere Vision für die Schweiz sein!

Liechtenstein hat 37,000 Seelen ... das ist die Vision Gottes und muss unsere Vision für Liechtenstein sein!

Einhundert Millionen Seelen ist eine große Vision, aber wenn wir Glauben haben, wenn wir ihn verkünden, wenn wir strategisch und zielgerichtet apostolisches Training, apostolische Teammitglieder und apostolische Methoden einsetzen, wenn wir in apostolischer Einheit wandeln, wenn wir uns weiterhin radikal unterordnen, radikal demütigen und radikal opfern, wird Gott mit uns zusammenarbeiten und wir werden die 100 Millionen Seelen in den deutschsprachigen Nationen erreichen!

Im Oktober 2020 war ich mit einem unserer lieben

Freunde, Pastor Bill Parkey, in Memphis, Tennessee. Wir diskutierten über die Vision von „globaler Ernte" und darüber, wie meine Familie auf Kritik reagieren sollte. Pastor Parkey fühlte sich vom Heiligen Geist geleitet, Pastor Brian Kinsey anzurufen, der Pastor einer großen apostolischen Gemeinde in Pensacola, Florida ist. Pastor Kinsey erinnerte uns daran, dass der Evangelist Billy Cole eine Vision hatte, in der er sah, wie er eines Tag mehr Menschen sehen würde, die die Gabe des Heiligen Geistes, mit dem Beweis in anderen Zungen zu sprechen, empfangen würden, als es je die Jünger erlebt hatten.

Evangelist Billy Cole sagte dies: „Ich musste es mir immer wieder sagen, bis Gott es mir endlich gab. Ich musste es mir immer wieder vorsagen, nicht aus Trotz, nicht in Rebellion gegen irgendjemanden, nicht gegen die Autorität von irgendjemandem, aber ich musste es sagen, weil Gott wollte, dass ich das in meinem Dienst erleben sollte. Man muss es sich immer wieder bestätigen, auch wenn man kritisiert wird! Sie haben mich nahezu umgebracht, weil ich es betont habe, aber ich habe es immer wieder wiederholt, bis ich es gesehen habe! Du musst es sagen, bis du es siehst! Du musst es immer wieder sagen, bis Gott es dir zeigt und es dir gibt."

Ich war mit dem Evangelisten Billy Cole in Äthiopien, als er sah, wie über 100,000 Menschen in einem Gottesdienst die Gabe des Heiligen Geistes empfingen. Gott gab Billy Cole die Vision. Er bestätigte durch die Prophezeiung, dass es geschehen würde und er sah es mit eigenen Augen!

Pastor Brian Kinsey sagte: „Sie müssen ihre Botschaft erstellen, bevor Sie in den Sturm geraten, denn der Sturm wird immer versuchen, Sie dazu zu bringen, Ihre Botschaft zu ändern."

Der Prophet T. W. Barnes sagte: „Der Feind wird niemals aufgeben und immer wieder versuchen, Sie zu Fall zu bringen. Sie sollten nicht bis zum Sieg warten, Ihr Leben zu genießen. Sie müssen die Schlacht genießen, auch wenn Sie den Sieg nicht haben. Wenn Sie es in den Himmel schaffen und Sie hören, wie die Perlentore hinter Ihnen zuschließen, dann hören Sie genau hin, denn Sie werden das Abprallen der Pfeile hören, wenn diese von den Perlentoren abschmettern. Denn Ihr Feind wird nie aufhören anzugreifen, bis Sie auf die andere Seite angekommen sind.

Zweifellos wird es immer Angriffe gegen die Vision geben, aber wenn Gott Ihnen eine Vision für Ihr Amt, Ihre Stadt oder Ihre Nation gegeben hat, ist folgendens sicher: egal, wie groß die Vision ist, egal ob die Vision noch nie zuvor gesehen wurde, bezeugen Sie das prophetisch mit Glauben!
Sagen Sie es, bis Sie es sehen! Wenn Gott Ihnen die Vision gegeben hat, sind Sie nicht allein! Derselbe Gott, der Ihnen die Vision gegeben hat, wird es auch in die Tat umsetzen!

Die Worte des Apostel Paulus haben sich in letzter Zeit in meinem Herzen gebrannt:

Römer 8,31

31 ... Wenn Gott für uns ist (PARTNERSCHAFT), wer kann dann gegen uns sein?

Gottes radikal-apostolische Kirche muss verstehen, dass wir diesen Krieg nicht allein führen können! Wir sind in Partnerschaft mit Gott! Unser Gott hat noch nie eine Schlacht verloren! Unser Gott hat nie eine kleine Vision gehabt! Unser Gott würde sein Volk niemals zum Scheitern verurteilen!

5. Mose 20,4
4 Denn der HERR, euer Gott, geht mit euch (PARTNER-SCHAFT), dass er für euch mit euren Feinden streite, um euch zu helfen.

Jesaja 54,17
17 Keine Waffe, die wider dich geschmiedet ist, wird es gelingen; und alle Zungen, die sich wider dich vor Gericht erheben, wirst du Lügen strafen. Das ist das Erbteil der Knechte des HERRN und ihre Gerechtigkeit, die ihnen von mir zuteil wird, spricht der HERR (PARTNERSCHAFT).

Nehmen Sie sich einen Moment Zeit, um die nächste Schriftstelle zu lesen und lassen Sie diese in Ihrem spirituellem Gedankensinn einsinken:

Lukas 10,19
19 Siehe, ich habe euch Vollmacht verliehen, auf Schlangen und Skorpione zu treten, und über alle Gewalt des Feindes; und nichts wird euch beschädigen.

Als radikal-apostolische Kirche müssen wir verstehen, dass es der absolute Plan Gottes ist, mit uns partnerschaftlich zusammenzuarbeiten, um seine Vision der globalen Ernte zu ermöglichen!

Als radikal-apostolische Kirche müssen wir erwarten, dass Gott uns befähigen, bevollmächtigen und salben wird, damit alle Seelen in unseren Städten und Nationen erreicht werden!

Bruder und Schwester Hulsman sind einige unserer großen Missionarinnen und Missionare in der Schweiz. Bruder Hulsman streckte 2019 die Hand nach mir aus und sagte: „Bruder Robinette, ich habe ein Wort des Herrn für dich. Ich habe über die Vision gebetet, die der Herr zu dir gesprochen hat, um die Welt zu erreichen. Der Herr hat mir gesagt, dass ich dir dies sagen soll: Es wird eine umfassende weltweite Ernte geben von Kirchen, die nicht unserer apostolischen Kirche angehören. Diese Ernte wird die Türen zu Dörfern, Städten, Gemeinden, Regionen und Nationen öffnen, in denen wir nicht gearbeitet und keine Saat gesät haben." Er fuhr fort: „Gott sagte: Ich werde meinem Volk Land geben, in dem es nicht gearbeitet hat, und Städte, die es nicht gebaut hat, und es wird von Weinbergen essen, die es nicht bepflanzt hat!"

Im April 2015 war der verstorbene Prophet, Pastor Eli Hernandez, bei uns in Wien, Österreich. Er zog mich während eines Gottesdienstes zur Seite und verkündete dieses Wort der Prophezeiung:

„Der Herr hat Millionen von Engeln mit gezückten Schwertern gesandt, um von diesem Punkt an für Sie zu kämpfen! Bis zu diesem Zeitpunkt haben Sie mit einer Hand an Ihrem Schwert und der anderen Hand an den Erntenetzen gearbeitet. Sie waren durch die gegen Sie geführten Kriege abgelenkt und haben zu viel Ernte verpasst. Aber jetzt nicht mehr! Von diesem Tag an werden Sie Ihr Schwert niederlegen und mit beiden Händen nach dem Netz greifen, denn die Ernte wird größer sein, als nur eine Hand halten kann."

1992 war ich bei Bruder T.W. Barnes. Er hielt mich im Gang seiner Gemeinde fest und sagte: „So spricht der Herr: ... Ich werde euch eine Ernte geben. Ihr werdet die Welt in Flammen aufgehen sehen."

Diese mächtigen Männer Gottes sahen eine Vision einer so großen Ernte, dass wir, die radikal-apostolische Kirche, beide Hände brauchen werden, um die Netze zu halten! Eine Ernte, die so groß ist, so dass sie die ganze Welt erobern werden! Eine Ernte, die so groß ist, dass keine Ortsgemeinde sie in ihren Mauern halten kann. Sie sahen im Geiste, dass eine radikal-apostolische Kirche eine wahre globale Ernte erleben würde.

Diese mächtigen Männer sahen eine Vision, in der sich niemand um Grenzen oder Regionen sorgte. Niemand stellte an seinen natürlichen Grenzen Schilder auf, auf denen stand: "KEIN EINTRITT! Niemand sorgte sich um seine Position oder darum, wer die Anerkennung erhielt.

Eine radikal-apostolische Kirche ist sich dieser Tatsache bewusst: Es gibt eine fortschreitende, an seine Kirche gerichtete Offenbarung Gottes über die endzeitliche Ausgießung des Feuers des Heiligen Geistes über die ganze Welt, die eine beispiellose globale Ernte hervorbringen wird.

Dieses Buch ist mit nur einem einzigen Motiv geschrieben, nämlich Gottes radikal-apostolische Kirche zu erwecken! ES IST AN DER ZEIT, UNSER ERWARTUNGSNIVEAU ZU ERHÖHEN!

Selbst während Sie dieses Buch lesen, nimmt der Glaube in Ihrem spirituellen Empfinden zu! Ihre Vision ist verschwommen, aber Gott bringt Klarheit in Ihre Vision, und zwar genau jetzt! Der geistliche Dunst des Krieges hebt sich, und Sie können sehen, dass Gott für Sie da ist!

Was Ihr heute im Namen Jesus verkündet, das werdet Ihr bekommen!

Was Sie in die Atmosphäre prophezeien, wird Früchte tragen!!

Täuschen Sie sich nicht, es ist absolut der Wunsch des Herrn, dass jeder in der Welt seine Sünden bereut!

2. Petrus 3,9
9 Der Herr säumt nicht mit der Verheißung, wie etliche es für ein Säumen halten, sondern er ist langmütig gegen uns, da er nicht will, dass jemand verloren gehe, sondern dass jedermann Raum zur Buße habe.

Matthäus 4,17
17 Von da an begann Jesus zu predigen und zu sprechen: Tut Buße; denn das Himmelreich ist nahe her-

beigekommen!

Täuschen Sie sich nicht. Es ist absolut der Wunsch und die Sehnsucht des Herzens Gottes, dass jeder Mensch auf der Welt mit dem Heiligen Geist, mit dem Beweis in anderen Zungen zu sprechen, erfüllt wird!

Markus 16,17
17 Diese Zeichen aber werden die, welche glauben, begleiten: In meinem Namen werden sie Dämonen austreiben, mit neuen Zungen reden.

Apostelgeschichte 2,39
39 Denn euch gilt die Verheißung und euren Kindern und allen, die ferne sind, so viele der Herr unser Gott herrufen wird.

Täuschen Sie sich nicht. Es ist absolut der Wunsch und die Sehnsucht des Herzens Gottes, dass jeder auf der Welt im Namen Jesus zur Vergebung seiner Sünden getauft wird!

Apostelgeschichte 2,38
38 Da sprach Petrus zu ihnen: Tut Buße und ein jeglicher von euch lasse sich taufen auf den Namen Jesu Christi zur Vergebung der Sünden, so werdet ihr die Gabe des Heiligen Geistes empfangen.

Römer 6,4-6
4 Wir sind also mit ihm begraben worden durch die Taufe auf den Tod, auf dass, gleichwie Christus durch die Herrlichkeit des Vaters von den Toten auferweckt

worden ist, so auch wir in einem neuen Leben wandeln.

5 Denn wenn wir mit ihm verwachsen sind zur Ähnlichkeit seines Todes, so werden wir es auch zu der seiner Auferstehung sein,

6 wissen wir doch, dass unser alter Mensch mitgekreuzigt worden ist, damit der Leib der Sünde außer Wirksamkeit gesetzt sei, so dass wir der Sünde nicht mehr dienen.

Ich gebe den Glauben für eine Globale Ernte jetzt in die spirituelle Erkenntnis von Gottes radikal-apostolischer Kirche frei!

Sie können sicher sein, dass Gott für Sie arbeiten wird!

Sie können sich sicher sein, dass der Herr sich nicht zurückhalten wird!

Wir wissen, woher unsere Hilfe kommt! Wir wissen, wo unsere Kraft herkommt! Wir wissen, wo unsere Hoffnung herkommt! Mit den Menschen ist eine weltweite Ernte unmöglich, aber die Worte von Jesus Christus in der Schrift veranlassen, dass meine Seele „JA!" ausruft:

Matthäus 19,26
26 ... Bei den Menschen ist das unmöglich; aber bei Gott sind alle Dinge möglich.

Es gibt keine Grenzen für das, was Gott in dieser Stunde in unserer Mitte tun wird!

Die Blinden werden sehen, in Jesus Namen! Die Tauben werden hören, in Jesus Namen! Die Lahmen werden gehen, in Jesus Namen! Die Stummen werden sprechen, in Jesus Namen! Alle Krankheiten werden geheilt werden, in Jesus Namen! Die Gebundenen werden freigelassen, in Jesus Namen! Ganze Städte und Nationen werden mit dem Evangelium erreicht werden, in Jesus Namen!

Der Prophet Haggai erklärte:

Haggai 2,9
9 Die Herrlichkeit dieses letzteren Hauses wird größer sein als die des ersteren, spricht der Herr der Heerscharen; und an dieser Stätte will ich Frieden geben, spricht der Herr der Heerscharen.

Die globale Ernte ist Gottes Vision!

Die beispiellose Ausgießung des Heiligen Geistes und seiner Kraft ist die Verheißung Gottes!

Die globale Ernte sollte die Erwartung von Gottes radikal-apostolischer Kirche in diesen letzten Tagen sein!

Joel erklärte prophetisch diese Worte, die zu Gottes radikal-apostolischer Kirche gehören:

Joel 2,23-26
23 Und ihr Kinder Zions, frohlocket und freuet euch über den HERRN, euren Gott; denn er hat euch den Frühregen in rechtem Maß gegeben und Regengüsse, Frühregen und Spätregen, am ersten Tage zugesandt. 24 Und es sollen die Tennen voll Korn werden und die Keltern von Most und Öl überfließen.

25 Also will ich euch die Jahre wiedererstatten, deren Ertrag der Nager, die Heuschrecke, der Fresser und der Verwüster verzehrt haben, mein großes Kriegsheer, welches ich gegen euch gesandt habe;
26 und ihr sollt genug zu essen haben und satt werden und den Namen des HERRN, eures Gottes, loben, der wunderbar an euch gehandelt hat, und mein Volk soll nicht zuschanden werden ewiglich!

Oh, Halleluja, Gott möchte, dass Sie verstehen, dass er sich voll und ganz der globalen Ernte verpflichtet fühlt!

Gott wird seinen Geist in diesen letzten Tagen über alles Fleisch ausgießen!

Gott wird den Regen des Heiligen Geistes in Ihre Stadt und in Ihrer Nation in so großem Maße ausgießen, dass die Ernte unsere Kirchengebäude überfluten wird!

Gott wird der Gemeinde täglich Menschen hinzufügen, und wir werden den Zuwuchs des Herrn in diesen letzten Tagen nicht zählen können!
Hört das Wort des Herrn für seine radikal-apostolische Kirche, es ist Zeit für die globale Ernte!

Gott öffnet gerade jetzt die geistlichen Augen und öffnet die geistlichen Ohren seiner radikal-apostolischen Kirche!

Gott entfernt das Wort „bisschen" aus dem geistlichen Mund seiner radikal-apostolischen Kirche!

Eine mächtige, radikal apostolische Armee Gottes

wird überall auf der Welt erweckt werden!

Wir sind eine Armee, die erobert!

Überall dort, wo Gottes radikal-apostolische Armee Ihre Füße hinsetzt, wird Gott uns den Sieg schenken!

Wir werden die Macht Gottes sehen!

Wir werden eine weltweite Ernte erleben!

Wir werden das Wort des Herrn verkünden und wir werden eine beispiellose Zunahme erleben!

Wir werden Wunder erleben, die wir noch nie gesehen haben!

Wir werden eine beispiellose Darstellung und Kraft des Geistes des Herrn erleben!

Jesus sagte:

Matthäus 16,18-19
18 Und ich sage dir auch: Du bist Petrus, und auf diesen Felsen will ich meine Gemeinde bauen, und die Pforten der Hölle sollen sie nicht überwältigen.
19 Und ich will dir des Himmelreichs Schlüssel geben; und was du auf Erden binden wirst, das wird im Himmel gebunden sein; und was du auf Erden lösen wirst, das wird im Himmel gelöst sein.

Wenn Sie sich gefragt haben, wie die Zukunft Ihrer Gemeinde in der heutigen Welt aussehen wird, oder wenn Sie sich Gedanken darüber gemacht haben, wie die Zukunft Ihrer lokalen Arbeit in all diesem globalen Chaos aussehen wird, dann nehmen Sie jetzt die

Worte des Herrn für seine radikal-apostolische Kirche entgegen:

Jesaja 54,17

17 Keine Waffe, die wider dich geschmiedet ist, wird es gelingen; und alle Zungen, die sich wider dich vor Gericht erheben, wirst du Lügen strafen. Das ist das Erbteil der Knechte des HERRN und ihre Gerechtigkeit, die ihnen von mir zuteil wird, spricht der HERR.

Jesaja 43,1-2

1 Und nun spricht der HERR, der dich geschaffen hat, Jakob, und der dich gemacht hat, Israel: Fürchte dich nicht, denn ich habe dich erlöst. Ich habe dich bei deinem Namen gerufen; du bist mein!
2 Wenn du durchs Wasser gehst, so will ich bei dir sein, und wenn durch Ströme, so sollen sie dich nicht ersäufen. Wenn du durchs Feuer wandelst, sollst du nicht verbrennen, und die Flamme soll dich nicht anzünden.

Es ist Zeit für uns, radikal-apostolisch zu sein, damit wir die versprochene globale Ernte sehen können!

Freunde, missverstehen Sie Verzögerung nicht als Verleugnung! Lassen Sie nicht zu, dass die Intensität eines geistlichen Kampfes Ihre Vision verwischt oder Ihren Glauben in dieser letzten Stunde der Kirche mindert! Lassen Sie nicht zu, dass die Wunden, die Sie im Haus Ihrer Brüder erlitten haben, Sie dazu veranlassen, ihren Ruf Gottes in Frage zu stellen oder sich in Ihre radikal-apostolischen Kühnheit und Autorität einzuschränken! Fügen Sie sich diesen emotionalen

Schmerz nicht selbst zu, indem Sie sich abwenden und sich weigern, in ihrer radikal-apostolischen Berufung zu handeln.

Gott hat mich gezwungen, seine radikal-apostolische Kirche daran zu erinnern, dass es Zeit für die globale Ernte ist. Gott wird sie benutzen!

1 Johannes 4,4
4 Ihr seid aus Gott, meine lieben Kinder, und habt sie überwunden; denn größer ist der, der in euch ist, als der, der in der Welt ist.

Gott haucht seiner radikal-apostolischen Kirche gerade jetzt seine Vision für eine weltweite Ernte ein! Gott haucht Ihnen gerade jetzt seine radikal-apostolische Gabe ein! Gott haucht Ihnen gerade jetzt seine radikal apostolische Vision ein!

In 2. Könige, Kapitel 6 schickt der König von Syrien eine große Armee nach Dotan, um den Propheten Elisa festzunehmen. Soldaten, Pferde und Streitwagen kommen bei Nacht an und umzingeln die Stadt, in der Elisa wohnt.

Der Diener Elisas erwacht und sieht diese große Armee. Er gerät beim Anblick dieses großen Heeres, welches sich um sie herum lagert, in Panik!

Elisas Diener spricht diese angstbesetzten Worte:

2. Könige 6,15

15 ... O weh, mein Herr! was wollen wir nun tun? Ach, mein Herr! Wie sollen wir uns verhalten?

Elisa spricht das spirituelle Problem an und gibt seinem Diener Worte des Glaubens:

2. Könige 6,16-17

16 Und er sprach: Fürchte dich nicht! Denn derer, die bei uns sind, sind mehr, als derer, die bei ihnen sind! 17 Und Elisa betete und sprach: HERR, öffne ihm doch die Augen, dass er sehe! Da öffnete der HERR dem Knecht die Augen, dass er sah. Und siehe, da war der Berg voll feuriger Rosse und Wagen rings um Elisa her.

Machen Sie sich bereit, lieber Freund. Gott ist im Begriff, Ihre spirituellen Augen, während Sie dieses Buch lesen, zu öffnen!

Wir müssen die Worte, die Moses den Kindern Israels verkündete, hören und uns zu eigen machen:

2. Mose 14,13-14

13 Mose sprach zum Volk: Fürchtet euch nicht, tretet hin und sehet, was für ein Heil der HERR heute an euch tun wird; denn diese Ägypter, die ihr heute sehet, sollt ihr nimmermehr sehen ewiglich! 14 Der HERR wird für euch streiten, und ihr sollt stille sein!

Lassen Sie es mich Ihnen noch einmal erklären: Gott wird uns eine globale Ernte schenken!

Der geistliche Nebel ist dabei, sich gerade jetzt aus Ihrem Leben und Ihrem Dienst aufzulösen! Eine neue Salbung kommt gerade jetzt im Namen Jesus auf Sie zu!

Gott setzt seinen verwandelnden Lebenshauch in seine radikal-apostolische Kirche frei, und wir werden nie mehr dieselben sein!

KAPITEL I
Radikal-apostolische Exposition und Vermittlung

"Man lehrt, was man weiß ... aber vermittelt wer Sie sind. " Jack Frost

"Vermitteln Sie denen, die mit ihnen unterwegs sind, so viel wie möglich von ihrem spirituellen Wesen und nehmen sie als etwas Wertvolles an, das von jenen zu ihnen zurückkommt. Albert Schweitzer

"Nichts wird jemals real, bevor es nicht erlebt wird." John Keats

1. Könige 19,21
21 Und er kehrte von ihm zurück und nahm ein Joch von Ochsen und schlachtete sie und kochte ihr Fleisch mit den Werkzeugen der Ochsen und gab sie dem Volk, und sie aßen. Da stand er auf und ging Elia nach und diente ihm.

2. Könige 2,13-14
13 Er nahm auch den Mantel des Elia auf, der von ihm

fiel, und kehrte um und stellte sich an das Ufer des Jordan;

14 Und er nahm den Mantel Elias, der von ihm fiel, und schlug das Wasser und sprach: Wo ist der HERR, der Gott Elias? und als er auch das Wasser geschlagen hatte, teilte sich das Wasser hierhin und dorthin; und Elisa ging hinüber.

Die Bühne vorbereiten

Das Wort Gottes enthält zahlreiche Beispiele der älteren Generation, die die jüngere Generation bewusst lebensveränderte Erfahrungen ausgesetzt hat und ihnen Fähigkeiten, Einsichten und Gaben vermittelt hat.

Moses war ein frustrierter Leiter, bis er dieses kritische Gespräch mit Jethro über die Delegation führte. Moses wiederum investierte in Josua, indem er ihn den höchsten Führungsebenen aussetzte und Weisheit in sein Leben brachte. Eli war ein unschätzbares Geschenk für Samuel. Samuel brachte David in die höhere Arena der Offenbarung und Weisheit.

Mein Lieblingsbeispiel für beabsichtigte apostolische Entblößung und Vermittlung ist das Beispiel von Elias Mentoren-Beziehung zu Elisa. Elisa hatte das Privileg, von Elia apostolische Auslegung und apostolische Überlieferungen zu erhalten. Anknüpfend an Elias Dienst war dieser Einfluss eine Steigerung der Fähigkeit Wunder durchzuführen. Infolgedessen erhielt Elisa auch Elias Mantel und den doppelten Teil vom Dienst des Propheten.

Die Söhne der Propheten sahen aus der Ferne zu, wie Elisa Wasser auf die Hände des Mann Gottes goss. Sie hatten jede Gelegenheit mittendrin dabei zu sein, zu empfangen, zu erleben, ausgebildet zu werden, aber sie standen abseits, warteten und beobachteten was auf sie zukommen würde, damit wenn etwas vom Himmel oder vom Propheten Elia gefallen wäre, sie es hätten auffangen können.

Was Elisa erhielt, hätte ihnen gehören können. Aber während Elisa der Ehrgeiz packte, standen die Söhne der Propheten nur da und beobachteten.

Warten Sie nicht auf die Aufklärung.

Stehen Sie nicht im Abseits.

Gehen Sie diese nach.

Unser Pastor

Stacey und ich waren mehr als gesegnet, einen der größten Pastoren zu haben, während wir aufwuchsen, Pastor William Nix. Unser Pastor war kühn, stark, mutig und so sehr apostolisch. Wir taten es NIEMALS, aber viele Pastoren nannten ihn liebevoll "Wild Bill" (wilder Bill).

Der Generaldirektor der nordamerikanischen Missionen, Pastor Scott Sistrunk, dokumentierte mit diesen Worten die dienstliche Geschichte unseres Pastors:

"1967, als William Nix die Gemeinde in Ypsilanti, Michigan übernahm, begann Gott auf ihn einzuwirken, um

eine Tochterarbeit zu beginnen. Seine erste Tochterarbeit gründete er 1970. Während der 70er Jahre erlebte die Gemeinde in Ypsilanti eine enorme Erweckung und enormen Zuwachs. Bruder Nix diente mehrere Jahre als Leiter der Hauskreismission und inspirierte in dieser Zeit die Gründung vieler Gemeinden im in vielen Landkreisen von Michigan. Er war ein Innovator in den Methoden der Evangelisation und des Aufbaus von Gemeinden. 1982 bezog die Apostolische Glaubenskirche von Ypsilanti einen schönen, nagelneuen Campus. Nachdem er diese gewaltige Aufgabe des Umzugs bewältigt hatte, begann Gott zu Bruder Nix über die Gründung von zehn Gemeinden in der Großstadtregion von Detroit zu sprechen. Dieses war zu jener Zeit in der UPCI in Nordamerika ein fast unbekanntes Konzept. Es gab zu wenige oder kein vorheriges Beispiel, an dem man sich orientieren konnte. So wurden William Nix und die Gemeinde Ypsilanti zu den Vorreitern in der Gemeindegründungsbewegung in Nordamerika. Während seines Dienstes war William Nix viele Jahre lang ein erfolgreicher Pastor und diente in vielen Funktionen als Stellvertreter der Region, unter anderem von 1995 bis 2000 als Superintendent der Michiganregion. Viele Jahre lang finanzierte und beeinflusste er missionarische Werke in Simbabwe und Südafrika. Aus seinem Dienst sind heute zwei vollberechtigte Missionare im Einsatz, Charles Robinette und Mitch Sayers. Sein bleibendes Vermächtnis ist jedoch die Gemeindegründung. Er ist für die Gründung von 20 Gemeinden verantwortlich oder an der Gründung von 20 Gemeinden beteiligt gewesen, von denen heute 16 mit einer durchschnittlichen Sonntagsbesucherzahl von über

2 000 Gottesdienste abhalten."

Die Gemeinden, an deren Gründung unser Pastor direkt beteiligt war, sind unten aufgeführt:

- ❖ Christliches Leben Apostolische Dienste, Detroit, MI, **Pastor James A. Guerrero**

- ❖ Jesus Es el Rey, Grand Rapids, MI, **Pastor Andres Rafael**

- ❖ Primera Iglesia, Spring Branch, TX, **Pastor Manuel Villarreal**

- ❖ Iglesia Pentecostal Unida, LaFortunita, Honduras, **Pastor Leonel Peralta**

- ❖ Iglesia Vida Cristiana, Detroit, MI, **Pastor James A. Guerrero**

- ❖ Solid Rock Church, Ann Arbor, MI, **Pastor Brian Jones**

- ❖ Solid Rock Church, Lenawee, Clinton, MI, **Pastor Tim Richmond**

- ❖ Solid Rock Church, Monroe, MI, **Pastor Tim Richmond**

- ❖ Solid Rock Church, Brooklyn, MI, **Pastor Joseph Romero**

- ❖ The Rock Church, Plymouth, MI, **Pastor Scott Sistrunk**

- ❖ New Life Church, Garden City, MI,
Pastor Chris Smothers

- ❖ Life Pentecostals, Livland, MI,
Pastor Anthony Harper

- ❖ Solid Rock Church, Dearborn, MI,
Pastor Nathan Hayes

- ❖ Solid Rock Church, Detroit, MI,
Pastor Dale Brooks

- ❖ LA IGLESIA DE LA COSECHA, Ypsilanti, MI,
Pastor Joel Dunning

- ❖ The International Church, Romulus, MI,
Pastor Art Wilson

Gott benutzte auf mächtige Art und Weise unseren Pastor als ein Katalysator für große lokale Evangelisationen. Seine Vision ist ein Vorbild für eine beispiellose globale Ernte.

Unser Pastor war nie unsicher in Bezug auf die Entwicklung des Dienstes von Menschen, die Gott in seine Obhut gegeben hatte. Die Entwicklung des Dienstes bedeutete, dass sie Ypsilanti, Michigan verlassen mussten, um dem Ruf Gottes in anderen Teilen der Welt zu folgen. Er betrachtete nie die Zunahme einer Gemeinde oder den Ruf Gottes auf das Leben eines Menschen als eine Bedrohung für seinen eigenen Dienst. Er sah einen Austritt aus der Ortsgemeinde nie als Hindernis für den Zuwachs der Ortsgemeinde an sich. Er sagte mir einmal: „Wenn wir Gott unser Bestes geben, können wir sicher sein, dass Gott uns sein Bestes geben wird, weil Gott keinem Menschen etwas schuldig ist."

Bruder Nix inspirierte uns dazu, alles zu sein, was wir für den Herrn sein konnten, und ermutigte uns mit diesen Worten: „Mein größter Wunsch ist es, dass du auf meinen Schultern stehst und dein Ausblick weiter reicht als meiner. Und du mehr tun kannst, als ich getan habe."

Es besteht kein Zweifel daran, dass die Leidenschaft unseres Pastors für Seelen, sein Engagement für die weltweite Evangelisation und seine Liebe zur Gemeindegründung zur Absicht hatte, in unser geistliches Empfinden und unsere Arbeitsphilosophie einzufliessen.

Dank der Darlegung und Vermittlung durch unseren Pastor haben wir uns diese Praxis zu eigen gemacht, nämlich die Menschen, die Gott in unsere Obhut gibt, zu fördern. Gleichermaßen haben wir dieselben Menschen bereitwillig, weltweit und ohne Widerwillen in das Werk Gottes entlassen. Wir haben persönlich und sogar finanziell unser Bestes gegeben, um sein Reich voranzubringen, und zweifellos haben wir im Gegenzug Gottes Bestes erfahren.

Große Momente der Vermittlung und Aufklärung

Unser Pastor setzte die Gemeindemitglieder der

Apostolischen Glaubenskirche von Ypsilanti, Michigan absichtlich den mächtig gesalbten apostolischen Diensten aus; Pastor Billy Cole, Pastor Lee Stoneking, der verstorbene Pastor R.L. Mitchel, Schwester Vesta Mangun, die Familie Guidroz, Pastor Dennis Lewis und viele andere haben jährlich oft an unserer Kanzel gepredigt. Ich kann mich noch an diese mächtigen apostolischen Dienste erinnern, als ob es gestern gewesen wäre!

In einem dieser Gottesdienste in den 90er Jahren diente Bruder R.L. Mitchel, als eine blinde Frau in den Saal geführt wurde. Bruder R.L. Mitchel hörte auf zu predigen und rief die Frau zum Altar nach vorne. Die Platzanweiser führten sie zum Altar, wo Bruder R.L. Mitchel der Frau entgegenkam. Bruder Mitchel trat zu ihr hin und sagte, dass Gott ihr sofort das Augenlicht wiedergeben würde. Bruder Mitchel betete und sofort gab Gott auf wundersame Weise dieser Frau das Augenlicht wieder zurück. Sie wurde an diesem Abend auch mit dem Heiligen Geist erfüllt.

Während unserer "Gebet, Glaube und Lobpreis"-Konferenzen gab es einen gelähmten Mann, der schon lange in der Gemeinde war. Ich erinnere mich, wie Bruder Stoneking von der Plattform kam und dem Mann sagte, er solle aufstehen und geheilt sein. Der Mann stieg aus seinem Rollstuhl und lief in der Kirche herum; auf wundersame Weise wurde er geheilt. Bedauerlicherweise kam dieser Mann wieder nach vorne, setzte sich wieder in den Rollstuhl und entschied, dass seine medizinische Rente wertvoller sei als Gottes Wunder. Er konnte nie wieder gehen.

Ich erinnere mich noch, als Schwester Vesta Mangun über "die Macht des Gebets" predigte! Die Predigt erfüllte die Atmosphäre, und die ganze Gemeinde lag auf dem Boden, verloren im Fürbittengebet!

Es gab auch eine Zeit, in der Bruder Happy Guidroz in der Gemeinde diente, und wir hatten eine „Seelen"-Ernte von 300 innerhalb von nur 3 Monaten.

Pastor Dennis Lewis predigte, als meine Familie vor 31 Jahren in die Gemeinde zurückkehrte. Ich war 14 Jahre alt, als Gott mich mit dem Heiligen Geist erfüllte, und bald darauf taufte mich Rev. Russell Bailey in Jesus Namen.

Einer der Wendepunkte unseres apostolischen Dienstes war, als Pastor Dennis Lewis 1991 in Ypsilanti predigte. Ich war 16 Jahre alt. Bruder Dennis Lewis handelte mit absoluter apostolischer Autorität. Während Bruder Dennis Lewis sprach, nahm Gottes Berufung meine Seele gefangen. Ich konnte es nicht erwarten, zum Altar zu gehen, und als ich dort ankam, verweilte ich stundenlang im Geist Gottes. Ich konnte nicht vom Boden aufstehen. Bruder Lewis, meine Eltern, mein Pastor und viele andere legten sich zu mir für längere Zeit auf den Boden. Der apostolische Dienst hatte in meinem geistlichen Empfinden apostolische Samenkörner gepflanzt, die sich zur gegebenen Zeit durch die apostolische Berufung, den apostolischen Gaben und die apostolischen Ergebnisse offenbaren würden. Dieser Dienst veränderte mein Leben für immer!

Unsere Gemeinde wurde zu Zeugen der Erscheinungen von Engeln. Wir bezeugten, wie Blinde ihr Augenlicht erhielten. Wir sahen, wie Lahme gehen konnten und wie Krebs geheilt wurde. Enorm viele Menschen wurden mit dem Heiligen Geist erfüllt und in den Namen Jesus getauft.

Wir sind dem Herrn so dankbar, dass er uns einen Pastor wie Pastor William Nix geschenkt hat. Es gab so viele bedeutende apostolische Momente, die uns vermittelt wurden und der wir ausgeliefert waren, die meine Frau und ich zuteilwurden.

Unser Jugendpastor

Ein weiterer lebensverändernder apostolischer Einfluss ereignete sich, als Pastor Nix einen wahren Erweckungsprediger als unseren Jugendpastor einstellte. Bruder Sistrunk ist der derzeitige nordamerikanische Generaldirektor für die Missionen der Vereinigten Pfingstkirche International. Seine Leidenschaft für das Lehren von Bibelstudien, die Seelengewinnung und die Gemeindegründungen haben unsere gesamte Zusammenarbeit geprägt.

Scott und Karla Sistrunk wurden am 1. Mai 1988 eingestellt. Meine Familie war gerade in die Gemeinde zurückgekehrt. Ich hatte noch nie jemanden so beten, tanzen und den Herrn anbeten sehen wie Bruder Scott Sistrunk. Seine Leidenschaft für Gebet, Lobpreis und Anbetung wurde täglich mit gutem Beispiel vorangetrieben und auf mein Leben übertragen.

Bruder und Schwester Sistrunk liebten es, Bibelstudien zu lehren. Sie lehrten immer eine Hauskreisbibelstunde oder suchten nach einer neuen Familie, die sie anleiten konnten. Ihre Leidenschaft für Seelen war ansteckend, und es dauerte nicht lange, bis ich infiziert wurde.

Einer meiner ersten Jobs war als Einpacker für Lebensmittel bei Meijer (ein Lebensmittelmarkt in Ypsilanti). Ich war begeistert, mit dem Heiligen Geist erfüllt und in den Namen Jesu getauft zu sein! Nachdem ich einer solchen Leidenschaft für Seelen ausgesetzt war, konnte ich nicht schweigen. Ich verbrachte meine Mittagspausen damit, meine Mitarbeiter im Aufenthaltsraum Bibelstudien zu geben. Ich kann mich nicht mehr an die genaue Zahl meiner Mitarbeiter erinnern, die in den Namen Jesus getauft wurden und den Heiligen Geist empfangen haben, aber während meiner Mittagspause fuhren wir zurück zur Apostolischen Glaubenskirche in Ypsilanti, wo Bruder Sistrunk meine Mitarbeiter in den Namen Jesus taufte und sie zum Heiligen Geist durchbete. Wir sind dann schnell zu Meijer zurückgekehrt, bevor unsere Mittagspause vorbei war.

Bruder und Schwester Sistrunk lehrten uns auch, niemals einen Kompromiss für das Haus Gottes oder unsere spirituellen Disziplinen, sei es für irgendetwas oder irgendjemanden, einzugehen. Ich erinnere mich, wie mein Chef bei Meijer mich ins Büro rief und mir sagte: "Entweder du arbeitest am Sonntag oder du suchst dir einen anderen Job".

Für mich gab es keinen Grund auch nur zwei Sekunden darüber nachzudenken, was ich tun sollte. Ich zog meine Meijer-Jacke aus und sagte: „Danke, Sir, aber ich lasse mich nicht kaufen."

Das Vorbild, die Aufklärung und die Vermittlung der Familie Sistrunk hatten in meinem geistigen Empfinden Wurzeln geschlagen. Jetzt gab es kein Zurück mehr.

Pastor Mitch Sayers, der gewählte Generalsekretär der GSN (Deutschsprachige Nationen) der Vereinigten Pfingstkirche, und seine Frau Jutta Sayers, die beide als Mitglieder des UPCI-Missionsteams in Deutschland tätig sind, sind einige unserer liebsten Freunde. Sie sind auch ein Produkt der apostolischen Aufklärung und apostolischen Vermittlung der Familie Sistrunk.

Bruder Sayers gab mir folgenden Bericht:

„Nachdem wir buchstäblich vom Herrn zur Apostolischen Glaubenskirche geführt worden waren, wurden wir von Scott Sistrunk gefragt, ob wir an einer Bibelstunde interessiert wären. Wir dachten, sicher, warum nicht? Uns war nie eine Bibelstunde angeboten worden, obwohl wir beide die Bibel für uns erkundet hatten. Wir begannen mit unseren Bibelstunden und hörten Dinge, die wir aus unserem konfessionellen Hintergrund noch nie zuvor gehört hatten. Wir hatten beide in Deutschland den Heiligen Geist empfangen, wurden aber in den Titeln getauft. Wir hörten von der Einheit Gottes, der Macht des Namens Jesus, den Bündnissen des Alten

und des Neuen Testaments, der Darstellung der Erlösung im Tabernakel, der Darstellung des Erlösungsplans des Neuen Testaments in Tod, das Begräbnis und die Auferstehung, was es bedeutet, heilig zu sein und warum dies nicht nur wichtig, sondern wesentlich ist. Es gab so viele neue Offenbarungen und so viele Fragen (vor allem: Warum hatten wir diese Dinge noch nie zuvor gelehrt bekommen oder gehört?) Während wir diese Nahrung in unseren Bibelstunden erhielten, erlebten wir die Kraft des gepredigten Wort Gottes im Gottesdienst. Wir lernten die Kraft des apostolischen Gottesdienstes, den Segen des fünffachen Dienstes, den Bischof Nix der Gemeinde zukommen ließ, kennen und erlebten Gemeinschaft auf einer anderen Ebene als je zuvor. Nach etwa 3 Monaten Bibelstudium beschlossen wir, uns in den Namen Jesus umzutaufen. Unser Bibelstudium dauerte insgesamt etwa neun Monate. Nach dieser soliden Grundlage konnten wir viel mehr aus dem gepredigten Wort herausholen. Schließlich begannen wir, andere beim Lehren von Bibelstunden zu begleiten, und wurden gefragt, ob wir bereit wären, anderen Bibelstunden zu geben. Die Verbindungen, die wir damals knüpften, sind noch heute, etwa 25 Jahre später, intakt."

Für Stacey und mich (und vielen anderen) sind Pastor Scott und Karla Sistrunk unschätzbare Geschenke Gottes. Sie haben unser geistliches Empfinden geschult, angeleitet, entlarvt und apostolische Prinzipien in unserem geistlichen Spürsinn vermittelt. Sie haben uns auf unsere Zukunft im apostolischen Dienst und in der apostolischen Leitung vorbereitet.

ANMERKUNG: Zum Zeitpunkt der Verfassung dieses Buches hat Gott Bruder und Schwester Sistrunk dazu verwendet, sieben Gemeinden in den unten aufgeführten Städten zu gründen:

❖ Ann Arbor, MI 1996

❖ Clinton, MI 2000

❖ Monroe, MI 2003

❖ Detroit, MI 2005

❖ Dearborn, MI 2007

❖ Detroit, MI 2008

❖ Plymouth, MI 2015

Apostolische Offenlegung = Apostolisches Verhalten

Weil wir früh, am Anfang unseres jungen und noch beeindruckbaren Lebens, mit dem apostolischen Dienst in Berührung gekommen waren, waren wir dem Dienst gegenüber grundständig. Es war für uns ganz natürlich, apostolische Kraft und Gaben in unseren Bemühungen um den Dienst einzubeziehen.

In 1999, während wir in unserer Ortsgemeinde als Jugendpastoren tätig waren, erlebte unsere Jugendgruppe eine enorme Zunahme. Während unserer

Jugendgottesdienste und sogar während der "Gebetsklub"-Treffen an den örtlichen gemeinstädtischen Schulen in unserer Stadt wurden viele junge Menschen mit dem Heiligen Geist erfüllt. Unsere Jugendgruppe war über unseren Jugendraum hinausgewachsen, und wir hielten Jugendgottesdienste im Hauptsaaal ab.

Während einer unserer Jugendgottesdienste liefen, tanzten und schrien alle jungen Menschen in der ganzen Kirche umher. Ein nicht errettetes junges Paar fuhr an der Kirche vorbei, als es bemerkte, dass ein, ihrer Meinung nach, natürliches Feuer aus den Türen und Fenstern der Kirche schoss. Sie parkten ihr Fahrzeug auf die Feuerwehrspur und eilten in die Gemeinde hinein, um so viele Menschen wie möglich davor zu retten, von den Flammen, die sie gesehen hatten, erfasst zu werden. In Panik kamen sie zum Podium und sagten: „Sir, wir müssen sofort alle aus dem Gebäude bringen! Sie stehen alle unter Flammen!"

Ich sagte: „Wovon reden Sie?!"

Er sagte: „Kannst du es nicht sehen? Da ist Feuer auf jedermanns Kopf und es kommt aus ihren Mündern!"

Ich sagte ihm: „Sir, das ist die Manifestation der Kraft des Heiligen Geistes, die in ihnen ist, und Sie können das Gleiche auch haben!" Sie fragten, ob sie mit den jungen Leuten mitlaufen und anbeten könnten. Ich sagte ihnen: „Wenn ihr das macht, was wir tun, dann werdet ihr bekommen, was wir haben!"

Sie sagten: „Das ist es, was wir wollen!" Sie fingen

an, mit den Jugendlichen zu laufen, zu tanzen und Gott zu preisen, und beide wurden mit dem Heiligen Geist erfüllt und sie sprachen in anderen Zungen! Wir tauften sie am gleichen Tag im Namen Jesus.

Wir sind unseren pastoralen Leitern auf ewig dankbar für die apostolische Auseinandersetzung mit dem Fünffachen Dienst und den Gaben des Geistes, die sie selbstlos mit uns geteilt haben!

Vermittlung & Offenlegung im frühen Dienst

Wenn sich der Ruf Gottes in Ihr Leben sich zu einem aktiven Dienst entwickelt, können Ihnen hilfreiche Prinzipien und Praktiken *beigebracht* werden. Wenn es jedoch um Ihre apostolische Entwicklung geht, gibt es einige Elemente, die durch Aufdeckung und Vermittlung *eingefangen werden* müssen!

In 1999, ein Jahr nachdem ich den aktiven Dienst bei der US-Luftwaffe verlassen hatte und Jugendpastor in meiner Ortsgemeinde geworden war, gab der Herr Bruder Billy Cole einen Traum über einen jungen Pastor, der als Jugendleiter in Ypsilanti, Michigan diente.

In dem Traum sagte Gott zu Bruder Billy Cole, dass ich ein Teil seines Äthiopienkreuzzugsteams sein sollte. Zum Glück fügte Gott hinzu, dass Bruder Nix meine Ausgaben bezahlen sollte, damit ich an der Evangelisation teilnehmen konnte.

Ich werde nie die Erwartung, die Salbung und die Dankbarkeit vergessen, die ich empfand, als Bruder Nix mich in sein Büro rief, um mich darüber zu informieren, was Bruder Billy Cole gesagt hatte. Ebenso werde ich nie die Erleichterung vergessen, die ich fühlte, als Bruder Nix mir sagte, dass *er* meine Kosten bezahlen würde!

Es war der 5. März 2000, als ich Ypsilanti, Michigan in Richtung Wara, Äthiopien verließ, um mich einer dynamischen Gruppe von Veteranen des apostolischen Evangelisationsteams anzuschließen. Zu der Gruppe gehörten Bruder Billy Cole, Bruder Teklemariam Gezahagne, Bischof und Schwester Stark, Bischof John Putnam, Bruder Doug Klinedinst, Bruder Jim Blackshear, Bruder Steve Willoughby, Bruder Jason Varnum, Bruder Eli Hernandez, Bruder Ken Bulgrin, Bruder Art Hodges III, Bruder E. S. Harper, Bruder Rick Maricelli, Bruder Jathan Maricelli und viele andere!

Das äthiopische Volk reiste aus dem ganzen Land an, um an diesem Kreuzzug teilzunehmen. Es wurde geschätzt, dass zwischen 300,000 und 500,000 Äthiopier anwesend waren. Wenn man am Podium stand, konnte man die gesamte Menge nicht überblicken. So viele Menschen riefen, tanzten, beteten an, taten Buße und sangen Loblieder zum König der Könige und dem Herrn der Herren. Ich werde nie vergessen, als der Heilige Geist auf diese Menschenmenge herabfiel. Das war wahrhaftig ein Klang vom Himmel. Man spürte den mächtigen, rauschenden Wind. Der Heilige Geist fiel wie Feuer herab. Zur gleichen Zeit, wo diese große Menschenmenge anfing, in anderen Zungen zu sprechen, gab es ein Crescendo, das wie eine himmlische Symphonie erklang! Wir schätzten, dass mindestens 100,000 Menschen an diesem Tag den Heiligen Geist, indem sie in anderen Zungen sprachen, zum allerersten Mal während der Evangelisation empfangen hatten, so wie es in der Bibel geschrieben steht.

In diesen zehn Tagen gab es unzählige Momente apostolischer Vermittlung und Offenlegung, die man unmöglich aufzählen kann. Jedoch ragen zwei davon heraus und haben meinen Dienst unauslöschlich geprägt.

Einer der bedeutendsten Momente der apostolischen Offenlegung und Vermittlung war während des Gebetstreffens des Evangelisationsteams und der nationalen Leiter. Es gab eine solche Erscheinung des Heiligen Geistes. Wie Sie sich sicher vorstellen können, waren die Gaben des Heiligen Geistes wirksam und kamen voll zur Geltung bei dem Kaliber der Männer Gottes, die in diesem Raum anwesend waren. Ich war Zeuge kleinerer individueller Manifestationen der Gaben des Geistes in meiner Ortsgemeinde gewesen, aber ich hatte noch nie so etwas wie bei diesem Gebetstreffen der Leiter in Äthiopien erlebt. Der Geist des Herrn war so stark. Die Gabe des Glaubens strömte wie ein Tsunami durch den Raum, und das Reden in anderen Zungen, die Interpretation des Redens in anderen Zungen, das Wort der Prophezeiung, die Worte der Erkenntnis und Worte der Weisheit nahmen altgediente Mitglieder des Evangelisationsteams gefangen. Offenbarungen, Salbungen,

Berufungen, Gaben und Verständnis wurden auf ungeheure Weise freigesetzt und an allen Anwesenden weitergegeben.

Bei diesem ersten Kreuzzug war ich erst 24 Jahre alt. Niemand im Team kannte mich, und ich hatte während des Teamtreffens keine Geschichten zu erzählen, aber diese Männer und Frauen Gottes waren so selbstlos mich dem apostolischen Dienst und der Gaben auszusetzen. Ich saß schweigend da und hörte gespannt zu, wie sich diese großen Helden des Glaubens freudig und frei über ihre Erfahrungen im apostolischen Dienst, über die Fallstricke, die es auf dem Weg zu vermeiden galt, und über die Schmerzen und Triumphe, die sie auf dem Weg zum apostolischen Dienst erlebt hatten, untereinander austauschten.

Während der ersten Kreuzzüge in Äthiopien habe ich, glaube ich, in keiner der Versammlungen auch nur ein Wort gesprochen. Ich hungerte und dürstete danach, von Gott durch seine Helden des Glaubens zu hören. Ich fühlte mich so demütig, gesegnet und sogar unwürdig, im selben Raum wie diese großen Männer und Frauen Gottes zu sein.

Ich werde nie vergessen, dass ich, als ich zum ersten Mal meine lokale UPCI-Lizenz erhielt, meinen Pastor, der Superintendent der Michiganregion war, zu unserem Treffen für die Prediger der Region Michigan fuhr. Mein Pastor sagte mir: „Wenn Sie während dieses Dienertreffens meinen, Sie hätten etwas zu sagen, dann TUN SIE ES NICHT! Hören Sie zu und beobachten Sie die Ältesten. Sie sind noch zu jung, um eine Meinung über Dinge zu haben, für die Sie nie einen Preis bezahlt oder Blut vergossen haben." Ich habe als junger Diener mein Bestes getan, um diese Worte nie zu vergessen: meinen Ältesten zu vertrauen, mir auf die Zunge zu beißen, zu zuhören anstatt zu sprechen, und sehr vorsichtig zu sein, bevor ich meine Meinung zu einer Angelegenheit äußere, für dessen Begründung ich kein Blut vergossen habe.

Ich habe an vielen Kreuzzügen teilgenommen, bei denen Helden des Glaubens an einem gemeinsamen Tisch saßen. Ich sah zu, wie junge verunsicherte Männer und Frauen Gottes den Mund aufmachten und über Dinge sprachen, von denen sie nichts verstanden. Sie verpassten die von Gott gegebene Gelegenheiten, apostolische Offenlegung und apostolische Vermittlung zu erhalten. Seien wir vorsichtig, dass wir nicht zu sehr mit dem Reden beschäftigt sind, anstatt zu zuhören.

Ein Wort an unsere jungen apostolischen Leser: Gehen Sie an jeden Moment der Aufklärung und Vermittlung mit Demut, Hunger, Dienerschaft und Schweigen heran. Sie sollten ein Schwamm sein, der bereit ist, alles aufzusaugen, was durch die Stimme der apostolischen Ältesten zu Ihnen fließt. Denken Sie daran, dass Sie nichts zu beweisen und alles zu gewinnen haben.

Nach einem besonders kraftvollen Gottesdienst während des Kreuzzuges in Äthiopien kehrte das Evangelisationsteam in das Hotel zurück - es war nicht wirklich ein Hotel. Als wir die Treppe zu unseren Zimmern hinaufgingen, rief Bruder Billy Cole: „Bruder Robinette, du wirst heute Abend auf der Jugend-Evangelisation predigen und das Wort des Glaubens sprechen."

Ich glaube, ich bin tatsächlich gestorben, als ich ihn das sagen hörte.

Ich erinnere mich, dass ich ihm sagte: „Oh, ich habe keine Predigten dabei. Ich bin mir sicher, dass das jemand anders machen kann."

Er sagte: „Jemand anders kann es tun, aber Gott hat Sie auserwählt! Eine Predigt brauchen Sie sowieso nicht. Schnappen Sie sich Ihre Bibel und gehen Sie zur Evangelisation. Wenn Sie an die Kanzel treten, wird Gott Ihnen eine Schriftstelle geben, die Sie der Menge vorlesen können, und dann werden Sie das Wort des Glaubens so sprechen, wie Sie es heute gesehen haben, und es wird funktionieren!"

Bruder Jason Varnum, Bruder Jathan Maricelli und ich stiegen mit Bruder Teklemariam Gezahagne und einigen seiner Ministranten in das Fahrzeug und fuhren gemeinsam zum Jugendkreuzzug.

Es waren mindestens 1,000 junge Menschen anwesend. Ich war zu Tode erschrocken! So etwas hatte ich noch nie gesehen und so etwas hatte ich noch nie getan. Ich hatte nur wenige Menschen gesehen, die in einem einzigen Gottesdienst unter meinem Dienst den Heiligen Geist empfangen hatten. Ich dachte, ich müsste mich übergeben.

Bruder Jason Varnum und Bruder Jathan Maricelli di-

enten beide kraftvoll, und der Heilige Geist fiel bereits. Dann bat mich die Führungskraft aus der Region an die Kanzel. Ich hatte immer noch nichts! Keine Bibelstelle! Keine Predigt! Keine Ahnung, was ich da machen sollte! Keinen Plan! Aber als ich an die Kanzel trat, wurden meine Augen dunkel, und ich konnte die Menge der jungen Leute nicht mehr sehen. In der Dunkelheit konnte ich die ruhige Stimme Gottes sagen hören: „Wenn du tun wirst, was ich dir sage, und das sprichst, was ich dir sagen werde und was du sprechen sollst, werde ich dir Dinge zeigen, die du noch nie gesehen hast."

Sofort sagte der Herr: „Lies meinem Volk mit Bestimmtheit **Jesaja 28,11-12** vor, und ich werde meinen Geist über diese Versammlung von Menschen ausgießen."

In dem Moment, als der Herr aufhörte, zu mir zu sprechen, konnte ich wieder klar sehen und konnte die Menge junger Menschen vor mir sehen. Ich schaute hinunter, um meine Bibel zu **Jesaja 28,11-12** aufzuschlagen, und fand zu meinem Erstaunen, dass meine Bibel bereits auf wundersame Weise genau an dieser Schriftstelle aufgeschlagen war. Es war, als ob ein Licht vom Himmel gerade auf diese Verse strahlte. Alles andere auf der Seite war verschwommen. Ich rief diese Worte Gottes mit so viel Volumen, Kühnheit und Autorität, wie ich aufbringen konnte, aus.

Jesaja 28,11-12
11 So wird auch er zu diesem Volk mit stammelnden Lippen und in fremder Sprache reden,

12 er, der zu ihnen gesagt hatte: «Das ist die Ruhe! Erquicket den Müden! Und das ist die Erholung», aber sie haben es nicht hören wollen.
Ich hatte noch nie zuvor eine solche Autorität oder Kraft des Geist Gottes gespürt.

Ich versuchte, die Versammlung junger Menschen in die Ausgießung des Heiligen Geistes zu führen, so wie ich Bruder Billy Cole und Bruder Doug Klinedinst nur wenige Stunden zuvor gesehen hatte. Ich führte die Menge in ein Bußgebet, sagte ihnen, sie sollten die Augen schließen, die Hände heben und anfangen, den Herrn zu preisen. Dann sprach ich das Wort des Glaubens: „Durch die Autorität des Wortes Gottes, durch die Macht des Namens Jesus und durch die Macht des Heiligen Geistes, der jetzt gerade fällt, empfangt ihr die Gabe des Heiligen Geistes und sprecht mit anderen Zungen in Jesus Namen!

Sofort fiel die Kraft des Heiligen Geistes auf diese Versammlung junger Menschen, und die Einheimischen berichteten, dass über 600 junge Menschen den Heiligen Geist empfangen hatten und zum ersten Mal in anderen Zungen gesprochen hatten.

Diese apostolische Offenlegungs- und Vermittlungserfahrung in Äthiopien war ein Wendepunkt für unsere Familie und unseren Dienst.

Lassen Sie mich Ihnen eine der humorvolleren "Aufklärungs"-Erfahrungen während dieses Äthiopien-Kreuzzuges erzählen. Es gab immer eine ausführliche Kommunikation von Veteranen des Evangelisationsteams darüber, was man nicht essen, was man nicht tun und was man nicht trinken sollte. Wir wurden immer angewiesen, es niemals zu zulassen, dass das örtliche Wasser aus Eiswürfeln oder gar das Duschwasser des Hotels in unseren Mund gelangt. Sie sagten: „Ein einziger Tropfen lokales Wasser in Ihrem Mund und Ihr Kreuzzug ist vorbei!" Nach dem letzten Evangelisationsgottesdienst kehrten wir in unser Hotel zurück, und ich nahm eine Dusche und putzte mir auch die Zähne. Da ich so erschöpft war, machte ich den Fehler meine Zähne mit dem Wasser aus dem Wasserhahn zu putzen. Das örtliche Wasser in Verbindung mit der übermäßigen Hitze der drei Evangelisationstage, während denen ich in der Sonne Äthiopiens stand, schuf den perfekten Sturm in mir. Etwa eine Stunde später umarmte ich die Toilettenschüssel und erlebte viele andere medizinische Zustände, über die in der Öffentlichkeit niemals gesprochen werden sollte. Jemand rief Bruder Billy Cole und wenige Augenblicke später waren Bruder Doug Klinedinst, Bischof Jim Stark und Bruder Eli Hernandez in meinem Zimmer, und alle zwängten sich in mein Badezimmer, wo ich die Toilette umarmte. Nur wenige Dinge in diesem Leben konnten den Grad an Nervosität und Verletzung des persönlichen Freiraums erzeugen, den ich fühlte, als all diese Helden des Glaubens zu mir ins Badezimmer kamen! Dann sprach der sehr apostolische Pastor Billy Cole, und ich konnte die Salbung in jedem autoritativen Wort spüren, das aus seinem Mund kam! Es gab keinen Zweifel, dass ich eines der zehntausend Wunder sein würde, die während des Äthiopien-Kreuzzuges geschahen!

Br Billy Cole sagte: „Bruder Robinette, Gott wird die Kranken heilen! Gott wird die Lahmen gehen lassen! Gott wird die Blinden zum Sehen bringen! Gott wird die Tauben hören lassen! Gott wird die Toten wieder zum Leben erwecken! Aber...Gott wird nichts für Dummheit tun! WIR HABEN DIR GESAGT, DU SOLLST DAS WASSER NICHT TRINKEN!!! DIES WIRD DICH DAS LEIDEN LEHREN!" Er drehte sich um und drängte sich aus dem Badezimmer, schnell gefolgt von Bruder Klinedinst und Bruder Hernandez. Diese Erfahrung war ein großer "Aufklärungs- und Vermittlungsmoment" in meinem Leben!

Im August 2007 wurde ich eingeladen, dem Malawi-Kreuzzugsteam unter der dynamischen Leitung von Bischof Daniel Garlitz zu begleiten. Das Malawi-Evangelisationsteam war eines der größten apostolischen Teams, an dessen Seite ich je das Privileg hatte zu dienen!

Zum Team gehörten unglaubliche Mitglieder des apostolischen Teams: Bruder Charlie Wright, Bischof Greg Hurley, Bruder David Bounds und Bruder Robert Gordon. Diese Männer wurden wie Brüder für mich. Zwischen all diesen Teammitgliedern gab es eine ganz besondere Verbindung. Zweifellos war es das Ergebnis der ausgezeichneten, gesalbten und weisen Führung des Bischof Garlitz. Es gab so viele starke Persönlichkeiten und mächtige Gaben in den Kernteammitgliedern des A-Teams aus Malawi, aber Bischof Garlitz war ein starkes Beispiel für radikale Unterordnung und radikale Demut. Jeder Stolz oder jede Arroganz, der auch nur versuchte, sein hässliches Haupt zu erheben, wurde sofort besiegt und dezimiert.

Bischof Garlitz demonstrierte jedem von uns die zwei der größten Waffen, die es im Arsenal der apostolischen Amtsträger gibt: gegenseitige Unterwerfung und ständige Demut!

Wir sahen zu, wie dieser „riesiger" apostolischer Mann, Bischof Garlitz, uns vor diesen ansässigen Ministranten und unserem Evangelisationsteam diente und sich demütigte. Er weigerte sich, sich hervorzuheben. Er glaubte so fest an den "TEAM"-Dienst. Er duldete niemanden, der versuchte, sich selbst zu erheben. Er ließ nicht einmal einen Anflug von Stolz oder Arroganz bei den Teammitgliedern zu. Und wahrhaftig, Bischof Garlitzs demütiger Geist war so ansteckend, dass, selbst wenn es einen Moment gegeben hätte, in dem der Stolz versucht hätte, Herz und Seele festzuhalten, wurde der Stolz durch die Überzeugung des Heiligen Geistes und der Buße geweicht.

In den Gebetstreffen unserer Teams vor der Evangelisation, in den Gebetszeiten und auf der Fahrt zum und vom Evangelisationsgelände gab es viele Augenblicke, in denen sich der Dienst änderte. Ich erinnere mich an einen Moment, der mich als Leitkraft für immer verändert hat.

Nach der Evangelisation hatten wir ein Gemeinschaftstreffen mit den Mitgliedern des Evangelisationsteams und den Leitkräften aus der Region. Leider gab es viele schwerwiegende Probleme aufgrund einer schlechten administrativen Planung sowie eine Fehlplanung bei der Verwaltung der Gelder, die im Voraus an die Leitkräfte der Region geschickt worden waren.

Ich beobachtete, wie dieser demütige geistliche Riese, Bischof Garlitz, das nationale Führungsteam für ihr Versagen bei der Verwaltung von Gottes Geld und für ihr Versagen, den Kreuzzug mit hervorragender und sorgfältiger Sorgfalt zu verwalten, geistlich verwies. Er erhob nie seine Stimme, sprach nie herablassend zu den Männern, deren Versagen das Werk Gottes gehindert hatte, sondern fing vielmehr an zu weinen. Während ihm die Tränen über das Gesicht liefen, fuhr er fort, sein gebrochenes Herz vor diesen Männern Gottes mit Demut und Mitgefühl zu entblößen. Er war enttäuscht von diesen Männern und enttäuscht von den Ergebnissen. Nicht, weil ihm die Zahlen wichtig waren, sondern weil die Seelen dieser Männer und die Seelen der Nation gehindert wurden, durch "kleine Füchse, die die Reben verderben". Als er vor diesen Männern weinte, begannen auch sie zu weinen und Buße zu tun.

Dieser bescheidene Moment der Korrektur war ein Katalysator für große Veränderungen in der Führungsmannschaft der Nation Malawi. Von da an wurden wir Zeugen beispielloser Ausgießungen des Heiligen Geistes und der Macht!

Es wäre unmöglich, jeden lebensverändernden Moment und jedes zeitgemäße apostolische Wort, das unser Leben geprägt hat, zu dokumentieren, aber was Sie verstehen müssen, ist Folgendes: Es gibt keinen Ersatz für apostolische Darlegung und apostolische Vermittlung.

In Position gehen

Zum Abschluss dieses Kapitels möchte ich mich dafür einsetzen, dass Sie nicht eine Kopie eines anderen werden. Jedoch müssen Sie immer bescheiden genug sein, um lehr- und beeindruckbar zu sein. Seien Sie sich bewusst, dass Stolz dazu führt, dass Menschen zu einer stagnierenden, isolierten Insel werden. Stolz wird Sie dazu leiten, ihr Leben damit zu verbringen, ein Rad neu zu erfinden, das seit über 2,000 Jahren rollt. Unsere Ältesten bieten uns ihre Stimme an, um uns zu leiten, ihre Schulter, auf der wir uns anlehnen können. Stellen wir uns um Gottes mächtige Männer auf und begeben wir uns in den Ansteckungsradius ihres Überlaufs. Stehen Sie nicht sehnsüchtig an der Wand um darauf zu warten, dass etwas Großes von Gott auf Sie herabfällt. Töten Sie wie Elisa die Ochsen, begraben Sie Ihren Ersatzplan und jagen Sie den Dingen nach, die andere nur aus der Ferne beobachten wollen. Nehmen Sie Stellung, um apostolische Entblößung zu erleben! Machen Sie sich für die apostolische Vermittlung bereit!

❖ Schließen Sie sich einem Evangelisationsteam an.

- ❖ Gehen Sie auf eine Missionsreise.

- ❖ Dienen Sie Ihrem Pastor.

- ❖ Gießen Sie Wasser auf die Hände der Propheten, Apostel, Evangelisten, Pastoren und Lehrer, die Gott absichtlich in Ihr Leben setzt.

*Anmerkung vom Autor:

Ich kenne nicht die genaue Zahl der Menschen, die während dieser Evangelisation den Heiligen Geist empfangen haben. Aber eins weiß ich genau, sie war weit größer als berichtet wurde.

Bruder Billy Cole war immer hartnäckig bemüht, deutlich niedrigere Zahlen zu melden, um die Integrität des Berichts des Herrn zu schützen.

Bruder Billy Cole hat unser Team immer gelehrt, bei der Berichterstattung konservativ zu sein, um den Eindruck von Stolz, Arroganz oder Selbstdarstellung zu vermeiden.

Er sagte mir einmal: „Die nordamerikanische Kirche ist nicht bereit, große Berichte zu empfangen. Selbst wenn wir das, was Gott getan hat, in zwei Hälften schneiden, werden fleischliche, eifersüchtige und zweifelnde Brüder und Schwestern versuchen, alles Gute, das Gott tut, zu untergraben."

KAPITEL II
Radikales Gebet

*"Das Gebet verändert Gott nicht, aber
es verändert den, der betet."*
Soren Kierkegaard

"Das Gebet ist die größere Arbeit."
Oswald Kammern

*"Unsere Gebete mögen unbeholfen sein. Unsere Versuche
mögen schwach sein. Aber da die Kraft des Gebets
in dem liegt, der es hört, und nicht in dem, der es
spricht, machen unsere Gebete einen Unterschied.*
Max Lucado

Psalm 107,28-30

28 Dann schreien sie zum Herrn in ihrer Not, und er
holt sie aus ihrer Bedrängnis heraus.
29 Er macht den Sturm zur Ruhe, so dass seine Wogen
stillstehen.
30 Dann freuen sie sich, weil sie still sind; so bringt er
sie in ihre ersehnte Zuflucht.

In der radikal-apostolischen Kirche, kommt das Gebet zuerst

Wir dürfen nie vergessen, dass die erste apostolische
Ausgießung des Geistes das Ergebnis eines zehntägi-

gen Gebetstreffens war. Alles radikal-apostolische in Gottes Reich beginnt mit Gebet!

Seit der Apostelgeschichte hat es nie eine große Erweckung ohne eine radikal-apostolische Gebetsversammlung gegeben. Es hat nie einen mächtigen apostolischen Heiligen gegeben, der nicht gebetet hat. Es hat nie eine mächtige Kirche gegeben, die nicht gebetet hat. Es hat nie eine Manifestation oder Darstellung des Geistes gegeben, die nicht durch Gebet eingeleitet wurde.

Wenn wir beten, haben wir unbegrenzten Zugang zur übernatürlichen Kraft des Herrn Jesus Christus.

In dem Buch "Prayer Meetings That Made History" („Gebetstreffen, die Geschichte machten") - von Miller, 1955 - dokumentiert Basil Miller das außergewöhnliche spirituelle Erwachen religiöser Gruppen, Städte und Nationen. Miller entdeckte bei jeder Erweckung einen unglaublichen gemeinsamen Nenner. Sie waren ausnahmslos alle aus inbrünstigen Gebetstreffen hervorgegangen.

Die apostolische Erweckung des 20. Jahrhunderts entstand aus einer kleinen Gebetsversammlung. Im April 1906 versammelte sich eine Gruppe afroamerikanischer Christen zum Gebet in einem kleinen Haus in der Bonny Brae Street in Los Angeles, Kalifornien. William Seymour, ein Heiligkeitsprediger, war an diesem Abend bei ihnen. Historischen Berichten zufolge war der biblische Text von Bruder Seymour an diesem Abend:

Apostelgeschichte 2,4:

Und sie wurden alle mit dem Heiligen Geist erfüllt und fingen an, in anderen Zungen zu reden, wie der Geist ihnen gab, auszusprechen.

In dieser Nacht wurden ein Mann und eine Frau, Edward S. Lee und Jenny Moore, mit dem Heiligen Geist getauft und begannen, in anderen Zungen zu sprechen. Im Nachsinnen über diese Erfahrung sagte Schwester Moore: „Es schien mir, als ob ein Gefäß in mir zerbrach und Wasser durch mein Wesen strömte, das als es meinen Mund erreichte, in einem Strom von Sprachen herauskam, die Gott mir gegeben hatte."

Ende April war das Haus zu klein für die von Gott gegebene Erweckungs-Ernte. Das kleine Gebetstreffen wurde dann in die Azusa-Straße 312 verlegt. Über 1,300 Menschen versammelten sich im Gebäude und auf den Straßen, um die Kraft Gottes zu erfahren!

In einem Augenzeugenbericht über die Azusa-Straßenerweckung und Gebetstreffen heißt es: „Während der dreieinhalb Jahre andauernden Erweckung in Azusa, wurden dreimal täglich Gottesdienste abgehalten: Morgens, Nachmittags und Abends. Das Zungenreden war die zentrale Attraktion, aber die Heilung der Kranken stand nicht weit dahinter. Bald waren die Wände mit den Krücken und Stöcken von jenen bedeckt, die auf wundersame Weise geheilt worden waren. Auf die Gabe der Zungenrede folgte bald die Gabe der Auslegung der Zungenrede. Im Laufe der Zeit erklärten Seymour und seine Anhänger, dass alle Gaben des Geistes in der Kirche wiederhergestellt worden seien." (seeking4truth.com)

Dr. Vinson Synan vermerkte folgendes:

„Wenige Ereignisse haben die moderne Kirchengeschichte so stark beeinflusst wie die berühmte Azusa-Street-Erweckung von 1900-1909, das die Pfingsterneuerung des 20. Jahrhunderts weltweit einleitete. Aus dieser einzigen Erweckung ist eine Bewegung hervorgegangen, die bis 1980 über 50,000,000 klassische Pfingstler in unzähligen Kirchen und Missionen in praktisch allen Ländern der Welt zählt. Zusätzlich zu diesen Pfingstlern gibt es unzählige Charismatiker in allen Konfessionen, die zumindest einen Teil ihres geistlichen Erbes bis zur Versammlung in der Azusa-Street zurückverfolgen können." (seeking4truth.com)

Haben Sie das bemerkt? Als Ergebnis dieser Gebetstreffen zur radikalen-apostolischen Erweckung gibt es derzeit über 500,000,000 Menschen, die ihre apostolischen Wurzeln bis zu diesen Gebetstreffen auf die Azusa Street in Los Angeles, Kalifornien zurückverfolgen können! (Kirchenbank Forum: Religion und öffentliches Leben [19. Dezember 2011]; Globales Christentum: Ein Bericht über die Größe und Verteilung der christlichen Weltbevölkerung [Bericht vom 23. Juli 2013]; seeking4truth.com; wikipedia.org)

Das Problem der Gebetslosigkeit

Der Teufel ist nicht das Hauptproblem der Kirche. Das Hauptproblem der Kirche ist nicht die Weltlichkeit, die Fleischeslust oder die Menschen. Das Fehlen radikaler Gebete ist das größte Problem der Kirche!

Denken Sie einmal darüber nach: Es gibt keine Begrenzungen und keine Obergrenze für die Erweckung, die Gott uns geben will. Leider hat die Kirche der Erweckung eine von uns selbst geschaffene Obergrenze gesetzt, als Folge unserer Gebetslosigkeit.

Ich bezweifle, dass jemand mit wahrem Glauben seinen Tag mit der Absicht der Gebetslosigkeit beginnt, aber es geschieht öfters, als man es zugeben will, weil es in unserem Leben eine Vielzahl von Ablenkungen gibt. Wir müssen zugeben, dass die Ablenkungen in unserem persönlichen Gebetsleben schon sehr problematisch geworden sind. Netflix, soziale Medien und Freizeitaktivitäten haben viele Apostel auf der oberflächlichen Ebene und außerhalb der radikal-apostolischen Ebene des Gebets gehalten. Wenn wir diese Dinge zur Seite legen und auf radikales Gebet zurückgreifen würden, würde das unser Leben, unsere Kirchen und unsere Welt auf den Kopf stellen!

Dem Herrn ohne ein radikales Gebetsleben zu dienen, ist wie ohne Waffe in den Krieg zu ziehen. Ohne Gebet könnte man tatsächlich zu einer Waffe in den Händen des Feindes werden. Ja, die Tragödie eines Gläubigen ohne Gebet ist nicht nur der ewige Schaden, den er sich selbst zufügt, sondern vielmehr der Schaden, den er anderen Gläubigen und dem Reich Gottes zufügt.

Ein Vater oder eine Mutter ohne Gebet lässt die Tür ihrer geistlichen Heimat unverschlossen, damit der Feind sie Kinder rauben kann.

Ein gebetsloser apostolischer Prediger arbeitet ohne Macht und Autorität. Seine Gemeinde wird nie erleben, dass der Geist des Herrn sein Wort bestätigt.

Eine Führungskraft ohne Gebet verfällt bald der Täuschung, und er fängt an die Stimme des Fleisches und der menschlichen Weisheit zu vertrauen. Er, oder sie, wird schon bald vom Stolz erwürgt werden.

Die Kirche ohne Gebet wird zu einem stagnierenden Teich, in dem sich Bakterien und Krankheiten verstecken. Die Menschen erhalten eher eine Infektion, als dass ihnen ein Heilmittel übergeben wird.

Freunde, wir müssen zum radikalen Gebet zurückkehren! Radikales Gebet ist eine der größten Waffen im Arsenal des Gottesdieners, es ist eine Waffe, auf die der Feind keine Antwort hat.

Radikal-apostolisches Gebet im Fokus

Es liegt Kraft im Gebet!
John Bunyan schrieb: „Das Gebet ist ein Schild für die Seele, ein Opfer für Gott und eine Geißel für Satan."

Das Wort Gottes informiert uns in Markus 9,29, dass wir den Teufel durch Gebet austreiben! In Jakobus 5,14-16 lesen wir, dass die Kranken durch Gebet geheilt werden! In Apostelgeschichte 9,40 sehen wir den Beweis dafür, dass die Toten durch Gebet auferweckt werden!

Der Apostel Paulus schrieb diese Worte:

2. Korinther 10,3-5
3 Denn ob wir schon im Fleische wandeln, so streiten wir doch nicht nach Art des Fleisches
4 Denn die Waffen unsrer Ritterschaft sind nicht fleischlich, sondern mächtig durch Gott zur Zerstörung von Festungen, so dass wir Vernunftschlüsse zerstören
5 und jede Höhe, die sich wider die Erkenntnis Gottes erhebt, und jeden Gedanken gefangen nehmen zum Gehorsam gegen Christus.

Jesus hatte über das Gebet viel zu sagen:

Matthäus 7,7
7 Bittet, und es wird euch gegeben werden; sucht, und ihr werdet finden; klopft an, und es wird euch aufgetan:

Matthäus 21,22
22 Und alles, was ihr bitten werdet im Gebet, im Glauben werdet ihr empfangen.

Markus 11,24
24 Darum sage ich euch: Was immer ihr begehrt, wenn ihr betet, so glaubt, dass ihr es empfangt, und ihr werdet es bekommen.

Johannes 14,13-14
13 Und was immer ihr bitten werdet in meinem Namen, das will ich tun, damit der Vater verherrlicht

werde im Sohn.

14 Wenn ihr in meinem Namen um etwas bitten werdet, so will ich es tun.

Wenn wir zu den globalen apostolischen Einflussnehmern werden wollen, zu denen Gott uns in diesen letzten Tagen berufen hat, müssen wir in den Bereich des radikalen Gebets und der radikal-apostolischen Gebetstreffen eintreten. Radikal-apostolisches Gebet wird der radikal-apostolischen Macht und Darstellung des Geistes den Platz räumen.

Im **1. Samuel**, als Hannah betete, öffnete sich ihr Mutterleib und sie begann, Kinder zu gebären!

Der Mutterleib der Kirche öffnet sich durch das Gebet, die Kirche erzeugt als Ergebnis des Gebets. Ohne Gebet wird die Kirche unfruchtbar sein und unfruchtbar bleiben. Sie wird eine Form der Frömmigkeit haben, aber es fehlt ihr an Macht und apostolischer Autorität. Mit dem Gebet jedoch wird die Kirche Gottes zu einer unaufhaltsamenMacht.

Ich denke an die First Pentecostal Church in North Little Rock, Arkansas, die von Bischof Joel Holmes und Pastor Nathan Holmes geleitet wird. Sie haben immer gesagt: „Diese Kirche wurde auf Gebet erbaut!"

Jahrzehntelange inbrünstige, treue und radikale Gebete haben den Teufel in North Little Rock, Arkansas in die Knie gezwungen, und Gott schenkte ihnen weiterhin seine Gunst in ihrem Umkreis und einen globalen apostolischen Einfluss in seinem Reich!

Ich denke auch an die Pfingstler von Alexandria, Alexandria, Louisiana angeführt von mächtigen, weltweit apostolischen Einflussnehmern: den verstorbenen Pastor G. A. Mangun, Pastor Anthony Mangun und Pastor Gentry Mangun.

Ihr Schwerpunkt für das 24-Stunden-Gebet ist legendär. Sie haben Jahrzehnte damit verbracht, ihrer Gemeinde und unserer gesamte Kommune zu lehren, wie man "durch" den Tabernakel hindurch betet. Infolgedessen explodierte in Alexandria eine apostolische Erweckung und Darstellung der Macht des Heiligen Geistes! Gott hatte ihnen Gunst in ihrem Umkreis und globalen apostolischen Einfluss in seinem Reich gegeben!

Unsere Erfahrungen mit dem Gebet

Es gibt absolut nichts, was das radikal-apostolische Gebet nicht tun kann!

Im Jahr 2001 haben meine Frau und ich evangelisiert und wir waren Zeugen wie über 4,000 Menschen mit dem Heiligen Geist getauft wurden. Während der UPCI-Generalkonferenz in Louisville, Kentucky, luden uns Missionar und Schwester Ciulla ein, ihre Urlaubsvertretung in Belgien zu sein, während sie in den Vereinigten Staaten auf Deputationsreise waren. Wir stellten diese Gelegenheit sofort unserem Pastor, Pastor William Nix, vor. Nach einiger Zeit im Gebet bestätigte unser Pastor, dass es Gottes Wille war, dass wir unsere erste Reise als „Associate in Missions - (Partner in der Mission)" (AIM) annehmen sollten. Wir verkauften unser Haus, unser Auto und den größten Teil unseres Eigentums und bereiteten uns darauf vor, am 2. Februar 2002 nach Belgien zu reisen.

Als wir weiterhin umher reisten vor unserer eigentlichen Abreise ins Missionsfeld, schenkte uns Gott weiterhin eine beispiellose Ausgießung seines Geistes über Nordamerika.

Während einer unserer letzten nordamerikanischen Gottesdienste vor unserer Abreise nach Belgien im Februar 2002, kam ein wohlmeinender Pastor zu uns und sagte: „Bruder und Schwester Robinette, Gott schenkt euch seine große Gunst und eine große Ernte in Nordamerika. Belgien und ganz Europa sind verschlossen und Sie können dort niemals die Ernte haben, die Sie hier sehen. Wenn Sie nach Europa gehen, wird dieses und das Missionsteam Sie und Ihren Dienst zerstören! Bitte stornieren Sie Ihren AIM-Antrag und bleiben Sie ein Evangelist".

Wie Sie sich vorstellen können, haben uns die Worte dieses Ältesten wirklich erschüttert. Wir waren noch sehr jung; ich war 27 Jahre alt und Stacey war 26. Wir brachten die Anmerkung dieses Pastors vor den Thron Gottes. Gottes Antwort war schallend: „Wenn Ihr gehen wollt, werde ich mein Wort bestätigen. Die Menschen warten jetzt auf euch."

Wir packten unsere Koffer, und im vollen Vertrauen auf Gottes Wort, brachen wir nach Belgien auf.

Wir kamen am 3. Februar 2002 in Brüssel, Belgien an. Noch am selben Tag erhielten wir einen Anruf in der Gemeinde. Es war eine afrikanische Frau. Sie fragte: „Ist dort Charles Robinette? Wir haben auf Sie gewartet. Wir haben eine Gruppe von Menschen, die das Wort Gottes erkunden, und wir möchten etwas über den Heiligen Geist und die Wassertaufe im Namen Jesus erfahren.

Es wurde uns jemanden geschickt, der uns zu einer winzigen Wohnung brachte, in der 20 Personen auf Stühlen, auf dem Boden und noch so erdenklichen Plätzen saßen. Wir führten mit ihnen den einstündigen Bibelstudienkurs "Into His Marvelous Light™- In seinem wunderbaren Licht" durch. Während wir noch das Wort Gottes sprachen, fielen die Menschen auf den Boden und sprachen in anderen Zungen, wie der Geist ihnen das Wort zum Aussprechen gab. Viele fuhren mit uns zur Gemeinde zurück, um sich in Jesus Namen taufen zu lassen. Später fragten wir diese Frau, woher sie meinen Namen kannte. Sie sagte: „Ich war im Gebet, als der Herr mir sagte, ich solle eine Telefonnummer wählen, die ich nicht kannte, und nach einem Prediger namens Charles Robinette fragen, von dem ich noch nie zuvor gehört hatte. Der Herr sagte mir, dass dieser Mann mir sagen würde, was ich tun sollte."

Es gibt nichts, was das Gebet nicht tun kann!

Im Jahr 2018 nahm Pastor Pajo, ein unabhängiger apostolischer Prediger in Lüttich, Belgien Kontakt zu mir auf. Während unseres Gespräches teilte er mir mit, dass in seiner Gemeinde 10 Tage lang gebetet und gefastet wurde. Sie baten dem Herrn ausdrücklich um die Gabe des Heiligen Geistes und diese auf ihre Gemeinde auszugießen. Er lud mich ein, um in seiner Gemeinde zu predigen.

Meine Frau und ich reisten am 27. Oktober 2018 nach Lüttich, Belgien. Als wir die Gemeinde betraten, waren Hunderte von Menschen im radikal- apostolischen Gebet vertieft. Sie flehten den Herrn um eine Ausgießung des Geist Gottes an.

Eine Frau namens Betty wurde gebeten, für mich in die französische Sprache zu übersetzen. Sie arbeitete einst als Übersetzerin für die Europäische Kommission und für einige andere europäische Vereinigungen, die der Europäischen Kommission untergeordnet waren. Betty war kein Mitglied der Gemeinde. Von allen Übersetzern, mit denen ich in all den Jahren zusammengearbeitet habe, war sie einer der Besten. Während ich predigte, wurde Betty vom Geist des Herrn überwältigt. Während sie übersetzte, zitterte sie unter der Kraft des Heiligen Geistes. Als das Wort des Glaubens gesprochen wurde, krümmte sich Betty auf den Boden und sprach in anderen Zungen! An demselben Sonntagmorgen wurden etwa 143 Menschen mit der Gabe des Heiligen Geistes im Gottesdienst erfüllt. 115 legten Zeugnisse von bemerkenswerten Wundern ab und viele sagten, dass sie sich in den Namen Jesus taufen lassen wollten!

Das radikal-apostolische Gebet ebnete den Weg für dieses unglaubliche Ergebnis.

Im darauffolgenden Jahr, im Mai 2019, verbrachten Bischof Jim Stark (Superintendent der UPCI der Region Ohio) und Pastor Marvin Walker (Pastor im UPCI-Region Michigan) 10 Tage damit, die Gemeinde von Pastor Pajo in unserer grundlegenden apostolischen Lehre und unserer biblischen apostolischen Identität zu schulen. Als sie ihr einwöchiges Training durch das Ausbildungszentrum für den apostolischen Dienst (AMTC) abgeschlossen hatten, berichteten Bruder Walker und Bischof Stark, dass 80-90 Trinitarier, einschließlich des Übersetzers, die Offenbarung der Einheit Gottes empfangen hatten. Außerdem wurden 48 Personen mit dem Heiligen Geist, durch den Beweis in anderen Zungen zu reden, erfüllt. 60 Personen wurden in den Namen Jesus getauft!

Später im Jahr 2019 schickte Pastor Jim Blackshear (Missionsdirektor für Nordamerika und Presbyter für Alaska), einer unserer liebsten Freunde und ein unersetzliches Geschenk Gottes für unsere Familie in einer der schwierigsten Zeiten unseres Dienstes, ein Team aus Anchorage, Alaska nach Belgien, um das AMTC-Training mit der unabhängigen Gemeinde in Lüttich, Belgien fortzusetzen. Gott benutzte auf mächtige Weise das Team aus Alaska, mit deren Hilfe 60 Menschen in einem Gottesdienst im Namen Jesus getauft wurden! Viele weitere wurden auch während des Gottesdienstes mit dem Heiligen Geist erfüllt!

Es war kein Programm, keine Massenevangelisation oder irgendwelche Besonderheiten, die diese große Erweckung des Heiligen Geistes in Belgien hervorbrachten. Es war inbrünstiges, radikal-apostolisches Gebet. Es wird immer ein inbrünstiges, radikal-apostolisches Gebet sein, das die Nationen erschüttert!

Bis heute noch besteht das AMTC-Training mit dieser großen Gemeinde und wir erwarten einen gewaltigen Durchbruch in Belgien.

Was ist das radikal-apostolische Gebet?

Das radikal-apostolische Gebet ist ein ungeschriebenes Gebet. Es ist kein schönes Gebet. Es ist kein professionelles Gebet. Es ist kein Gebet, um Menschen zu beeindrucken. Es ist kein eloquentes Gebet. Das radikal-apostolische Gebet ist ein von Gott inspiriertes Gebet, das zweifellos Berge versetzen und himmlische Streitkräfte entsenden kann, um sich in strategischer, geistlicher Kriegsführung des Königreichs zu engagieren.

Das radikal-apostolische Gebet schafft die natürliche und spirituelle Atmosphäre mit der schöpferischen Kraft von Gottes gesprochenem Wort und Geist. Es erschüttert die Grundmauern von Gefängnissen. Es löst die Fesseln von den Händen und Füßen vom Volk Gottes. Es greift Fürstentümer, Mächte und Herrscher der Finsternis dieser Welt voll an und besiegt diese. Dazu gehört es oft, sich vom Geist hineintragen zu lassen, wo man dann die Situation von Gottes Standpunkt aus sieht.

Wenn ich persönlich ein radikal-apostolisches Gebet betreibe, dann bedeutet dies, dass ich es autoritativ im Gebet für die Menschen und den Nationen kund tue, bis ich die spirituelle Befreiung spüre, damit Gottes Ziel in der Situation erreicht wird. Es bedeutet, autoritativ zu sprechen, zu erklären und das zu prophezeien, was jetzt noch nicht existiert, aber bereits in der Gegenwart geschieht.

1994 waren wir in der USAF-Basis in Ramstein (Deutschland) stationiert. Fast unmittelbar nach der Ankunft wurde meine Frau sehr krank. Sie hatte ständig Fieber und entwickelte am ganzen Körper entsetzlich schmerzhafte rote Beulen. Obwohl wir mehrere Ärzte und Spezialisten aufsuchten, konnte keiner die Ursache des Problems herausfinden oder ihr Mittel zur Linderung ihrer Schmerzen verschreiben.

Als wir von einem Termin im Landesklinikum Landstuhl zuhause ankamen, legte sich meine Frau, von Schmerzen gequält, mitten im Eingangsbereich unserer Wohnung auf den Fußboden und weinte. Ich fühlte mich völlig hilflos. Ich wusste nicht, wie ich ihr helfen konnte. Der Herr sprach sehr deutlich zu mir und sagte: „Nimm deine Bibel, lege sie auf den Körper deiner Frau und verkünde ihr mit Vollmacht meine Verheißungen von Heilung und Wundern, und ich werde sie schwungvoll heilen!"

Ich habe sofort getan, was Gott mir gesagt hatte. Ich betete das Wort Gottes mit Kühnheit und Autorität. Was die Ärzte vor Ort nicht finden konnten, was der Spezialist nicht lösen konnte, was die Medizin nicht heilen konnte, das hat Gott auf wundersame Weise und augenblicklich in Ordnung gebracht! Die Temperatur meiner Frau normalisierte sich wieder. Die roten Flecken auf ihrer Haut verschwanden vor unseren Augen. Was auch immer die Ursache des Problems war, es spielte keine Rolle mehr, denn dieses Leiden kehrte nie wieder zurück!

Im Jahr 2003 wurde ich von meinem lieben Freund, Missionar Joe Cooney, zum Dienst nach Dublin eingeladen. Bruder Cooney setzte mich am Hotel ab, ich holte meinen Schlüssel an der Rezeption und begab mich auf mein Zimmer. Als ich die Tür zum Hotelzimmer öffnete und hinein ging, packte mich sofort die Angst. Mir standen die Haare im Nacken und an den Armen zu Berge. Jemand oder etwas war in meinem Zimmer und wartete auf mich.

Als ich das Licht einschaltete, stand ein dämonischer Geist neben dem Bett. Obwohl er Kleidung trug, die ich nur als völlig schwarz beschreiben kann, war sein Gesicht sichtbar und von Wut erfüllt. Ohne den Boden zu berühren, bewegte sich der dämonische Geist durch den Raum und drückte mich körperlich gegen die Wand. Mit einer giftigen Stimme voller Hass knurrte der Geist: „Ich bin der Prinz dieser Stadt und du bist nichts! Ich war vor dir hier und werde auch nach dir hier sein! Wenn du jetzt nicht gehst, werde ich dich töten!"

Während ich diesem dämonischen Geist in die Augen starrte, belebte sich etwas in mir. Ich begann, ein radikales Gebet in dieser autoritativen „Heiligen-Geist"-Zunge zu beten. Der feste Griff, mit den der dämonische Geist mich an meiner Brust gefasst hatte, begann sich zu lösen. Ich konnte in den Augen dieses Geistes blicken und sah, dass die Autorität, die er über mich oder Irland besaß und von der er mich zu überzeugen versuchte, eine falsche Autorität war und bereits zu schwanken begann.

Ein Inferno rechtschaffener Entrüstung explodierte in mir und ich rief diesem dämonischen Geist ins Gesicht: „Du magst vor mir hier gewesen sein, aber ich kenne jemanden, der vor dir hier war!"

Ich fuhr fort und zitierte **Johannes 1,1-5.14** mit Kühnheit und Autorität gegen diesen dämonischen Geist .

Johannes 1,1-5

1 Im Anfang war das Wort, und das Wort war bei Gott, und das Wort war Gott.

2 Dasselbe war am Anfang bei Gott.

3 Alle Dinge sind durch ihn gemacht, und ohne ihn ist nichts gemacht, was gemacht ist.

4 In ihm war Leben, und das Leben war das Licht der Menschen.

5 Und das Licht leuchtet in der Finsternis, und die Finsternis hat es nicht begriffen.

14 Und das Wort ward Fleisch und wohnte unter uns (und wir sahen seine Herrlichkeit, die Herrlichkeit als des eingeborenen Sohnes vom Vater), voll Gnade und Wahrheit.

Der dämonische Geist begann vor Angst zu zittern! Er löste seinen Griff von meiner Brust. Er fing an, wie ein

Flummi von einer Seite des Zimmers zur anderen zu hüpfen, bis er schließlich aus dem Fenster des Hotels sprang!

Anstatt vom Feind in die Enge getrieben zu werden, antwortete ich mit radikalen Gebeten. Es überraschte mich nicht, dass es während der Gottesdienste an diesem Wochenende in Dublin, Irland zu einem großen Durchbruch kam. Die Menschen empfingen den Heiligen Geist undwurden in den Namen Jesus getauft. Dieser dämonische Geist zeigte mir nie wieder sein Gesicht.

Die 5 Elemente des radikal-apostolischen Gebets

Ein Gebet, das die Ausführung und die Kraft des Geistes manifestiert, würde ich als radikal-apostolisches Gebet bezeichnen. Fünf Elemente sind notwendig, um das radikal-apostolische Gebet zu aktivieren.

Element 1: Übereinkunft

Jesus sagte:
Matthäus 18,19-20
19 Wiederum sage ich euch: Wenn zwei von euch auf Erden übereinkommen werden, alles anzurühren, worum sie bitten, so soll es ihnen von meinem Vater im Himmel geschehen.
20 Denn wo zwei oder drei in meinem Namen versammelt sind, da bin ich mitten unter ihnen.

Es war das Zustimmungsgebet in **Apostelgeschichte 1,14**, das die beispiellose apostolische Ausgießung in **Apostelgeschichte 2** hervorbrachte!

Lukas berichtet in **Apostelgeschichte 4,31** von einer Gebetsversammlung. Die Ergebnisse waren verblüffend. Der Ort wurde erschüttert. Sie wurden alle mit dem Heiligen Geist erfüllt. Sie sprachen das Wort Gottes mit Kühnheit .

In Vers 32 sagt Lukas:
Und die Menge derer, die glaubten, waren aus EINEM Herzen und aus EINER Seele ... Einigkeit ist mächtig!

Im Jahr 1993, als ich 18 Jahre alt war und mir der Gemeinde den Rücken kehrte, trat ich der Luftwaffe der Vereinigten Staaten bei. Meine ursprüngliche Air Force Special Codes (AFSC) war die 568. Schwadron der Sicherheitskräfte (SFS) oder der Militärpolizei. Ich verbrachte sechs Wochen in der Grundausbildung in San Antonio, Texas und dann weitere vier Wochen in der Polizeiakademie der Sicherheitskräfte (ebenfalls in San Antonio, Texas). Im Anschluss an diese Ausbildungen verbrachte ich zwei weitere Monate in Fort Dix, New Jersey, wo ich von der Armee für die Bodenverteidigung auf dem Luftwaffenstützpunkt ausgebildet wurde.

Am Ende meiner Grundausbildung sollte ich mit meiner Einheit zu einem einjährigen Einsatz auf einen entfernten Stützpunkt in die Türkei entsandt werden. Zu dieser Zeit war meine Mutter, Lavonda Robinette, stark in der Gemeinde engagiert und eine mächtige Gebetskämpferin. Ohne die USAF aufzusuchen und zu fragen, wie sich ihre Gebete auf die militärische Bereitschaft auswirkten, beschloss sie, meine militärischen Befehle durch radikales Gebet zu verändern. Während eines Frauengebetstreffens legte sie eine Landkarte auf den Boden und die Damen begannen inbrünstig und radikal dafür zu beten, dass Gott meine Befehle ändern würde.

Zur gleichen Zeit, als meine Mutter betete, war meine Einheit bereits am Flughafen und wartete auf den Abflug in den Nahen Osten. Da kam der Hauptmann den Gang des Terminals zu mir heruntergerannt und sagte: "Robinette, ich habe dies noch nie passieren sehen, aber du wirst nicht bei dieser Einheit eingesetzt werden. Dir wurden neue Befehle gegeben und du fliegst nach Deutschland."

Ich wechselte den Flug und flog nach Frankfurt, Deutschland.

Der weise Salomo bemerkte:

Prediger 4,9
9 Zwei sind besser als einer; denn sie haben eine gute Belohnung für ihre Arbeit.

Zwei sind besser als einer! Deshalb ist es so wichtig, ein Teil einer Ortsgemeinde zu sein! Wenn Sie eine Gemeindefamilie haben, sind Sie nicht allein! Man hat Brüder und Schwestern, die im Einvernehmen beten und die Lasten eines anderen tragen.

Unsere spirituelle Wirkung vervielfacht sich, wenn wir jemanden haben, der mit uns in den Kampf zieht.

Der Herr sagte zu den Hebräern:

3. Mose 26,7-8

7 Und ihr werdet eure Feinde jagen, und sie werden vor euch durch das Schwert fallen.

8 Und fünf von euch werden hundert jagen, und hundert von euch werden zehntausend in die Flucht schlagen, und eure Feinde werden vor euch durch das Schwert fallen.

1994 war der Missionar Arlie Enis der Koordinator der Militärdienste. Er war im Gebet, als der Herr ihn anwies, zum Frankfurter Flughafen zu fahren und dort auf einen jungen Mann namens Charles Robinette zu warten. Ich wartete in der Gepäckausgabe auf mein Gepäck als Bruder Enis mir auf die Schulter tippte und sagte: „Sind Sie Charles Robinette?" Ich wusste nicht wer er war, aber ich sagte einfach: „Ja, Sir."

Bruder Enis schaute mir direkt in die Augen und sagte: „Ich habe gehört, dass Sie vor Gott fliehen, und ich bin hier, um Sie aufzuhalten! Steigen Sie in mein Auto und ich werde Sie zu meiner Gemeinde bringen. Dort werden wir dafür beten, dass Sie zurück zum Heiligen Geist finden."

Ohne zu zögern, stieg ich in das Auto dieses mutigen apostolischen UPCI-Missionars, den ich nicht kannte, ein und fuhr mit ihm nach Landstuhl. Er brachte mich in seine Gemeinde zum Altar und betete mich zum Heiligen Geist durch.

Ich war eine geistlich isolierte Seele, aber ein einfaches Gebetstreffen mit brüderlicher Übereinstimmung erschütterte die Arbeit der Feinde in meinem Leben.

Es gibt immer dann einen Durchbruch, eine Verwandlung und ein Eingreifen, wenn das Volk Gottes in radikalen Gebeten übereinstimmt!
Wenn Sie einen verlorenen geliebten Menschen haben, wenn Sie eine große Prüfung durchmachen, wenn Sie eine Antwort von Gott brauchen, vereinen Sie sich mit jemandem in inbrünstigem Gebet.

Element 2: Rechtschaffenheit

Jakobus 5,16
16 ...Das wirksame inbrünstige Gebet eines rechtschaffenen Mannes ist sehr wirksam.

Rechtschaffenheit ist Gottes Priorität für sein Volk. Sie ist eine nicht verhandelbare Voraussetzung dafür, dass er uns hört und uns heilt. Wenn Sie in den Bereich des radikalen Gebets eintreten wollen, müssen Sie Ihr Leben von der Sünde reinigen.

Der Herr sagte es Salomo:

2. Chronik 7,14-15
14 Wenn dann mein Volk, über dem mein Name ausgerufen ist, sich demütigt und zu mir betet, wenn es meine Gegenwart sucht und von seinen bösen Wegen umkehrt, dann werde ich es vom Himmel her hören, ihre Sünden vergeben und ihr Land heilen.
15 Jetzt lasse ich meine Augen offen sein über diesem Ort, und meine Ohren werden auf die Gebete hier hören.

Ein Gläubiger, der in Sünde lebt und nicht von der Welt getrennt ist, wird die wahre Kraft des Gebets nicht kennen. Aber ein rechtschaffener Mensch kann buchstäblich die Welt durch das Gebet verändern. Ein rechtschaffener Mensch hat die Erlaubnis, große Bitten an Gott zu richten, und wird Zeuge der kräftigen Macht Gottes sein.

Als wir auf Deputationsreise in Michigan waren, wurde unsere älteste Tochter Aleia geboren. An einem Wochenende hinterließ ich meine Familie in Ypsilanti, Michigan, um im Süden von Illinois zu predigen. Der Gottesdienst an dem Sonntagabend war von dem Wundersamen erfüllt! Viele wurden vom Heiligen Geist erfüllt und im Namen Jesus getauft. Viele legten Zeugnis von bemerkenswerten Wundern ab.

Im Anschluss an den Gottesdienst traf ich mich mit etwa 20 Gemeindeleitern in einem Restaurant. Wir saßen an einem großen Tisch, redeten und freuten uns gemeinsam über die großen Dinge, die der Herr getan hatte. Da ich in dieser Stadt keinen Mobilfunknetz hatte, ließ ich mein Handy im Hotel zurück. Während wir alle zusammensaßen, klingelte das Handy des Pastors. Die Atmosphäre änderte sich schnell, als der Pastor ans Telefon ging. Er sagte: „Ja, Sir, er ist hier. Großer Gott! Ja, ich sorge dafür, dass er seine Familie anruft."

Dem Pastor liefen bereits die Tränen über das Gesicht, als er mich ansah und sagte: "Bruder Robinette, es tut mir sehr leid, dir dies sagen zu müssen, aber deine Tochter Aleia ist gestorben. Dein Pastor und deine Familie versuchen alle, dich zu erreichen."

Ich konnte das Pochen meines Herzens in meinen Ohren hören und fühlen. Meine Kehle schnürte sich zu, und ich konnte kaum mehr atmen. Ein Schock setzte ein, und ich war nicht fähig ein Wort zu sagen. Ich saß einfach nur da und versuchte die Worte zu verstehen, die ich so grade gehört hatte, die für mich unmöglich zu verarbeiten schienen.

Die Menschen begannen rund um den Tisch zu weinen. Die Ehefrauen der Gottesdiener schluchzten, als sie alle auf meine Antwort auf die Nachricht warteten.

Ich weiß nicht, wie lange ich so starr dasaß, aber irgendwann legte der Pastor seine Hand auf meinen Arm und sagte: „Bruder Robinette, hast du gehört, was ich gesagt habe? Verstehst du, was ich sage?"

Ich sagte: „Ja, Sir."

Als ich vom Tisch aufstand, liefen mir die Tränen über das Gesicht und alle standen mit mir auf. Ich hob meine Hände, drehte mein tränenbeflecktes Gesicht zum Himmel und schrie: „Jesus, sie gehörte dir, lange bevor sie mir jemals gehörte. Wenn sie deinem Zweck im Reich Gottes dient, kannst du sie haben, und ich werde mich nie beklagen, aber wenn es dir nichts ausmacht, möchte ich, dass du sie mir zurückgibst!"

Obwohl es schon spät war, hatte ich den überwältigenden Wunsch sofort nach Michigan zurückzufahren, um bei meiner Frau zu sein und mein Baby im Arm zu halten. Ich schnappte mir meine Autoschlüssel und machte mich auf den Weg nach Michigan. Der Pastor flehte mich an, nicht zu fahren, aber ich konnte einfach nicht bleiben.

Während der Fahrt erreichte ich schließlich eine Stelle, an der ich Empfang hatte. Meine Frau rief mich weinend an. Aleia hatte in ihrer Wiege einen Fieberanfall erlitten, erbrach sich und war ohne das Wissen meiner Frau in ihrer Wiege erstickt. Als meine Frau sie fand, war sie bereits blau vor Sauerstoffmangel. Sie machte sofort ihre Atemwege frei und rief den Notdienst. Während sie wartete, wiegte sie Aleia in ihren Armen und rief den Namen des Herrn an. Das Herz von Aleia begann wieder zu schlagen.

Als die Rettungssanitäter ankamen, machten sie sich sofort an die Arbeit, um meine kostbare Tochter zu retten. Die Einsatzkräfte sagten meiner Frau, dass Aleia die Nacht nicht überleben würde und dass sie unsere Familienangehörigen anrufen sollte. Das Herz von Aleia blieb in dieser Nacht dreimal stehen.

Ich fuhr weit über 100 Meilen pro Stunde (ungefähr 160 km/h), um meine Frau und meine Tochter zu erreichen, als mein Telefon unerwartet klingelte. Es war Pastor Billy Cole.
Ich ging ans Telefon, und bevor ich ein Wort sprach, sagte Bruder Billy Cole: „Bruder Robinette, fahr langsamer und halte dich an die Geschwindigkeitsbegrenzung. Der Herr hat dein Gebet erhört. Aleia wird

leben und nicht sterben!"

Bruder Cole betete über einen längeren Zeitraum in anderen Zungen mit großer Autorität. Dann klingelte mein Telefon wieder. Es war meine Frau! Sie sagte: „Baby, die Ärzte stehen unter Schock! Alle Lebenszeichen von Aleia haben sich gerade stabilisiert. Sie hat sich aufrecht gesetzt und bat um zwei Dinge: Sie wollte ihren Daddy und ein lila Eis am Stiel!"

Natürlich bin ich trotzdem sehr schnell gefahren und habe es in Rekordzeit nach Michigan geschafft.

Es steht für mich außer Frage, dass der Wendepunkt das inbrünstige Gebet eines rechtschaffenen Mannes war, der in der Macht Gottes agiert. Gott ignoriert niemals die radikalen Gebete Seiner Rechtschaffenen!

Wenn Sie sich rechtschaffen mit Gott verbinden, gibt es keine Einschränkungen!

Johannes 15,7
7 Wenn ihr in mir bleibt und wenn meine Worte in euch bleiben, dann könnt ihr bitten, um was ihr wollt: Ihr werdet es bekommen.

Im Jahr 2013 empfing meine wunderbare Frau, Stacey Robinette, ein bemerkenswertes Heilungswunder. Sie konnte dieses nunmehr virale Zeugnis zum ersten Mal während eines Gottesdienstes mit Pastor Anthony Mangun bei den Pfingstlern von Alexandria am 17. September 2018 ablegen:

"Als ernannte Missionare für Deutschland, der Schweiz, Österreich und Liechtenstein beendeten wir unsere Deputationsreise und kehrten ins Missionsfeld zurück. Ich war müde und verlor schnell an Gewicht. Ich dachte, das sei normal, wenn man bedenkt, unter welchem Druck wir bei all den Vorbereitungen standen, die für einen Missionar für den Übergang von der Deputation zum Missionsfeld und umgekehrt erforderlich sind.

Drei Wochen vor meiner Rückkehr nach Wien, Österreich fühlte ich beim Anlegen des Sicherheitsgurtes einen Kloß im Nacken. Sofort machten wir einen Termin bei einem Arzt, der Röntgenaufnahmen und Blutuntersuchungen ansetzte.

Die Ergebnisse, die zurückkamen, gaben Anlass zur großen Sorge um unsere Familie und die Ernennung zu unserer Mission. Die Röntgenaufnahmen zeigten krebsartige Flecken auf meiner Lunge, am Hals und in anderen Bereichen meines Körpers.

Der Arzt sagte uns: "Sie haben Krebs auf der gesamten linken Seite Ihres Körpers". Ich erinnere mich, dass ich an jenem Tag in mir dachte: „Gott, jetzt an Krebs zu erkranken, ist sicherlich nicht ein Teil des Prozesses, um unsere Familie an den Ort zu bringen, den Du versprochen hast?"

Während ich wahrscheinlich andere Dinge hätte tun sollen, schien es mir angebracht, zu Starbucks™ zu fahren und mein Lieblingsgetränk zu holen, einen doppelten Espresso mit gedämpfter Milch Halb und Halb™ und einem Splenda™. Ich bin sogar gefahren, um mir auch eine Pediküre anfertigen zu lassen!

Ich saß dort auf diesem Parkplatz, ohne Tränen, ohne Gefühle, nur mit Leere in plötzlicher Gebrochenheit und Stille. Meine Frage war: „Was bedeutet das, Gott?" Ich sagte zum Herrn: „Wir haben keine Zeit für Krebs. Ich habe einen Mann und zwei junge Töchter, um die ich mich kümmern muss. Wir gehen nach Österreich, um dort Dir zu dienen, und dies passt gar nicht in unseren Plan."

Als ich dort saß, erinnerte mich Gott an meine Lieblings-stelle in der Schrift:

Jesaja 43,1-2:
So spricht nun aber der Herr, der dich geschaffen hat, Jakob, und der, der dich gebildet hat, Israel: Fürchte dich nicht; denn ich habe dich erlöst, ich habe dich bei deinem Namen gerufen, du bist mein. Wenn du durch die Wasser gehst, will ich bei dir sein; und durch die Ströme werden sie dich nicht überfluten; wenn du durch das Feuer gehst, wirst du nicht verbrannt werden, und die Flamme wird dich nicht entflammen.

Weitere Tests waren geplant. Als mein Mann und ich in der Lobby warteten, sagte ich zu meinem Mann: „Das spielt keine Rolle. Egal, was passiert, wir gehen auf ins Missionsfeld und dienen dem Herrn."

Wir sprachen kein Wort mehr. Irgendwann rief der Arzt meinen Namen auf, ich drehte mich um und umarmte meinen Mann. Dann lag ich in einem runden Röntgen-

gerät. Alles war still, bis auf das Klopfen meines Herzens. Ich sagte zum Herrn: „Gott, ich fürchte mich, ich weiß nicht, was ich tun soll."

Ich hatte keine anderen Worte. Ich konnte kaum schlucken. Alles um mich herum war still. Dann, als sich meine Augen mit Tränen füllten, begann ich erst jetzt den Herrn anzubeten. Die Tränen flossen mir von den Wangen herab, als ich ihm dankte.

Der Test kam zurück und bestätigte die Ergebnisse des vorherigen Arztes, aber wir entschieden uns dazu, dem Bericht der Ärzte nicht zu vertrauen. Wir begannen, die Verheißungen Gottes über meinen Körper in Anspruch zu nehmen. Wir prophezeiten, dass dies nicht mein Ende sein würde und dass mein Körper vollständig geheilt werden würde.

Als wir an diesem Abend nach Hause zurückkamen, erhielten wir einen Anruf von Bruder Cunningham, Bruder Gleason und Bruder Stoneking. Sie beteten das Glaubensgebet über meinen Körper, und Bruder Stoneking sagte: „Der Herr hat dich geheilt, lass dich wieder prüfen."

Wir gingen wieder zurück, und es wurden erneut Tests durchgeführt. Wir warteten auf die Ergebnisse der letzten Tests. Es war die längste Wartezeit unseres Lebens.

Ich konnte den Knoten in meinem Nacken immer noch fühlen, aber nach ein paar Tagen begannen die anderen Knoten, die vorhanden waren, an Größe zu verlieren. Wir wussten, dass Gott meinen Körper heilte. Ein paar Tage *später kam der Anruf vom Arzt. Er sagte: „Wir können nicht erklären, was mit Ihnen geschehen ist. Als Sie zu den Tests kamen, waren alle Untersuchungen, alle Bluttests und alle Vorsorgeuntersuchungen klar: Sie hatten im ganzen Körper Krebs, aber nach Abschluss der letzten Tests können wir keine einzige Spur von Krebs in Ihrem Körper finden!"*

Ich bin krebsfrei! Gott bleibt seinen Versprechungen immer treu!"

Wenn Sie mit Gott gehen, wird Gott mit Ihnen gehen! Wenn Sie Gott treu sind, wird Gott Ihnen treu sein! Das radikale Gebet eines rechtschaffenen Menschen hat unbegrenzte *radikal-apostolische* Macht!

Element 3: Glut oder Inbrunst

Paulus leitete einen Gruß von Epaphras, einer wenig bekannten Figur der frühen Kirche, weiter. Uns ist von ihm wenig bekannt , aber dem Himmel ist er bekannt und er ist ein Held des Glaubens.

Kolosser 4,12
12 Epaphras, der einer von euch ist, ein Knecht Christi, grüßt euch, indem er immer inbrünstig für euch betet, damit ihr in allem Willen Gottes vollkommen und vollständig dasteht.

Was für eine unglaubliche Beschreibung eines großartigen Mannes! Epaphras wirkte inbrünstig immer im Gebet für die Heiligen.

Das Wort *"inbrünstig"* bedeutet: intensiv, heiß, glühend, brennend. Das inbrünstige Gebet spricht von

Feuer, Leidenschaft und Salbung!
Haben Sie schon einmal erlebt, dass jemand so gebetet hat? Wenn Sie jemanden sehen, der inbrünstig betet, können Sie sehen, dass er an das glaubt, was er betet.

Inbrunst ist der Unterschied zwischen Routine und radikalem Beten.

Ich möchte Ihre Aufmerksamkeit erneut auf die Worte von Jakobus, dem Pastor der Kirche von Jerusalem, lenken:

Jakobus 5,16
16 ...Das wirksame **inbrünstige** Gebet eines rechtschaffenen Mannes ist sehr wirksam.

Inbrünstige Gebete der Rechtschaffenen sind wirksam. Sie erledigen die Arbeit. Wenn Sie anfangen, inbrünstig zu beten, wird etwas passieren!

In Kapitel VII gibt Bischof Jim Stark einen Bericht von unserem persönlichen Zeugnis über den wunderbaren Schutz Gottes während unseres Dienstes in Sheikpura, Pakistan. Ich möchte Ihnen von dem inbrünstigen Gebet erzählen, durch das dieses Wunder geboren wurde.

Meine Frau Stacey und meine Töchter waren in North Little Rock, Arkansas in der First Pentecostal Church, als ich ihr eine SMS von Sheikpura schickte und sie bat, unser Team sofort in ihr Gebet aufzunehmen. Ich habe ihr keine Einzelheiten genannt, weil ich sie nicht beunruhigen wollte, aber sie wusste, dass die

Situation ernst war. Sie ging in das Haus Gottes und begann, inbrünstig nach dem Herrn zu rufen. Im Augenblick des inbrünstigen Gebets gab der Herr ihr eine Vision und ein Wort für unser Team. Sie sah, wie der Herr Tausende von mächtigen, kriegerischen Engeln hinaussandte, die schnell vom Himmel zu Sheikpura in Pakistan hinabstiegen. Diese Engel standen mit gezogenen Schwertern um unser Team herum. Darüber hinaus gab es weitere Reihen von Engeln um uns herum. Dann sprach der Herr zu ihr und sagte: „Sage meinen Dienern, was du gesehen hast, und sage ihnen, dass ich sie für ihre Feinde unsichtbar machen werde!"

Bischof Stark erzählt den Rest des Zeugnisses aus seiner Sicht in Kapitel VII. Viele Gemeinden, darunter Calvary Church in Columbus, FPC in Little Rock, POA in Alexandria und die Parkway Church in Madison, haben sich sofort in inbrünstige Gebete begeben, die einen wunderbaren Schutz für die Männer Gottes bewirkt haben.

Pastor Jason Dillon sandte dieses prophetische Wort während ihrer inbrünstigen Gebetsversammlung: „Im Namen Jesus erkläre ich, dass die durchdringende Kraft Gottes auch jetzt noch in Pakistan herrscht! Wir sprechen genau in die Atmosphäre, dass die Salbung herabfallen und durch diese Männer fließen soll, die Du ernannt hast. Durch ihre Hände sollen viele bemerkenswerte Wunder geschehen. Sättige sie so sehr, dass sogar ihr Schatten von Gott gesalbt ist, um zu heilen. Ich weise jedes Hindernis ab. Lass den Nutzen des Heiligen Geistes erkennbar sein!"

Inbrünstiges Gebet ist ansteckend. Auf meinen Reisen ist mir aufgefallen, dass die mächtigen apostolischen Kirchen in unserer Kommune eine Kultur des inbrünstigen Gebets haben. Es sind nicht nur einige wenige, es ist eine Praxis von Leitkräften und Gemeindemitgliedern, Jugendlichen und Ältesten. Irgendwann in der Geschichte dieser Kirchen hat jemand das Streichholz der Inbrunst angezündet, welche die ganze Kirche in Brand gesteckt hat!

❖ Eifriges Gebet zieht die Engel des Herrn an!

❖ Inbrünstiges Gebet versetzt Berge!

❖ Inbrünstiges Gebet vertreibt den Feind!

❖ Inbrünstiges Gebet wird die Ketten zerreißen!

❖ Inbrünstiges Gebet zerstört die Joche!

❖ Inbrünstiges Gebet öffnet Türen!

❖ Inbrünstiges Gebet zerschlägt Festungen!

Der Schreiber des Hebräerbriefs ruft uns zu:

Hebräer 4,16
16 Darum wollen wir mit Zuversicht vor den Thron unseres überaus gnädigen Gottes treten, damit wir Gnade und Erbarmen finden und seine Hilfe zur rechten Zeit empfangen.

Element 4: Kontinuität

Einer der effektivsten und stärksten eingesetzten apostolischen Leiter in der Geschichte des gesamten Kirchenzeitalters war der Apostel Paulus.

Paulus war ein echter römischer Bürger. Er wurde von dem geschätzten Rabbi Gamaliel, dem wichtigsten Gelehrten unter allen Aposteln, erzogen, aber er war ohne Zweifel apostolisch. Paulus hatte eine Besessenheit: Jesus Christus und sein Opfer für die Sünde. Seinem Amt folgten Wunder, Zeichen und Wundertaten. Unzählige Seelen wurden durch sein aufopferndes Leben gewonnen und beeinflusst.

Die Leiden und Prüfungen von Paulus sind gut dokumentiert. Er erlitt oftmals Schläge, Tragödien und Verrat. Und doch beendete Paulus trotz seiner spektakulären Erfolge und heldenhaften Prüfungen seinen Kurs. Er behielt den Glauben.

Wie war das möglich? Das radikal-apostolische Leben des Paulus war auf beständigem Gebet aufgebaut.

Die Gebete des Paulus werden in den 13 Büchern des Neuen Testaments, die er verfasst hat, immer wieder aufgezeichnet. Ich glaube, Sie werden 43 Gebete in seinen Schriften finden.

Dr. Henry M. Morris hat in seinem Artikel, *“Paul's Prayer Life-Das Gebetsleben von Paulus“* notiert:

Der Apostel Paulus war ein großer Mann des Gebets. Er betete für die römischen Christen "ohne Unterlass". An die korinthische Gemeinde schrieb er: "Ich danke meinem

*Gott immer in eurem Namen" (**1. Korinther 1,4**).*

*Ähnlich verhält es sich mit den Ephesern: "Ich höre auf, nicht für euch zu danken und euch in meinen Gebeten zu erwähnen" (**Epheser 1,16**).*

*Die gleiche Zusicherung wurde an die Philipper geschrieben: "Allezeit in jedem meiner Gebete für euch alle, die ihr mit Freude bittet" (**Philipper 1,4**).*

*Und auch an die Kolosser: "Darum hören auch wir nicht auf, für euch zu beten, seit dem Tag, da wir es gehört haben" (**Kolosser 1,9**).*
*"Wir danken Gott allezeit für euch alle und erwähnen euch in unseren Gebeten" (**1. Thessalonicher 1,2**). (27. Januar 2010, Institut für Schöpfungsforschung)*

Paulus betete die ganze Zeit und befahl den Gläubigen, das Gleiche zu tun. *Hört niemals auf zu beten! (**1. Thessalonicher 5,17**)*

So oft hören wir von der Bedeutung der Beziehung zu Gott. Das Gebet, das Gespräch mit Gott, ist die Art und Weise, wie wir unsere Beziehung zu ihm aufrechterhalten und ausbauen. Diese Aussage mag ein wenig elementar erscheinen, aber Sie werden überrascht sein, wie viele Menschen behaupten, über die Bedeutung des Gebets Bescheid zu wissen, aber nicht konsequent beten.

Im Laufe der Jahre habe ich gelernt, dass Beständigkeit in meinem Gebetsleben ein wichtiger Schlüssel zur konsequenten Darstellung des Geistes in meinem Dienst ist.

Denken Sie darüber nach: Je mehr wir beten, desto mehr verstehen wir Gott und seine Wege. Unser größeres Maß an Verständnis erlaubt es uns, mehr Weisheit in der Art und Weise einzusetzen, wie wir in unseren Gaben und Berufungen handeln. Mit Weisheit zu arbeiten bedeutet, dass es weniger Verstöße im Dienst gibt, wodurch wir größeres Vertrauen in die Berufung und die Gaben Gottes entwickeln. Vertrauen erzeugt Kühnheit. Und schließlich erlaubt uns Kühnheit, die Darstellung des Geistes, der geistlichen Gaben und des fünffachen Dienstes zu erweitern. Gott wird geehrt und sein Werk wird vervielfältigt. Das alles entsteht aus konsequentem Gebet.

Das ist der Grund wofür das konsequente Gebet in meinem Leben nicht verhandelbar ist. Es ist die Grundlage meines Lebens. Es ist die Luft, die ich atme. Ohne Gebet habe ich Ihn nicht. Und ohne Ihn bin ich nichts.

Das Versagen jedes gefallenen apostolischen Leiters war zuerst ein Versagen beim Beten. Sie wollen sicher kein Leiter mit großen Träumen, aber mit einem kleinen Gebetsleben sein. Es ist ein Problem, wenn man den Menschen sagen will, sie sollen ihr Bett aufheben und gehen, aber selbst nicht aus dem eigenen Bett aufsteht, um zu beten. Es ist ein Problem, wenn Sie den Dienst des apostolischen Paulus haben wollen, aber nicht den Preis der Konsequenz dafür zahlen wollen.

Erinnern Sie sich an das Gleichnis, das Jesus in **Lukas 18** gegeben hat?

Lukas 18,1-7
1 Durch folgendes Gleichnis machte er ihnen deutlich, dass sie immer beten sollten, ohne sich entmutigen zu lassen:
2 "In einer Stadt lebte ein Richter", sagte er, "der achtete weder Gott noch die Menschen.
3 In derselben Stadt lebte auch eine Witwe, die immer wieder zu ihm kam und ihn aufforderte, ihr zum Recht gegen jemand zu verhelfen, der ihr Unrecht getan hatte.
4 Lange Zeit wollte der Richter nicht, doch schließlich sagte er sich: 'Ich mache mir zwar nichts aus Gott, und was die Menschen denken, ist mir egal,
5 doch diese aufdringliche Witwe wird mir lästig. Ich muss ihr zum Recht verhelfen, sonst wird sie am Ende noch handgreiflich.'"
6 Der Herr fuhr fort: "Habt ihr gehört, was dieser Richter sagt, dem es ja gar nicht um Gerechtigkeit geht?
7 Sollte Gott da nicht erst recht seinen Auserwählten

zu ihrem Recht verhelfen, die Tag und Nacht zu ihm rufen? Wird er sie etwa lange warten lassen?

Wenn sie beständig in konsequent radikalen Gebeten vor den Herrn treten, wird unser großer Richter des Universums Ihnen antworten! Ihr Leben und Ihr Dienst werden als willkommene Fundament-Platten für Gottes Gegenwart und ehrfurchtgebietende Macht dienen!

Element 5: Prophetisch beten

Sie brauchen nicht das fünffache Amt eines Propheten, welches in **Epheser 4,11** erwähnt wird, oder die geistliche Gabe der Prophetie, die in **1. Korinther 12,10** aufgeführt ist, um prophetisches Gebet zu erfahren und zu betreiben!

In **Hesekiel 37** befahl Gott Hesekiel, prophetische Gebete über das Tal, das voller trockener Gebeine war, zu sprechen.
 Nicht ein einziges Mal verlangte Gott von Hesekiel, dass er sein eigenes Wort der Prophetie heraufbeschwört. Nicht ein einziges Mal hat Gott von Hesekiel erwartet, dass er in seiner eigenen menschlichen Weisheit, Macht oder Autorität handelt.

Ja, Gott sagte zu Hesekiel, er solle über seine mächtige Armee prophezeien. Gott sprach:

Hesekiel 37,4
4 ... Weissagt auf diesen Gebeinen und **sprecht zu ihnen**: O ihr trockenen Gebeine, hört das Wort des Herrn.

Gott gab Hesekiel die mächtigen prophetischen Worte, die er zu sagen hatte! Die Auferstehung der mächtigen Armee war kein Problem, das Hesekiel noch zu lösen hatte. Die Antwort wurde ihm in den Mund gelegt!

In Vers 7 sagt Hesekiel: „Da weissagte ich, **wie mir befohlen war**, und indem ich weissagte (das bereits mächtige und bereits gesprochene Wort des Herrn), entstand ein Geräusch, und siehe, eine Bewegung, und die Gebeine rückten zusammen, ein Glied zum andern!"

In Vers 10 desselben Kapitels, nachdem der Atem Gottes in sie gekommen war, standen diese trockenen Gebeine auf ihren Füßen und wurden zu einer überaus großen Armee.

Als das prophetische "Wort des Herrn" von Gottes Knecht freigegen wurde, kam der Tod, die Natur und das Unmögliche nicht gegen den Dienst des radikalen prophetischen Gebets an!
Die Herrschaft wurde freigelassen, die Autorität wurde durch das Handeln eines Dienstes anerkannt, das durch das radikale prophetische Gebet gesteuert wurde!

Ganz ähnlich ist es wie in der Vision von Hesekiel. Der Feind arbeitet hart daran, die Armee Gottes in ein Tal mit trockenen Knochen zu verwandeln. Er will ihre Stimmen zum Schweigen bringen und ihren Traum zu Staub verwandeln.

Das Volk Gottes muss jedoch verstehen, dass Gott uns die prophetischen Worte in den Mund gelegt hat. Es ist an der Zeit, Gottes Auferstehungskraft durch prophetisches Gebet freizusetzen, um unsere Familien, Gemeinden, Städte und Nationen wiederherzustellen, zu beleben, zu erneuern und auferstehen zu lassen!

Wir, Gottes apostolische Endzeitarmee, haben unzählige prophetische Worte, die uns vom Herrn selbst gegeben wurden. Wir können täglich, in jeder Situation, diese prophetischen Worte verkünden, die Gottes Autorität, Herrschaft und souveräne Macht freisetzen!

Gott möchte, dass ich diese Worte prophetisch über Sie, Ihren Dienst, Ihre Stadt und Ihre Nationen verkünde. Der Herr möchte, dass Sie damit beginnen, diese Worte auch täglich prophetisch zu verkünden:

- ❖ Die Felder in Ihrer Stadt sind weiß zur Ernte ... prophezeie es!

- ❖ Diese Zeichen werden denen folgen, die glauben ... prophezeie es!

- ❖ Du, Kind Gottes, bist in der Tat gesegnet und hochbegünstigt ... prophezeie es!

- ❖ Die Gaben des Geistes sind in Ihnen und für Sie ... prophezeie es!

- ❖ Der Herr wird euer Gebiet erweitern ... prophezeie es!

❖   Radikale Unterwerfung, radikale Demut und radikale Aufopferung gehören Ihnen ... prophezeie es!

❖   Salbung, Macht, Herrschaft und Schutz gehören Ihnen ... prophezeie es!

❖   Es gibt eine *radikal-apostolische* Kraft in der Funktion des Dienstes des prophetischen Gebets!

❖   Prophezeien Sie das "Wort des Herrn" über Ihre Familie, Ihren Dienst, Ihre Gemeinde, Ihre Stadt und Ihre Nation. Sehen Sie zu, wie das "Wort des Herrn" mächtig in Ihrem Namen arbeitet, um seinen Zweck im Reich Gottes zu erfüllen!

Anmerkung: Ich möchte Ihnen eine Liste prophetischer Gebete vorstellen, die meine Frau und ich täglich für unsere Familie, unseren Dienst und unsere Reisen beten:

❖   Ich prophezeie, dass die Frucht des Geistes jetzt in unserem Dienst aktiv und offensichtlich ist.

❖   Ich prophezeie, dass die Gabe eines Wortes der Weisheit jetzt in unserem Dienst aktiv ist.

❖   Ich prophezeie, dass die Gabe des Wortes der Erkenntnis jetzt in unserem Dienst aktiv ist.

❖   Ich prophezeie, dass die Gabe, Geister zu unterscheiden, jetzt in unserem Dienst aktiv ist.

❖   Ich prophezeie, dass die Gabe des Glaubens jetzt

in unserem Dienst aktiv ist.

* Ich prophezeie, dass die Gaben der Heilung jetzt in unserem Dienst aktiv sind.

* Ich prophezeie, dass die Gabe, Wunder zu bewirken, jetzt in unserem Dienst aktiv ist.

* Ich prophezeie, dass die Vielfalt der Zungenrede und die Auslegung der Zungenrede jetzt in unserem Dienst aktiv sind.

* Ich prophezeie, dass die Gabe der Prophetie jetzt in unserem Dienst aktiv ist.

* Ich prophezeie, dass Du uns jetzt tatsächlich segnen wirst.

* Ich prophezeie, dass Du unser Territorium jetzt erweitern wirst.

* Ich prophezeie, dass wir keinen Schaden anrichten werden.

* Ich prophezeie, dass Deine Hand mit uns sein wird.

* Ich prophezeie, dass Du uns vor dem Bösen bewahren wirst.

* Ich prophezeie , dass Du jetzt im Norden, Osten, Süden und Westen eine weltweite Ernte einbringen wirst.

* Ich prophezeie, dass wir überall, wo wir unsere Füße hinsetzen, eine mächtige Ernte, eine mächtige Herrschaft, eine mächtige Autorität und mächtige Heilungen/Wunder haben werden.

* Ich prophezeie, dass unsere geistigen Augen

offen sein werden, damit wir sehen können, dass die, die für uns sind, mehr sind als die, die gegen uns sind.

❖ Ich prophezeie, dass wir im Glauben und nicht im Sehen wandeln werden.

❖ Ich prophezeie, dass Engel vor uns hergehen, mit uns gehen, uns halten und für uns arbeiten, wohin wir auch gehen.

❖ Ich prophezeie, dass Du unsere Finanzen reichlich segnen wirst.

❖ Ich prophezeie Schutz, wenn wir verreisen.

❖ Ich prophezeie tägliche Salbung, Macht und Herrschaft.

❖ Ich prophezeie göttliche Gesundheit über unsere Familie.

❖ Ich prophezeie geistliches Wachstum, Tiefe, Aufklärung, Salbung und Dienst über unsere Familie.

❖ Ich prophezeie, dass jede Gemeinde, die wir betreten, eine Atombombe des Glaubens sein wird, die in der Gemeinde sofort explodiert.

Denken sie daran: Wenn Sie prophetisch beten, beten Sie mit Erwartung! Begeistern Sie sich für das Wort Gottes, das Sie verkünden. Fangen Sie an sich vorzustellen diese Dinge bereits zu besitzen oder erreicht zu haben. Betrachten Sie diese prophetischen Aussagen nicht als noch anstehend, sondern als bereits erfüllt.

Hinweis: Nachfolgend finden Sie einen kleinen Teil des prophetischen Wort Gottes, das ich täglich über unsere Familie, unseren Dienst, Gottes globalem Werk und über unser zukünftiges Königreich veröffentlichen möchte:

Markus 16,17-18

17 Und diese Zeichen werden denen folgen, die glauben: In meinem Namen werden sie die Teufel austreiben; sie werden in neuen Zungen reden;

18 Sie sollen Schlangen aufnehmen; und wenn sie etwas Tödliches trinken, soll es ihnen nicht schaden; sie sollen die Hände auf die Kranken legen, und sie sollen genesen.

Johannes 14,12-14

12 Wahrlich, wahrlich, ich sage euch: Wer an mich glaubt, der wird die Werke, die ich tue, auch tun; und er wird größere Werke als diese tun, weil ich zu meinem Vater gehe.

13 Und was immer ihr bitten werdet in meinem Namen, das will ich tun, damit der Vater verherrlicht werde im Sohn.

14 Wenn ihr um etwas bitten werdet in meinem Namen, so will ich es tun.

Daniel 11,32

32 Und wer wider den Bund bösartig handelt, den wird er durch Schmeicheleien verderben; aber das Volk, das seinen Gott kennt, wird stark sein und Heldentaten vollbringen.

Haggai 2,9

9 Die Herrlichkeit dieses letzteren Hauses soll größer sein als die des ersteren, spricht der Herr der Heerscharen:
und an diesem Ort werde ich Frieden geben, spricht der Herr der Heerscharen.

Apostelgeschichte 2,17-18

17 Und es wird geschehen in den letzten Tagen, spricht Gott, ich will aus meinem Geist ausgießen über alles Fleisch, und eure Söhne und Töchter sollen weissagen, und eure jungen Männer sollen Gesichte sehen, und eure Alten sollen Träume haben:
18 Und über meine Knechte und Mägde will ich ausgießen in jenen Tagen meines Geistes; und sie sollen weissagen.

Johannes 4,35

35 Sagt ihr nicht: Es sind noch vier Monate, und dann kommt die Ernte? Siehe, ich sage euch: Hebt eure Augen auf und schaut auf die Felder; denn sie sind schon weiß zur Ernte.

1. Chronik 4,10

10 Und Jabez rief den Gott Israels an und sprach: Oh, dass du mich segnen und mein Gebiet vergrößern und deine Hand mit mir sein möge und mich vor dem Bösen bewahren möchtest, damit es mich nicht betrübt! Und Gott gewährte ihm, was er erbat.

Wenn wir im Namen Jesus in irgendeine Stadt oder irgendein Land kommen, wird das "Wort des Herrn", das wir prophetisch in die Atmosphäre entlassen, niemals nichtig werden!

Jesaja 55,11

11 So wird auch mein Wort sein, das aus meinem Munde ausgeht; es wird nicht leer zu mir zurückkehren, sondern es wird vollbringen, was mir gefällt, und es wird in dem, wohin ich es gesandt habe, Erfolg haben.

Das "Wort des Herrn", das wir verkünden, fängt in unserem Namen an zu handeln, noch bevor wir die ersten Samen in die Felder säen!

Johannes 4,38

38 Ich habe euch gesandt, um das zu ernten, worauf ihr keine Arbeit gegeben habt; andere Männer haben gearbeitet, und ihr seid in ihre Arbeit eingetreten.

DIE REISE

KAPITEL III
Radikale Unterwerfung

"Die Fähigkeit, einer Versuchung zu widerstehen,
steht in direktem Verhältnis zu deiner
Unterwerfung unter Gott".
Ed Cole

"Unterwerfung ist die Bereitschaft, unser Recht auf uns
selbst aufzugeben und unser Beharren darauf, immer
nach eigenem Gutdünken zu handeln, frei aufzugeben.
Myles Munroe

"Wahre Stärke liegt in der Unterwerfung, die es
einem erlaubt, sein Leben durch Hingabe einer
Sache jenseits seiner selbst zu widmen".
Henry Miller

Jakobus 4,7
7 Unterwerft euch also Gott. Widersteht dem Teufel,
und er wird vor euch fliehen.

Die große Täuschung

Der Feind hat ein großes Netz der Täuschung über
unsere Welt gespannt. Die Täuschung ist folgende:
Autorität ist ein böses Wort, Menschen mit Autorität
sind schlechte Menschen.
Nehmen Sie dieses Gefühl wahr? Wir leben in einer

Anti-Autoritätswelt!

Das ist der Grund, warum der Apostel Paulus sagte:

Römer 12,2
2 Und seid nicht dieser Welt gleichförmig, sondern werdet verwandelt durch die Erneuerung eures Sinnes, damit ihr prüfen könnt, was der gute und wohlgefällige und vollkommene Wille Gottes ist.

Es ist eine Schande, dass diese Welt Autorität hasst, denn die Unterordnung unter Autorität ist ihre Heilung.

Die Unterwerfung unter die Autorität wird die dämonischen Werke der Gesetzlosigkeit, des Hasses, des Rassismus und des Widerstandes abbauen.

Das Wort Gottes ruft uns auf, uns der Leiterschaft zu unterwerfen, die Gott über uns gestellt hat.

1. Petrus 2,13-17
13 Fügt euch allen von Menschen gesetzten Ordnungen, weil der Herr das so will. Das gilt sowohl dem König gegenüber, der an höchster Stelle steht,
14 als auch seinen Statthaltern. Er hat sie eingesetzt, um Verbrecher zu bestrafen und Menschen, die Gutes tun, zu belohnen.
15 Denn Gott will, dass ihr durch gute Taten das dumme Gerede unwissender Menschen zum Schweigen bringt.
16 Lebt als freie Menschen, die Sklaven Gottes sind, und missbraucht eure Freiheit nicht als Deckmantel für das Böse.

17 Begegnet allen mit Achtung, liebt die Gemeinschaft mit den Glaubensgeschwistern, habt Ehrfurcht vor Gott und ehrt auch den König!

Römer 13,1-6
1 Jede Seele soll den höheren Mächten untertan sein. Denn es gibt keine Macht außer der Macht Gottes: die Mächte, die da sind, sind von Gott bestimmt.
2 Wer sich also der Macht widersetzt, der widersteht der Ordnung Gottes; und wer sich widersetzt, der soll die Verdammnis für sich selbst empfangen.
3 Denn die Herrscher sind nicht ein Schrecken für gute Werke, sondern für das Böse. Fürchtest du dich denn nicht vor der Macht? Tue, was gut ist, und du wirst Lob davon haben:
4 Denn er ist der Diener Gottes an dir für das Gute. Tust du aber Böses, so fürchte dich; denn er trägt das Schwert nicht umsonst; denn er ist der Diener Gottes, ein Rächer, der den Zorn über den richtet, der Böses tut.
5 Darum müsst ihr untertan sein, nicht nur aus Zorn, sondern auch aus Gewissensgründen.
6 Darum erweist auch ihr ihnen die Ehre; denn sie sind Gottes Diener, die sich ständig um eben diese Sache kümmern.

Wenn wir eine radikale Darstellung des Geistes in unserer Gemeinde, unserem Dienst, unserer Stadt oder unserer Nation sehen wollen, müssen wir die große Täuschung der Anti-Autorität ablegen. Wir müssen ein Leben der radikalen Unterordnung, unter die von Gott organisierter Autorität, annehmen!

Rev. Michael Robinson, der mich teilweise zu diesem Buch inspiriert hat, sagte: „Unterordnung ist die sofortige, willige Gehorsamkeit gegenüber einer rechtmäßigen Ordnung."

Unser Widersacher, der Teufel, möchte uns zu autoritätsfeindlichen Einstellungen und Verhaltensweisen verleiten, aber wir werden niemals ein echter Diener des Herrn sein, solange wir nicht eine radikale Unterwerfung praktizieren. Ohne sie werden wir niemals von Gott in irgendeiner bedeutenden Weise verwendet werden. Wir mögen lehren oder predigen, aber wir werden keine Zeichen, Wunder oder Wundertaten, die daraus folgen würden, haben. Unsere Ämter werden ohne Ernte, radikale Darstellung und Macht sein.

Die Unterwerfung unter einer geistlichen Autorität bietet auch ein Sicherheitsnetz für unseren gesamten Haushalt an. Sie hält unsere Kinder von der Zerstörung fern, die sonst einen Widerstand mit sich bringen würde.

In **Matthäus 8,8-10** finden wir ein mächtiges Prinzip der Unterwerfung. Ein römischer Hauptmann ist an Jesus herangetreten und hat ihn gefragt, ob er seinen Diener heilen würde. Jesus willigt ein und bietet ihm an, mit ihm in sein Haus zu gehen.

Matthäus 8,8-10
8 Der Hauptmann antwortete und sprach: Herr, ich bin nicht würdig, dass du unter mein Dach kommst;

aber sprich nur ein Wort, so wird mein Knecht gesund werden.

9 Denn ich bin ein Mensch unter der Obrigkeit und habe Kriegsknechte unter mir; und ich sage zu diesem Menschen: Gehe hin, und er geht; und zu einem andern: Komm, und er kommt; und zu meinem Knecht: Tu dies, und er tut es.

10 Als Jesus das hörte, verwunderte er sich und sprach zu denen, die ihm folgten: Wahrlich, ich sage euch: So großen Glauben habe ich nicht gefunden, nein, nicht in Israel.

Matthäus 8,13

13 Und Jesus sprach zu dem Hauptmann: Gehe hin; und wie du geglaubt hast, so geschehe es dir. Und sein Knecht wurde in derselben Stunde geheilt.

Das Prinzip ist klar. Wenn wir einer Autorität unterworfen sind, werden wir ein größeres Verständnis dafür haben, wie Autorität funktioniert. Menschen, die sich weigern, sich der Autorität zu unterwerfen, sind gefährlich für das Reich Gottes, weil sie die Autorität auf die falsche Art und Weise ausnutzen.

Ohne Unterwerfung gibt es für uns keine Möglichkeit, im Bereich der Darstellung und der Macht angemessen zu agieren. Wir werden andere zerstören, uns selbst nicht aufbauen und letztendlich selbst zerstören.

Die Geschichte des Widerstandes

Die erste Erwähnung des autoritätsfeindlichen Geistes in der Geschichte der Menschheit wurde von Satan angestiftet, der wegen seines eigenen Aktes des Widerstands vor der Schöpfung degradiert wurde. Satan, in Form einer Schlange, verwickelte Eva in ein Gespräch und stellte das Wort Gottes offen in Frage und widersprach ihm:

1. Mose 3,1
1 Die Schlange aber war listiger als jedes Tier auf dem Felde, das Gott, der Herr, gemacht hatte. Und er sprach zu der Frau: Ja, hat Gott gesagt: Ihr sollt nicht von allen Bäumen des Gartens essen?

1. Mose 3,4
4 Und die Schlange sprach zu der Frau: Ihr werdet nicht sterben.

Satan drängte Eva dazu, Gottes Verheißungen, die Motive Gottes und sogar die Autorität Gottes in Frage zu stellen.

Satan pflanzte einen Samen der Verachtung in das Herz von Eva, die schließlich zur Katastrophe für die gesamte Menschheit führte. Gott erwies Adam und Eva schließlich doch Barmherzigkeit, aber sie brachten unnötigen Schmerz und Elend in ihr Leben und auch in unser Leben.

Wir müssen vorsichtig sein, dass wir nicht Satans Köder des Widerstands annehmen. Wie Adam und Eva werden wir feststellen, dass es viele unbeabsichtigte Folgen für das Verhalten gegen die Autorität gibt. Wir werden uns schnell vertrieben fühlen, in uns gehen und uns fragen müssen: Was in aller Welt ist passiert?

Wenn wir die von Gott gegebene Autorität ablehnen, schaden wir nicht nur uns selbst, sondern auch unseren Familien. Adam und Eva mussten ihre Söhne oft schwitzend auf den heißen Feldern zugesehen haben und sich reuevoll an ihr Vergehen erinnert haben.

Unterwerfung an wen?

Es scheint einen Trend in der kirchlichen Welt zu geben, dass Männer und Frauen, die einen Dienst anstreben, sich lieber von einem Ausschuss von Gleichaltrigen leiten lassen als von einem Pastor mit wirklicher Autorität. Warum ist dieses Vorgehen in der Praxis so beliebt? Von einem solchen Ausschuss wird niemals echte Unterordnung verlangt. Der Weg zur Macht wird nicht von einem Ausschuss geleitet, sondern von echten Hirten.

Haben Sie einen Pastor? Wenn Sie sich wünschen, mächtig von Gott gebraucht zu werden, wenn Sie wünschen, dass der Deckel von Ihrer Berufung abgehoben wird, gibt es keinen Ersatz für einen Pastor in Ihrem Leben!

Zwar ist es zulässig, Mentoren zu haben, die (mit Erlaubnis Ihres Pastors) Methodik vermitteln oder Ihnen ein größeres apostolisches Verständnis darlegen, jedoch muss es eine geistliche Leitkraft geben. Und zwar einen Pastor, der das letzte Wort hat. Sie brauchen einen Pastor in Ihrem Leben, dem Sie sich nicht widersetzen, weil er das Vetorecht hat.

Willkommen in Gottes Königreich

Es gibt im Reich Gottes keinen Platz für jene, die sich der geistlichen Autorität nicht unterwerfen wollen.

Jesus gab diese Erklärung über sein Königreich ab:

Johannes 18,36
36 Jesus antwortete: Mein Reich ist nicht von dieser Welt; **wäre mein Reich von dieser Welt, so hätten meine Diener gekämpft**, dass ich den Juden nicht ausgeliefert würde; nun aber ist mein Reich nicht von hier.

Wenn die Diener Gottes sich weigern, irdische Kämpfe gegen die Autorität zu führen, ist das ein Beweis dafür, dass ihr Königreich nicht von dieser Welt ist. Denken Sie daran, dass wir *in* dieser Welt, aber nicht *von* dieser Welt sind. Diener Gottes kämpfen die richtigen Schlachten und nicht die falschen. Wir kämpfen nicht mit Fleisch und Blut; wir kämpfen geistliche Schlachten. Wenn wir jedoch immer die irdische Autorität gegen den Kopf stoßen und gegen Fleisch und Blut kämpfen, zeigen wir im Grunde genommen jedem von welcher Welt wir *wirklich* sind.

Wenn wir in das Königreich Gottes eintreten, in dem wir aus Wasser und Geist wiedergeboren werden, nehmen wir eine neue Gestalt an.

Es war der Apostel Paulus, der sagte:

2. Korinther 5,17
17 Darum, ist jemand in Christus, so ist er eine neue Kreatur; das Alte ist vergangen, siehe, es ist alles neu geworden!

Die antiautoritäre Haltung ist ein Produkt unserer alten Natur, die man nicht weiterführt. Die Unterwerfung ist das neue und verbesserte Produkt unseres erlösten Seins, die durch die Kraft Gottes hervorgebracht wird.

Diese neue Natur erlaubt es uns, die Mahnungen des Wort Gottes anzunehmen und ihnen freudig zu gehorchen.

Hebräer 13,17
17 Hört auf die Führer in eurer Gemeinde und fügt euch ihren Weisungen! Es ist ihre Aufgabe, über eure Seelen zu wachen, und sie werden Gott einmal Rechenschaft über ihren Dienst geben müssen. Sorgt also dafür, dass sie ihre Aufgabe mit Freude tun können, anstatt mit Seufzen und Stöhnen, denn das wäre sicher nicht gut für euch.

1. Petrus 5,5-6
5 Desgleichen, ihr Jüngeren, unterwerft euch dem Älteren. Ja, ihr alle seid einander untertan und bekleidet euch mit Demut; denn Gott widersteht den Stolzen und gibt den Demütigen Gnade.
6 So erniedrigt euch nun unter der mächtigen Hand

Gottes, damit er euch zu gegebener Zeit erhöhen möge:

Lassen Sie uns für einen Moment realistisch sein. Vielleicht gefällt uns nicht jede Persönlichkeit, die Gott über uns gestellt hat. Vielleicht können wir uns nicht mit demjenigen einigen, den Gott über uns stellt. Aber wir werden keine einzige Schriftstelle in der Bibel finden, die uns ermutigt diejenigen, die Gott in unser Leben gesetzt hat, in der geistlichen Autorität zu widerstehen, sie abzulehnen oder gegen sie zu rebellieren!

Selbst wenn wir in unserer geistlichen Autorität falsch liegen oder uns irren. Sogar wenn die geistliche Autorität ein schlechtes Urteilsvermögen hat. Selbst wenn sie uns mit ihren Worten, Handlungen oder Haltungen beleidigt. Es gibt keine Schriftstelle dafür, die uns erlaubt die Koffer zu packen, einen neuen Pastor oder eine andere Gemeinde zu finden! Es gibt viele Bibelstellen, die uns auffordern, zu ihnen zu gehen und sich mit ihnen zu versöhnen; in Liebe die Wahrheit zu sprechen und die harte Arbeit der Friedensstiftung zu erbringen.

Abgesehen davon, liegt die wahre Kraft sich zu unterwerfen darin, ein echter geisterfüllter Bürger des großen Reich Gottes zu sein.

Epheser 3,20

20 Dem, der so unendlich viel mehr tun kann als wir

erbitten oder erdenken und der mit seiner Kraft in uns wirkt.

Unterwerfung: Das Gute, das Schlechte und das Hässliche

Es gibt drei klassische Bibelgeschichten im Zusammenhang mit der Unterwerfung, die ich als gut, schlecht und hässlich klassifiziere. Wir werden diese näher betrachten!

Die gute Geschichte:

1. Samuel Kapitel 24 erzählt uns von einer erschütternden Geschichte über eine Zeit, in der König Saul und 3,000 seiner Gefährten in den felsigen Hügeln von Engedi auf die Jagd gingen. Es war eigentlich die "Jagdsaison" für David, den Sohn von Jesse. Sein Verbrechen? Er erschlug einen Riesen und wurde zum Nationalhelden. Ein eifersüchtiger Geist hatte sich in Sauls Herz eingeschlichen. Der König Israels geriet in eine starke Paranoia.

Der von Gott gegebene Erfolg Davids veranlasste den standesbewussten König sich bedroht zu fühlen und ließ zu, dass er von dämonischen Täuschungen geplagt wurde. König Saul war selbst davon überzeugt, dass David den Thron für sich erobern wollte, aber David war einfach der Stimme Gottes gehorsam.

Weil David den Wert der Unterwerfung verstand, weigerte er sich, die Autorität seines Königs in Frage zu stellen, obwohl Saul völlig falsch lag!

Bis zu diesem Zeitpunkt hatte David eine solche Loyalität und Liebe zur Führung, dass er nicht gegen den König angehen wollte, den Gott selbst abgelehnt hatte.

An einem anderen Zeitpunkt in der Geschichte befindet sich Köng Saul in einer Höhle zwischen den zerklüfteten Felsen. Er ist völlig ahnungslos, dass in genau dieser Höhle das Versteck von David und seinen Männern ist!

Davids Männer waren überzeugt, dass Gott ihnen ihren wahnsinnigen Unterdrücker auf einem Silbertablett ausgeliefert hatte! Sie ermutigten David, die Arbeit zu beenden. Aber David konnte sich einfach nicht dazu durchringen, seinem König Schaden zuzufügen. Er kroch einfach zum schlafenden Saul hinauf und schnitt ihm ein Stück seines Umhangs ab. Das klingt nach Gnade, nicht wahr? David hätte sich eigentlich wohl fühlen müssen, richtig?

1. Samuel 24,5-7
5 Und es begab sich danach, dass Davids Herz ihn schlug, weil er Saul den Rock abgeschnitten hatte.
6 Und er sprach zu seinen Männern: Der HERR verbietet mir, dass ich das meinem Herrn, dem Gesalbten des HERRN, antue, dass ich meine Hand gegen ihn ausstrecke; denn er ist der Gesalbte des HERRN.
7 Und David blieb seinen Knechten bei diesen Worten und ließ sie nicht gegen Saul aufstehen. Saul aber erhob sich aus der Höhle und machte sich auf den

Weg.

Obwohl David König Saul nicht einmal berührt hatte, brach es ihm das Herz durch diesen scheinbar unbedeutenden Akt, das Gewand seiner Autorität abgeschnitten zu haben. David wusste, dass er einen möglichen Widerstand angefangen hatte. Es war nicht Davids Aufgabe, sich mit König Saul auseinander zu setzen, sondern die von Gott. Er empfand Schuldgefühle für das was er getan hatte. Anstatt seine Taten zu rechtfertigen, bereute er sie lieber vor seinen Männern.

Der junge Mann, der König von Israel werden sollte, trauerte diesen Moment.

Freunde, widersetzt euch nicht der geistlichen Autorität. Erhebt euch nicht gegen den von Gott ernannten Leiter in eurem Leben! Unterwirft euch, auch wenn es so extrem ist wie bei David. Gott sieht eure Demut und wird euch zu gegebener Zeit erheben.

Die schlechte Geschichte:

4. Mose 12,1
1 Und Mirjam und Aaron redeten gegen Mose...

Die Vorgeschichte spielt wirklich keine Rolle. Diese sieben Worte waren Gott wichtig! Gott war es gleichgültig, worum es in ihrem Argument ging. Gott war es gleichgültig, ob Miriam und Aaron Recht hatten, oder ob Moses Unrecht hatte.

Der Bruder und die Schwester schlossen sich zusammen und drängten auf Gottes Übertragung der Autorität auf ihr Leben. Beachten Sie, dass sie Moses nicht widersetzt haben. Sie haben nur den Mund aufgemacht.

Es gibt keinen Bereich, in dem wir Gottes Normen der Unterwerfung systematischer verletzen als in unserem Sprachgebrauch. Wir sitzen im Restaurant und sind mit unserem Mobiltelefon beschäftigt, gehen auf unsere Lieblings-Onlineforen und begehen dieselbe Sünde wie Miriam und Aaron.

Als Miriam und Aaron Moses Entscheidungen bemängelten, bestand ihr Problem nicht darin, zu Moses ins Büro gerufen zu werden, sondern sie wurden von Gott selbst zum Zelt Gottes gerufen!

Ich möchte Sie ermutigen, das in **4. Mose 12:5-11** aufgezeichnete Gespräch zu lesen. Es ist erschreckend! Der Herr der Herrlichkeit ist zornig, als seine Stimme aus der Wolke erklingt. Sehen Sie, wie Gott sich für seinen Stellvertrreter einsetzt und diejenigen, die ihm entgegnen, scharf zurechtweist. Ich hätte nicht, für alle Kronjuwelen im Tower von London, in Miriams oder Aarons Schuhen stecken wollen!

4. Mose 12,9-10

9 Und der Zorn des HERRN entbrannte gegen sie, und er ging weg.
10 Und die Wolke wich von der Stiftshütte, und siehe, Mirjam wurde aussätzig, weiß wie Schnee; und Aaron sah Mirjam an, und siehe, sie war aussätzig.

Obwohl Gott Miriam, auf Moses bitten hin, letztendlich verschont, wurde sie für sieben Tage aus dem Lager verbannt. Drei Millionen Menschen mussten warten, bis Miriams "Strafzeit" beendet war.

Wir sollten nicht davon überzeugt sein, dass Gott wegschaut, wenn wir unsere Führungskräfte mit unseren Worten entgegnen. Ihr Versagen mag unsere Kritik rechtfertigen, aber unsere unangebrachten Worte werden Gott mehr Sorgen bereiten als ihr Versagen.

Die hässliche Geschichte:

Unsere letzte Geschichte, die wir in **4. Mose Kapitel 16** finden, nimmt den Widerstand einen Schritt weiter als bei Miriam und Aaron.

Ein mächtiger Hebräer namens Korah ist unzufrieden mit der Rolle seiner Familie als Träger des tragbaren Tabernakels und ihres heiligen Inhalts. Er wollte, dass seine Familie zu den Priestern gehörte. Er hatte das Gefühl, dass Moses und Aaron sich die Macht an sich genommen hatten und sie mit ihrer Autorität zu weit gegangen waren. Er tat jedoch mehr als sich nur ihrer Autorität zu widersetzen. Er führte einen Aufstand mit prominenten Einflussnehmern gegen Moses und Aaron an.

4. Mose 16,2-3
2 Und sie erhoben sich vor Mose mit etlichen von den Kindern Israel, zweihundertfünfzig Obersten der

Versammlung, die in der Gemeinde berühmt waren, Männer von Ansehen:

3 Und sie versammelten sich wider Mose und Aaron und sprachen zu ihnen: Ihr nehmt zu viel auf euch, denn die ganze Gemeinde ist heilig, ein jeder von ihnen, und der HERR ist unter ihnen; warum erhebt ihr euch denn über die Gemeinde des HERRN?

Moses war betrübt über die rücksichtslose Kundgebung. Moses erinnerte Korah daran, dass sein Widerstand kein Akt gegen Moses Autorität persönlich war, sondern gegen die Gottes. Er forderte Korah zu einer Prüfung heraus und rief ihn und seine Anhänger am nächsten Morgen zum „Haus Gottes", um vor dem Herrn Weihrauch darzubringen. Moses beugte sich dem Urteil des Herrn, der auswählen sollte wer unter ihnen heilig war.

Der nächste Tag war eine totale Katastrophe für Korah und seinen Feldzug. Die 250 Männer, die dem Herrn Weihrauch darbrachten, wurden mit Feuer verzehrt. Korah, seine Anhänger und ihre Familien und ihre Besitztümer wurden von der Erde verschlungen. Am folgenden Tag kamen auch noch 14 700 Sympathisanten ums Leben.

Korah war überzeugt, dass er einen gerechten Grund hatte. Aber er verlor den Kontakt zu einer kritischen Wahrheit: Gott hasst Widerstand und jene, die sich ihrer Marschparade anschließen.

Seien wir vorsichtig. Verlieren wir nicht die Ehrfurcht vor Gott und die Autorität, die er über uns gesetzt hat.

Wir müssen dem Anti-Autoritätsgeist dieser Welt widerstehen! Wir handeln weise, wenn wir gespalten sind, damit wir uns unterwerfen. Tatsächlich ist Uneinigkeit ein Zeichen wahrer Unterwerfung.

Man wird immer einen dienstverändernden Preis zahlen müssen, wenn man geistliche Autorität missachtet, ablehnt, in Frage stellt, herausfordert oder dagegen rebelliert! Und ob es uns gefällt oder nicht, werden wir nicht die einzigen Personen sein, die den Preis für unseren Widerstand bezahlen. Wie bei Korah werden auch unsere Familien den Preis dafür zahlen müssen.

Die gute Nachricht ist, dass Gott uns Zeit und Raum zur Buße gibt, damit wir den Wert der geistlichen Unterwerfung unter die Autorität erkennen können.

1. Johannes 1,9
9 Wenn wir unsere Sünden bekennen, ist er treu und gerecht, uns unsere Sünden zu vergeben und uns von aller Ungerechtigkeit zu reinigen.

Heben ihrer Hände

Wir können so viel mehr tun, als uns einfach unseren Führungskräften zu unterwerfen. Wir können die Führungskräfte, die Gott in gnädiger Weise in unser Leben gesetzt hat, voll und ganz unterstützen.
Betrachten wir eine weitere Geschichte aus dem Leben des großen Leiters Mose.

Während der Zeit, wo die Israeliten in der Wüste wanderten, trafen sie auf die Amalekiter, mit denen sie in die Schlacht zogen. Mose hatte Josua den Auftrag gegeben, Männer zum Kampf gegen die Amalekiter anzuführen. Er versicherte Josua, dass er mit erhobenem Gottesstab auf dem Gipfel des Berges stehen würde.

Als die Schlacht andauerte, bemerkte Mose, dass, solange er die Arme hochhielt, die Israeliten die Oberhand behielten. Immer dann, jedoch, wenn er die Arme senkte, siegten die Amalekiter. Zweifellos hielt Mose seine Arme hoch, aber bald, wie Sie sich gut vorstellen können, wurden seine Arme müde. Aaron und Hur, die sein Dilemma sahen, nahmen einen Stein und schoben ihn unter Mose, damit er sich setzen konnte, und jeder hielt einen der Arme von Moses hoch, so dass Israel die Schlacht gewann. **(2. Mose 17,8-16)**

Die kleine Unterstützung, die Hur und Aaron Mose an diesem Tag zukommen ließen, hatte ein unglaubliches Ergebnis.

Diese Geschichte illustriert perfekt, dass Autoritätspersonen müde werden können und Menschen brauchen, die sie bei ihrer wichtigen Arbeit unterstützen. Es sollte das Ziel eines jeden Apostels sein, sich nicht nur zu unterwerfen, sondern denen, die uns führen, ein wenig "Last" abzunehmen. Diese Unterstützung, so klein sie auch erscheinen mag, könnte eine der größten Investitionen unseres Lebens sein.

Wenn Sie über Autorität in der Schrift lesen, werden

Sie schnell das Prinzip der Ehre finden.

1. Timotheus 5,17
17 Die Ältesten, die gut regieren, sollen der doppelten Ehre würdig sein, besonders diejenigen, die sich um Wort und Lehre bemühen.

1. Petrus 2,17
17 Ehre alle Männer. Liebt die Bruderschaft. Fürchtet Gott. Ehre den König.

Epheser 6,2-3
2 "Ehre deinen Vater und deine Mutter" – so lautet das erste Gebot, dem eine Zusage folgt –,
3 "damit es dir gut geht und du ein langes Leben auf der Erde hast."

Das Wort *Ehre* bedeutet so viel wie: achten; wertschätzen; großen Respekt ZEIGEN. Dies möchte ich hervorheben: Unterwerfung ist nicht nur eine Haltung, sondern auch eine Handlung.

- ❖ Wir zeigen Unterwerfung durch Worte!

- ❖ Wir zeigen Unterwerfung durch unsere Haltung!

- ❖ Wir zeigen Unterwerfung durch unsere Gehorsamkeit!

- ❖ Wir zeigen Unterwerfung durch Vertrauen!

- ❖ Wir zeigen Unterwerfung durch Liebe!

- ❖ Wir zeigen Unterwerfung, indem wir die Führung nicht in Frage stellen!

❖   Wir zeigen Unterwerfung, indem wir Autorität nicht in Frage stellen!

❖   Wir zeigen Unterwerfung, indem wir mit unseren Führungskräfte zusammenarbeiten, kooperieren und mit ihnen kommunizieren!

Lasst uns nicht vergessen, Unterwerfung zu demonstrieren, indem wir für unsere spirituelle Autorität beten. Wir können dem Geist des Widerstandes den Rücken kehren, indem wir denen, die uns führen im Gebet aufnehmen.

Die Leiter des Neuen Testaments verlangten das Gebet.

1. Thessalonicher 5,25
25 Brüder, betet für uns.

2. Thessalonicher 3,1
1 Schließlich, liebe Brüder, betet für uns, dass das Wort des Herrn freien Lauf hat und verherrlicht wird, so wie es bei euch ist:

Hebräer 13,18
18 Betet für uns! Wir sind überzeugt, ein gutes Gewissen zu haben, denn wir möchten in jeder Weise ein Leben führen, wie es gut und richtig ist.

Etwas Dynamisches beginnt, wenn wir für unseren Pastor beten! Etwas Mächtiges geschieht, wenn wir zum Heber der Arme unseres geistlichen Leiters werden! Wenn wir für unsere Leiter beten, werden wir die Autorität lieben und diese nicht in Frage stellen! Diese Gebete werden uns dazu bringen, uns der Autorität freiwillig zu unterwerfen. Diese Gebete werden uns veranlassen, den Geist, der die Autorität widerspricht, in dieser Welt in seine Schranken zu weisen und ihm zu widerstehen.

Beispiele für eine radikale Unterwerfung

Wenn Sie einen ungehinderten Blick auf die radikale Unterwerfung haben möchten, sehen Sie sich das Drama an, das sich in **2. Mose 16** entwickelt hat. Abram hatte die Verheißung von Gott, dass er Vater werden würde. Seine Frau Sarai war unfruchtbar. Sarai überredete Abram, ihre Dienerin Hagar zu seiner zweiten Frau zu nehmen, damit er von ihr ein Kind bekommen konnte. Abram begann also, sich mit Hagar zu treffen, und sie wurde schwanger. Als Hagar schwanger wurde, wurde Sarai wahnsinnig eifersüchtig und erzählte Abram, dass Hagar sie nicht respektierte. Die Krallen waren ausgefahren, Abram stand dazwischen. Von dieser Stelle an greifen wir auf das Gespräch zurück:

1. Mose 16,6-10

6 Abram aber sprach zu Sarai: Siehe, deine Magd ist in deiner Gewalt, tue mit ihr, wie dir gefällt! Da nun Sarai sie demütigte, floh sie von ihr.

Gen 16:7 Aber der Engel des HERRN fand sie bei einem Wasserbrunnen in der Wüste, beim Brunnen am Wege Schur.

Gen 16:8 Er sprach zu ihr: Hagar, Sarais Magd, wo

kommst du her, und wo willst du hin? Sie sprach: Ich bin von meiner Herrin Sarai geflohen!

Gen 16:9 Und der Engel des HERRN sprach zu ihr: Kehre wieder zu deiner Herrin zurück, und demütige dich unter ihre Hand.
Gen 16:10 Und der Engel des HERRN sprach zu ihr: Siehe, ich will deinen Samen also mehren, dass er vor großer Menge unzählbar sein soll.

Wow! „Hagar, geh zurück und unterwerfe dich. Ja, sie ist wahnsinnig eifersüchtig, aber sie hat die Befugnis über dich. Wenn du das tust, werde ich dich segnen!"

Lassen Sie uns ehrlich sein. Die Unterordnung ist nicht so kompliziert, wie wir es gerne darstellen! Wir werden oft sehr kreativ, wenn wir einen schönen Teppich der Rechtfertigung weben, warum wir unserer Bezugsperson "gekündigt" haben und jemanden mit besseren Fähigkeiten im Umgang mit Menschen gefunden haben. Seien Sie vorsichtig! Es lohnt sich nicht. Vielleicht haben Sie für eine Weile ein einfacheres Leben, aber Sie werden Gottes Kraft und Segen einbüßen.

Die Klarheit über den Wert, die Macht und die Schönheit der radikalen Unterwerfung unter die apostolische Autorität bekam ich zum ersten Mal während des Äthiopien-Kreuzzuges im März 2000 zu spüren.

Während einer dieser wirklich *radikal* -apostolischen Gebetsversammlungen verkündete einer der Leiter, ein altgedienter apostolischer Leiter unserer Bewegung, der sich vom Heiligen Geist angeleitet fühlte: „So spricht der Herr ...“

Sofort sagte Bruder Billy Cole: "Warte!"

Dieser altgediente Mann Gottes unterwarf sich radikal, und die Versammlung der Führungskräfte fuhr wieder mit tiefem Gebet fort.

Eine Weile später rief derselbe altgediente apostolische Leiter, vom Geist angeleitet, aus: „So spricht der Herr ...“

Sofort hielt ihn Bruder Billy Cole an und sagte: "Warte!"

Der altgediente apostolische Leiter unterwarf sich ohne Zögern, und wir alle gingen mit großer Intensität zurück in die Tiefen des Geistes des Herrn.

Ein drittes Mal versuchte dieser altgediente apostolische Leiter, wozu ihn der Geist des Herrn drängte, zu sprechen und wieder hielt ihn Bruder Billy Cole, diesmal etwas energischer, an.

Ich schämte mich für diesen Mann Gottes. Dennoch zeigte der altgediente Leiter keine Anzeichen von Aufregung oder Frustration, sondern nur Liebe, Respekt und Unterwerfung unter Bruder Billy Cole, diesem mächtigen Mann Gottes.

Wenige Augenblicke später sagte Bruder Billy Cole: „Bruder, jetzt ist die Zeit gekommen, das zu sagen, was der Herr dir gesagt hat.“

Dieser altgediente apostolische Leiter zuckte nicht zurück, zeigte weder einen Funken Arroganz, noch reagierte er in irgendeiner Weise ungebührlich. Er erklärte einfach mutig und gehorsam das Wort Gottes in Richtung unseres geistlichen Leiters Bruder Billy Cole.

Der Apostel Paulus sagte dem jungen Prediger Timotheus:

2. Timotheus 2,3
3 Darum erdulde Härte, wie ein guter Soldat Jesu Christi.

Der weise Rat von Paulus an seinen jungen Freund ist etwas, das wir alle berücksichtigen sollten, besonders im Bereich der Unterwerfung.

Ich war Zeuge eines weiteren Falles radikaler Unterwerfung, an dem ein anderer altgedienter apostolischer Geistlicher beteiligt war.

Bruder Billy Cole war immer sehr hartnäckig, wenn es darum ging, während der Evangelisations-Gottesdienste keine langen Predigten zu halten. Er gab jedem eine gewisse Zeit an der Kanzel und er erwartete, dass sich jeder an dieser Vorgabe hielt, egal, welche Meinung sie hatten.
Eines unserer Teammitglieder predigte kraftvoll während einer morgendlichen Evangelisationssitzung. Zu diesem Zeitpunkt predigte dieser altgediente Pastor das Wort Gottes mit Leidenschaft und

Autorität während alle Übersetzer ihn „die Arme hoch hielten".

Den Hunderttausenden von Äthiopiern, die anwesend waren, hat die Predigt gefallen! Sie schrien mit ihm, während er predigte! Es war aufregend! Das Wort kam bei allen anwesenden Äthiopiern an.

Irgendwann überschritt der Prediger die ihm zugeteilte Zeit für die Predigt. Er wandte sich vor der Menschenmenge an Bruder Billy Cole und erbat von ihm etwas mehr Zeit. Bruder Billy Cole sagte kein Wort. Er saß nur regungslos da.

Der Prediger predigte schließlich weiter. Ich bin mir nicht wirklich sicher, wie lange er über seine erlaubte Zeit hinweg gepredigt hat, aber für Bruder Billy Cole war es eine Missachtung der Regel, wenn nur eine Sekunde über die erlaubte Zeit hinweg gepredigt wurde.

Der Gottesdienst war großartig, die Leute haben darauf reagiert, und dann sind wir alle zum Bus zurückgegangen, damit wir ins Hotel zurückkehren konnten. Irgendwann auf dieser langen Busfahrt tadelte Bruder Billy Cole den Mann vor dem gesamten Team.

Obwohl ich dachte, dass sicher ein Streit darüber ausbrechen würde, nutzte Gott diesen Moment mich über die Unterwerfung zu belehren, anhand der Zurechtweisung und der Reaktionen von zwei mächtigen Männern Gottes.

Ich sah dabei zu, wie sich dieser altgediente apostolische Leiter Bruder Billy Cole unterordnete und mit Freude und Fröhlichkeit seine öffentliche Zurechtweisung entgegen nahm.

Dabei zuzusehen, wie diese mächtigen Helden des Glaubens, von beiden Seiten, radikale Unterwerfung und ihre positive Einstellung zur Korrektur zeigten, war einer der größten Geschenke, die Gott mir je gegeben hat!

Die Beispiele dieser beiden gottesfürchtigen Männer bereiteten mich darauf vor, auf die geistliche Autorität in meinem eigenen Leben richtig zu reagieren.

Während meines aktiven Militärdienstes in der USAF diente ich in der 568. Sicherheitspolizei-Truppe in einer Spezialeinheit, namens Wolfsrudel. Das Wolfsrudel hatte das hohe Privileg Präsident Clinton bei seinen Besuchen in Deutschland an zwei Gelegenheiten als Verstärkung der Sicherheitstruppe des Präsidenten zu dienen.

Während der Besuche des Präsidenten stand unser Team täglich in Kontakt mit dem Geheimdienst. Sie ermutigten unser Team immer wieder, sich nach dem aktiven Dienst für eine Karriere im Geheimdienst zu bewerben.

Als ich den aktiven Militärdienst beendete, kehrten wir nach Ypsilanti, Michigan zurück und fingen den Bewerbungsprozess für eine Anstellung beim Geheimdienst an. Ich plante, als uniformierter Agent beim Geheimdienst anzufangen, und träumte davon, eines Tages dem Präsidenten der Vereinigten Staaten zu dienen und ihn beschützen zu können.

Am Tag vor seiner Abreise nach Washington bat mich mein Pastor William Nix um ein Frühstück mit meiner Frau und mir. Er hatte während der 60 Tage, die wir seit unserer Rückkehr aus dem aktiven Dienst in Ypsilanti verbracht hatten, kaum ein Wort mit uns gewechselt. Wir trafen uns in einem alten Restaurant namens „The Bomber", welches sich in einem historischen Teil unserer Stadt namens „Depot Town" befand. Nachdem wir unser Essen bestellt hatten, fragte er mich: "Was ist dein Plan?"
Ich war so aufgeregt und sagte: "Wir gehen nach Washington, um eine Stelle als Agent beim Geheimdienst anzunehmen und werden morgen dorthin reisen!"

Er sah mich an und räusperte sich auf eine erschreckende Weise, wie es nur Pastor William Nix konnte und sagte: „Nein, das machst du nicht. Du bist mein neuer Jugendpastor. Sei morgen früh um 7 Uhr im Büro."

Er stand auf, ließ das Geld auf dem Tisch liegen und verließ das Restaurant. Es gab keine Diskussion. Er zerschlug einfach unsere Pläne und Träume, ohne Mitgefühl, ohne Diskussion und ohne Kompromiss.

Ich sah meine Frau an. Sie sah mich an, wir dachten keine Sekunde daran, uns dem Mann Gottes zu widersetzen. Wir verließen das Restaurant „The Bomber",

nachdem wir soeben „zerbombt" worden waren.
Doch wir freuten uns, dass unser Pastor kein Mann
war, der uns etwas vortäuschen würde, während wir
den Fehler machten, unsere eigenen Pläne nachzuge-
hen. Pastor Nix führte uns auf den Weg, den Gott
für uns vorgesehen hatte. Es war ein besserer Weg
als jener Weg, den wir für uns selbst hätten schaffen
können.

Ich weiß nicht, wo wir heute sein würden, wenn wir
dieses Restaurant verlassen hätten und nach Hause
gegangen wären, unsere Koffer gepackt hätten und
entgegen der Worte unseres geistlichen Führers nach
Washington geflogen wären. Ich kann Ihnen sagen,
dass das nicht gut gewesen wäre. Ich war 23 und
meine Frau war 22 Jahre alt, als unser bemerkung-
swerter Pastor ohne Bedauern unsere Träume zer-
störte, damit wir den Träumen Gottes nachgehen
konnten.

Machen Sie nicht den Fehler zu glauben, dass die
Entscheidung einfach war, sich unserem Pastor zu
unterwerfen. Das war sie nämlich nicht! Wie das alte
Lied sagt: *Wenn ich auf mein Leben zurückblicke und
die Dinge überdenke, kann ich wirklich sagen, dass ich
gesegnet bin! Ich habe ein Zeugnis!* Nein, ich habe Tausende von Zeugnissen, weil ich nicht zugelassen habe,
dass mich der Feind mit einer Antiautoritätshaltung
infiziert! Wir haben Gottes Weg der radikalen Unterwerfung gewählt.

Was für ein Weg es doch war – und noch immer ist, auf den unser Pastor uns so weise gesetzt hat! Was für einen großen Einfluss hatte dieses kurze Gespräch auf unser Leben und das vieler anderer:

❖ Wir haben gesehen, wie Hunderttausende von Menschen ihre Sünden bereuten, mit dem Heiligen Geist erfüllt und in den Namen Jesus getauft wurden!

❖ We have served as UPCI Missionaries to Belgium, Switzerland, Austria, Liechtenstein, and Germany.

❖ Wir haben als UPCI-Missionare in Belgien, der Schweiz, Österreich, Liechtenstein und Deutschland gedient.

❖ Wir haben das Evangelium in allen Bundesstaaten der USA und in weiten Teilen Kanadas gepredigt.

❖ Wir waren Zeugen, dass Blinde wieder sehen, das Taube wieder hören, dass Gelähmte wieder gehen konnten und wir sahen die Heilung von Krankheiten aller Art.

❖ Wir haben die Teufel auf der ganzen Welt konfrontiert und ausgetrieben.

❖ Wir sind mit apostolischen Freunden gesegnet, die ebenso radikal sind wie wir und mehr wert sind als alles, was die Welt uns jemals geben könnte.

❖ Wir haben zwei wunderschöne Töchter, die den Herrn lieben und die freudig mit uns Gott dienen.

Die Welt hat uns keine dieser großen Segnungen geschenkt. Sie sind die Früchte und der Lohn der radikalen Unterwerfung.

Viele radikal-apostolische Männer und Frauen Gottes können Geschichten davon erzählen, die, während sie unter einer Aufsicht standen, nicht in ihrem Dienst fortschreiten konnten. Dennoch sprach der Engel des Herrn zu ihnen, so wie der Engel des Herrn zu Hagar sprach: „Wenn ihr euch unter Sarais Hand unterwerft, werdet ihr gesegnet werden."

Wir hatten auch das Privileg Pastor Stephen Merritt, während seiner ersten AIM-Reise in Österreich, als seine betreuende Missionarsfamilie zu dienen. Es gibt nicht genug beredende Worte, um auszudrücken, wie stolz wir auf ihn und seine Frau Angelica sind. Wir sind mehr als begeistert, dass Gott uns erlaubt hat an ihrer Seite zu dienen, sowohl in der Mission als auch auf den Kreuzzügen.

Zum Abschluss dieses Kapitels möchte ich von Bruder Merritt ein Zeugnis noch beifügen, das den Segen der radikalen Unterwerfung kraftvoll artikuliert.

„Es war das Jahr 2010. Ich war in Winchester, Virginia und betete in einem unserer Zimmer in meiner Heimatgemeinde. Da spürte ich, dass der Herr mir den Auftrag gab, die deutschsprachigen Nationen als ein mögliches Arbeitsfeld zu untersuchen.

Zu diesem Zeitpunkt meiner Berufung hatte ich noch nicht von Charles Robinette gehört oder von der Erweckung, die sie in Österreich und darüber hinaus, erlebt hatten. Das einzige, was ich wusste, war, dass Gott mich zu diesen Teil der Welt führen wollte.

Ich spürte den Ruf Gottes im jungen Alter von 19 Jahren mein Leben als Missionar zu führen. Es waren fünf Jahre seit diesem ersten Ruf vergangen, aber dieser unbestreitbare Ruf ins Ausland blieb bestehen.

Ich bin 2011 in Wien, Österreich angekommen. Es war zweifellos, ohne Übertreibung, ein Wirbelsturm von apostolischer Macht und Erfahrung. Gott war in dieser Nation mächtig am Werk!

Es war mitten in dieser großen apostolischen Erweckung, als ich den Meilenstein der radikalen Unterwerfung erreichte. (Es ist leicht, jetzt darüber zu sprechen, aber zu der Zeit war es eine der härtesten, furchterregendsten und unangenehmsten Prüfungen, die ich je bestanden habe.)

Bruder Robinette war unterwegs, um andere Gemeinden in der Region zu besuchen und ich war dazu aufgefordert worden sicherzustellen, dass das Ausbildungszentrum des apostolischen Dienstes (AMTC) in Bruder Robinettes Abwesenheit betriebsbereit war und reibungslos weiter lief.

Ich kann nicht sagen, was genau der Grund war, der mich veranlasste, diese Verantwortung zu untergraben, aber ich tat es. (Selbst jetzt bringt mich die Erinnerung dieses Moments zum Weinen.) Bruder Robinette erfuhr, dass die Schule nicht pünktlich begonnen hatte, und dass das AMTC-Modul für Exzellenz und apostolische Verantwortung durch mein Versehen bei der Ausführung unterbrochen wurde und in Verzug geriet.

Später, am gleichen Tag, erhielt ich eine Textnachricht von Bruder Robinette, der seine Enttäuschung über meine Ausführung und den Verzug zum Ausdruck brachte. Als ich seine Botschaft las, stiegen in mir Trotz, Selbstrechtfertigung und Selbstbewahrung auf. Ich tippte schnell eine Antwort zurück. Während ich jeden einzelnen Buchstaben und jedes einzelne Wort in das Nachrichtenfeld tippte, sagte mir mein inneres, nachgiebiges Gewissen, ich solle mich zurück nehmen und es noch einmal überdenken. In einem akuten Anfall von Trotz schickte ich trotzdem die Botschaft ab.

Ein paar Tage später erhielt ich eine Antwort von

Bruder Robinette, die einfach sagte: „Wir reden, wenn ich zurückkomme."

Von diesem Moment an bis zu seiner Ankunft, die sich über ein ganzes Wochenende erstreckte, raste mein Verstand, mein Geist brannte und meine Emotionen brodelten in mir.

Ich wusste im tiefsten Innern, dass das falsch war, was ich getan hatte. Es war ein Akt des Widerstandes und des Trotzes. Die nächsten Tage hatte ich keinen Appetit. Ich konnte nicht schlafen. Den ganzen Tag über plagte mich mein Gewissen. Ich hatte das Gefühl, dass sich etwas in mir aufbaute, das von innen herauszudringen versuchte.

Endlich war der Montag gekommen. Bruder Robinette schrieb mir eine SMS und fragte, ob ich ihn bei sich zuhause treffen könnte.

Als ich im Zug saß, gingen mir viele Gedanken durch den Kopf. Gedanken an das, was ich getan hatte. Gedanken an das, was er sagen könnte. Gedanken an die Worst-Case-Szenarien und an die Best-Case-Szenarien.

Starke Emotionen durchdrangen mich. Mein Körper schmerzte buchstäblich vor Schuldgefühlen. Als ich aus dem Zug ausstieg und in den Bus umstieg, begann mein Herz noch schneller zu rasen und meine Handflächen begannen zu schwitzen. Etwas geschah in mir, was ich nicht erklären konnte. Das war nicht das typische Gefühl, zum Rektor geladen zu werden. Es war etwas viel, viel Mächtigeres, viel Übernatürlicheres!

Als ich schließlich bei Bruder Robinette ankam, stieg ich aus dem Bus und begann auf die Haustür zuzugehen. Ich wusste immer noch nicht, was ich sagen sollte. Ich wusste nicht einmal, wie ich reagieren sollte. Ich musste mich entscheiden, entweder dem Geist des Widerstands zu folgen und den Weg der Selbstrechtfertigung und Selbstbewahrung zu gehen, oder mich dem offensichtlichen Wirken des Heiligen Geistes auszuliefern.

In dem Moment, als ich an die Haustür klopfte, Bruder Robinette mir die Tür öffnete und ich ihn dort stehen sah, brachen all diese Emotionen und Gefühle in einem Ansturm der Trauer und Reue aus mir heraus.

Es war einfach übernatürlich. Ich stürzte durch die Tür und schlang meine Arme um seine Beine und weinte vor Reue und Unterwerfung.

Ich kann jetzt auf diesen Moment zurückblicken und ohne Zweifel klar erkennen, dass es zu dem Zeitpunkt die radikale Unterwerfung vor Gott und den Mann Gottes war.

Gott ließ zu, dass sich etwas in mir bewegte, das zum

Katalysator für eine exponentielle Erweckung wurde, wo immer meine Füße mich bringen würden.

Seit diesem Meilenstein sind nun fast 8 Jahre vergangen. Ich habe gesehen, wie die mächtige Hand Gottes im Leben so vieler Menschen am Werk war, von Österreich bis Nordamerika, vom afrikanischen Kontinent bis zu den vielen Nationen des Südpazifiks und sogar hier auf der winzigen Insel Samoa.

Es gibt KEINEN Ersatz, keinen Austausch und keine Alternative für eine radikale Unterwerfung".

Pastor Stephen M. Merritt
Missionar in Samoa

Wenn wir der geistlichen Autorität dienen, uns radikal der geistlichen Autorität unterwerfen, für die geistliche Autorität beten, der geistlichen Autorität vertrauen, die geistliche Autorität ehren und uns vor der geistlichen Autorität demütigen, wird Gott uns reichlich segnen!

KAPITEL IV
Radikale Bescheidenheit

*"Es ist nichts Edles daran, seinen Mitmenschen
überlegen zu sein; wahrer Adel bedeutet, seinem
früheren Selbst überlegen zu sein."*
Ernest Hemingway

*"Dies sind die wenigen Möglichkeiten, wie
wir Demut praktizieren können:
So wenig wie möglich über sich selbst sprechen. Sich
um seine eigenen Angelegenheiten zu kümmern. Sich
nicht um die Angelegenheiten anderer Leute kümmern
zu wollen. Neugierde vermeiden. Widersprüche
und Korrekturen freudig hinzunehmen. Die Fehler
anderer übergehen. Beleidigungen und Verletzungen
zu akzeptieren. Zu akzeptieren, dass man beleidigt,
vergessen und missbilligt wird. Auch bei Provokation
freundlich und sanft zu sein. Niemals auf der eigenen
Würde zu stehen. Immer das Schwerste zu wählen."*
Mutter Teresa

*"Wenn Ihnen jemand sagt, dass eine bestimmte Person
schlecht über Sie spricht, entschuldigen Sie sich nicht
für das, was über sie gesagt wird, sondern antworten
Sie: "Jener wusste nichts von meinen anderen Fehlern,
sonst hätte er diesen nicht allein erwähnt"*
Epiktetus

Sprüche 22,4
4 Der Lohn der Demut und der Furcht des HERRN ist Reichtum, Ehre und Leben.

Matthäus 23,12
12 Und wer sich selbst erhöht, der wird erniedrigt werden; und wer sich selbst erniedrigt, der wird erhöht werden.

Demut bedeutet, zu wissen, wer man ist. Es bedeutet zu wissen, wer Gott ist, und nie darüber verwirrt zu sein, wer er ist. Ein Mann sagte einmal: „Demut bedeutet nicht, über sich selbst geringer zu denken. Es bedeutet, an sich selbst weniger zu denken."

In seiner großen Bergpredigt beschrieb Jesus die Demut als arm im Geiste, was bedeutet, dass wir wissen, wie elend wir ohne ihn sind.

Nach dem Merriam-Webster-Wörterbuch wird Demut definiert als: "Frei von Stolz oder Arroganz."

Was für eine großartige Definition! Demut ist die Freiheit von Stolz. Wenn Demut uns befreit, dann können wir daraus schließen, dass der Stolz uns versklavt. Erst wenn wir uns vom Stolz befreit haben, werden wir wahre Demut erfahren.

Im Dienst müssen wir uns daran erinnern, dass Stolz ein unheiliges Selbstgefühl ist. Unsere persönliche Ehre ist wichtiger als die Ehre Gottes.

Stolz ist etwas, das wir alle bekämpfen sollen. Er greift uns in verschiedenen Lebensbereichen unterschiedlich an. Manche Menschen kämpfen gegen den Stolz im Bereich von Besitz und Reichtum. Ich habe Menschen gekannt, die ein ungesundes Gefühl des Stolzes auf ihren unabhängigen, eigenen Lebensstil hatten. Der Stolz der Menschen kann sich um ihre Bildung, ihr Wissen oder ihre Erfahrung drehen. Auch Talent und Begabungen sind eine häufige Quelle des Stolzes. Wir sollten auch nicht vergessen, dass der spirituelle Stolz eine Falle ist, in die auch wir tappen können.

Ohne Demut werden wir niemals die radikale Ebene des apostolischen Dienstes erreichen. Beachten Sie die folgenden Aussagen der Heiligen Schrift zur Demut:

- ❖ Demut ist notwendig für den Dienst im Reich Gottes. (**Micha 6,8**)

- ❖ Wir sollen Demut "anziehen". (**Kolosser 3,12**)

- ❖ Wir sollen in Demut gehen. (**Epheser 4,1-2**)

- ❖ Wir sollen falsche Demut vermeiden. (**Kolosser 2,18**)

- ❖ Wir sollen mit Demut bekleidet sein. (**1. Petrus 5,5.**)

- ❖ Der Schrei der Demütigen wird von Gott gehört. (**Psalm 9,12.**)

- ❖ Gott wohnt bei dem Demütigen und belebt sie wieder. (**Jesaja 57,15**)

❖ Die Demütigen, die von Gott erlöst werden. **(Hiob 22,29)**

❖ Die Demütigen werden vom Herrn emporgehoben werden. **(Jakobus 4,10)**

❖ Die Demütigen werden von Gott gepriesen werden. **(Lukas 14,11)**.

❖ Die Demütigen werden die Größten in Gottes Reich sein. **(Matthäus 18,4)**

Obwohl manche Menschen vor Stolz strotzen, ist dies nicht im Leben immer offensichtlich. Einige Leute tarnen ihren Stolz sorgfältig und wissen, dass sie falsch sind. Demut würde ihnen mehr Respekt einbringen.

Salomo bemerkte in **Sprüche 16,18** weise, dass der Hochmut vor dem Fall kommt. Ich habe die Tragödie eines durch die Sünde zerstörten Dienstes gesehen. Es gab einige Misserfolge, die ich aus meilenweiter Entfernung kommen sah, andere kamen für mich völlig überraschend. Ihr Stolz und ihr Eigenwille haben sich mir gegenüber niemals bemerkbar gemacht.

Stolz ist eines der gefährlichsten Werkzeuge bei der Demontage des Dienstes durch den Feind, weil die Anwesenheit des Stolzes dem Betreffenden oft nicht bekannt ist. Stolz kann dazu führen, dass eine Person mit dem geringsten Maß an Demut, davon überzeugt ist, dass sie das meiste an Demut besitzt. Stolz kann tatsächlich eine unheilige Motivation sein, die eine

Person dazu bringt, sich in der Arbeit im Königreich auszeichnen zu wollen.

Ich werde nie ein Telefongespräch vergessen, das ich mit einem Mann hatte, als ich eine Evangelisation plante, an der mehrere Ministranten Gottes aus unserer Kommune teilnahmen. Der Mann rief mich an, um mir zu sagen, dass er sich zur Teilnahme an der Evangelisation berufen fühlte. Ich drückte aus, dass ich mich freuen würde, ihn im Team dabei zu haben.

Der Mann erzählte mir begeistert davon, wie Gott ihn in geistlichen Gaben benutzt hatte, wie er das Gefühl hatte, dass er das Evangelisationsteam in nie dagewesene Dimensionen führen würde, und dass die Welt seinem Dienst ausgesetzt werden müsse.

Dem Mann war völlig entgangen, dass seine Äußerungen vom Geist des Stolzes nur so trieften. Es war klar, dass die Vorstellung des Mannes bezüglich des Kreuzzug, darin bestand, sich selbst und seine Gaben in den Vordergrund zu stellen. Ich bedauerte es in meinem Geist. Ich dachte: „Bei diesem Kreuzzug geht es um Jesus, nicht um Sie!"

Je mehr er redete, desto mehr wurde mir klar, welchen Schaden es anrichten könnte, wenn wir diesen Geist in unsere Bemühungen einfließen lassen würden. Nach einigen schwierigeren Gesprächsmomenten musste ich ihn von der Teilnahme an dem Kreuzzug absagen.

Im Laufe unseres Lebens wird Gott uns einige Prüfungen auf unseren Weg erleben lassen, um unsere Demut zu bezeugen oder unseren Stolz zu offenbaren.

3 Tests der Demut

Obwohl sich Demut auf vielfältige Weise manifestiert, fühle ich mich vom Heiligen Geist angewiesen, drei Bereiche zu nennen, die mit dem Dienst zu tun haben.

1. Wie wir mit Beförderungen in unserem Leben und im Leben anderer umgehen

2. Wie wir auf Korrekturen und Rückstufungen in unserem Leben und im Leben anderer reagieren

3. Wie wir auf Klatsch, Verleumdung und Kritik, die an uns selbst oder unsere Familie gerichtet sind, reagieren

TEST 1: Beförderungen von uns selbst und anderen

Beförderung in unserem Leben

Erinnern Sie sich an die Geschichte von Joseph? Er wurde von seinen Brüdern verraten, aus seiner Familie gerissen, in die Sklaverei verkauft, belogen und viele Jahre lang in einem scheußlichen ägyptischen Gefängnis vergessen. Aber an einem Tag ging Joseph vom Gefängnis in den Palast. Joseph wurde zum zweitmächtigsten Mann, neben Pharao in Ägypten.

Joseph ging mit seiner Beförderung demütig um. Er hätte leicht einem Ego-Trip erster Klasse erliegen können. Er hätte seine neu erworbene Macht nutzen können, um mit seinen Brüdern die offene Rechnung zu begleichen.

Josephs Schlussfolgerung dieser Situation war, dass Gott für die unglaubliche Wendung der Ereignisse in seinem Leben verantwortlich war.

1. Mose 45,8

8 Und nun, nicht ihr habt mich hierher gesandt, sondern Gott: er hat mich dem Pharao zum Vater gesetzt und zum Herrn über sein ganzes Haus und zum Herrscher über ganz Ägyptenland.

Wann immer wir befördert, gewählt oder auserwählt werden, müssen wir uns daran erinnern, dass Gott dafür verantwortlich ist. Wir sollten uns auch daran erinnern, dass Positionen und Ämter nicht etwas sind, das wir uns zu eigen machen sollen. Wir sind einfach nur Verwalter dieser Dinge.

Erfolg ist genauso gefährlich wie Misserfolg - manchmal sogar noch gefährlicher. Der Feind wird hart daran arbeiten, uns in hochmütiges Denken und in Anspruchs- oder Eigentumshaltungen zu ziehen.

Am 3. Juni 2017 kletterte Alex Honnold ohne Seile oder Sicherheitsgurt auf den 3 000 Fuß hohen El Captain des Yosemite Parks. Er benötigte dafür 3 Stunden und 57 Minuten. Es gab absolut keinen Platz für auch nur einen Fehler bei der Besteigung. War er mutig oder gar rücksichtslos? Ihre Antwort auf diese Frage könnte ein Indikator für Ihre Einstellung zu Sicherheit und Risikobereitschaft sein.

Beim Felsklettern werden die Sicherungsmaßnahmen umso wichtiger, je höher man klettert.

Dieses Prinzip gilt auch im Dienst Gottes. Je mehr Sie befördert oder ausgezeichnet werden, desto wichtiger ist es, dass Sie in Ihrem Leben Sicherheitsseile zu Ihrem Schutz haben, um Sie an der Wand des Dienstes zu halten.

Es gibt folgende vier Seile, die in großen Höhen wichtig sind:

1. Gott: Unser Herr wird unser Leben immer rein und demütig halten. Er ist derjenige, der uns wirklich erhebt.

2. Pastor: Als Hirte wird er unsere Motive überprüfen und sicherstellen, dass wir die Wahrheit fest im Griff haben.

3. Unser Ehepartner: Es wäre nicht klug, die Weisheit und den Rat unseres Ehepartners zu ignorieren. Ihr Ehepartner kennt Sie besser als jeder andere Person.

4. Freunde: Wir brauchen Freunde, die über unsere Beförderungen nicht verunsichert sind und uns genug lieben, um uns auf unsere Fehler im Leben aufmerksam zu machen.

Wir müssen unseren Dienst und unsere Familie mit den vier Seilen sichern, die uns festhalten, wenn der Wind an der Wand stärker wird, oder wenn unsere Füße vor Müdigkeit oder einem Fehltritt zu rutschen beginnen.

Ich habe viele wirklich bescheidene Leiter in meinem Leben gekannt. Männer und Frauen, die mächtig von Gott gebraucht wurden und doch demütig und bescheiden geblieben sind. Es ist klar zu sehen, dass Gott sie erhoben hat, weil sie bereit waren, sich in der Autorität und der gesunden Beziehungen einzuhacken. Ihr Aufstieg im Dienst änderte nichts an ihrer Demut oder Abhängigkeit von Gott.

Sehen wie andere befördert werden

Unsere Bescheidenheit wird auf die Probe gestellt, wenn wir sehen, wie andere aufsteigen, insbesondere wenn sie zu Dingen befördert werden, die wir uns selbst erhofft hatten.

In einer Geschichte erzählt ein Tourist, der einem alten, neu-englischen Fischer zuschaute, wie er von seinem Boot stieg und einen Eimer voller blauer Krebse auf den Steg stellte. Der Tourist fragte: „Warum haben Sie keinen Deckel für den Eimer? Haben Sie keine Angst, dass diese Krebse entkommen?"

Der Fischer antwortete: „Wir brauchen keinen Deckel, denn wenn eine Krabbe oben auf den Eimerrand kommt, ziehen die anderen sie immer nach unten zurück."

Bedauerlicherweise ist dies die Haltung in unserer Welt. *Wenn ich es nicht bin, wird es niemand sein!* Es gibt einige gute Männer und Frauen, die eine solch unglückliche Erfahrung gemacht haben. Sie wurden von anderen „an den Knöcheln" zurückgehalten, weil Gott sie in ihren Dienst befördert hat.

Es mag schwierig sein, jemanden zu sehen, dem eine Rolle gegeben wird, die Sie sich erhofft haben. Begabte Menschen können manchmal Gefühle von Selbstzweifel und Unsicherheit in uns wecken. Demut erlaubt es uns, an diesem fleischlichen Denken vorbeizugehen und ihre Beförderungen und die Siege des Königreichs zu feiern. .

Seien sie sehr vorsichtig, wenn jemand abwertend über eine Führungskraft oder eine begabte Person spricht. Die Person ist vielleicht wie einer dieser Krabben, die nur versuchen, diese Führungskraft auf ihr Niveau herunterzuziehen.

Der Sohn König Sauls, Jonathan, ist ein großartiges Beispiel dafür, wie wir reagieren sollten, wenn Gott einen anderen Menschen erhebt. In einer Monarchie ist der älteste Sohn der Thronerbe, ohne dass er gewählt werden muss.

Als Jugendlicher kann ich mir vorstellen, dass viele Menschen mit Jonathan über sein zukünftiges Königreich gesprochen haben, ihn herausforderten und ermutigten. Zweifellos dachte Jonathan als Junge über die Vorzüge des Daseins als König nach. Als junger Führer dachte er wahrscheinlich darüber nach, wie er die Probleme und Chancen Israels während seiner Amtszeit angehen würde.
Dann fast aus dem Nichts eroberte ein Junge das Herz Israels. Er besiegte den größten Krieger der Philis-

ter in einem Einzelkampf bis zum Tod. Er hatte ein Talent, das einen unsicheren Mann krank machen würde. Er war genau so geschickt mit der Harfe, wie mit der Schleuder. Er wurde zum Lieblingsgeneral und Lieblingsmusiker der Nation.

Die Jungfrauen Israels sangen: „Saul hat Tausende getötet, aber David Zehntausende."

Jonathan wurde praktisch von der Bildfläche verdrängt. Es war offensichtlich, dass Gottes Gunst und Salbung von Jonathan zu David hin floss. Wie würden Sie über all dies denken, wenn Sie in Jonathans Schuhen stecken würden?

Jonathan war weder verbittert noch widersetzte er sich Gottes Plan. Er weigerte sich David als Konkurrenten zu sehen. Er sah David als einen Vertrauten und Freund an.

1. Samuel 18,1

1 Und es begab sich, als er mit Saul zu Ende geredet hatte, dass die Seele Jonathans mit der Seele Davids verstrickt war, und Jonathan liebte ihn wie seine eigene Seele.

Als David um sein Leben rannte, stellte Jonathan die Mittel für David bereit und kämpfte darum sein Leben zu retten.

1. Samuel 18,4

4 Und Jonathan entkleidete sich des Kleides, das er anhatte, und gab es David und seine Kleider, auch sein

Schwert, seinen Bogen und seinen Gürtel.

Wenn sie im Dienste Gottes dienen, werden sie manchmal Träume haben. Sie werden sehen, dass andere zuerst dort ankommen. Gott beobachtet unser Herz und unsere Reaktionen, wenn wir sehen, wie andere befördert werden. Wenn wir mit anderen nicht feiern und sie nicht unterstützen können, wenn sie sich an der Gunst des Herrn erfreuen, kann man uns die Beförderung nicht anvertrauen.

Selbstbeförderungen

Es gibt keinen Platz für Arroganz, Selbstdarstellung oder Stolz im Reich unseres großen Gottes. Der Apostel Paulus hat es so gesagt:

Philipper 2,3-8
3 Nichts aus Streitsucht oder Ehrgeiz tut! Seid vielmehr bescheiden und achtet andere höher als euch selbst!
4 Denkt nicht nur an euer eigenes Wohl, sondern auch an das der anderen!
5 Eure Einstellung soll der von Jesus Christus gleichen:
6 Er war genauso wie Gott und hielt es nicht gewaltsam fest, Gott gleich zu sein.
7 Er legte alles ab und wurde einem Sklaven gleich. Er wurde Mensch und alle sahen ihn auch so.
8 Er erniedrigte sich selbst und gehorchte Gott bis

zum Tod – zum Verbrechertod am Kreuz.

Ein junger Evangelist rief mich vor einigen Jahren an und sagte: „Bruder Robinette, ich werde ständig angegriffen. Die Leute bezeichnen mich immer als arrogant, hochmütig und reden in den sozialen Medien über mich.“

Er weinte, als er mit mir über den Schmerz sprach, den er wegen des Klatsches, der Verleumdung und der Kritik ertrug, die er von seinen Brüdern und Schwestern in Christus erfuhr. Er war kurz davor den Dienst aufzugeben.

Während des Anrufs forderte mich der Heilige Geist auf, und ich sagte: „Bruder, lass uns zu deinen Social-Media-Plattformen gehen, und uns gemeinsam deinen Beitrag durchlesen und sehen, ob wir irgendwelche Probleme darin finden können.“

Als wir uns seinen Twitter-Account ansahen, sagte ich: „Lassen Sie mich Ihnen diese Tweets vorlesen, und Sie sagen mir, was Sie hören.“ Es stellte sich heraus, dass seine Beiträge hauptsächlich egozentrisch und selbstgefällig waren. Es gab viel zu viel Selbstbetonung, wenn er über Erweckungsergebnisse berichtete, denn es wurde Gott nicht genug Ehre erwiesen.

Ich ermutigte den jungen Evangelisten, alle Beiträge zu löschen und ein neues Muster der Ehrung zu veröffentlichen, die vor allem Gott und andere würdigte, und nicht er sich selbst.

Die Verwendung von Personalpronomen, wie „ich" und „mich", bei der Verkündigung der großen Siege unseres Herrn ist im Reich Gottes unangebracht.

Wahre Demut wird die Herrlichkeit immer von uns selbst zu Gott lenken.

Lassen Sie uns diese weisen Worte des Apostels Paulus nicht vergessen:

Galater 2,20
20 Ich bin mit Christus gekreuzigt; dennoch lebe ich; doch **nicht ich, sondern Christus lebt in mir**; und das Leben, das ich jetzt im Fleisch lebe, lebe ich durch den Glauben des Sohnes Gottes, der mich geliebt und sich selbst für mich hingegeben hat.

Wir sagen den Mitgliedern des Evangelisationsteams ständig: „Wenn Sie darüber posten, was Gott auf dieser Evangelisation getan hat, ehren Sie Gott. Sie können das Missionsteam auf diesem Feld, die regionale Kirche, ihre Mitstreiter im Evangelisationsteam Anerkennung schenken, aber wenn Sie sich jemals selbst loben, werden Sie auf dem erstbesten Flug nach Hause sein".

Am 22. Januar 2014 predigte ich „Verzweifelt nach der Ausführung des Geistes" auf der *„Because of the Times* (BOTT)"-Konferenz in Alexandria, Louisiana. Ich war so nervös wegen der Predigt auf BOTT. Ich werde nie vergessen, wie ich mich vor dem Abendgottesdienst mit all diesen mächtigen Männern und Frauen Gottes im Büro von Pastor Anthony

Mangun versammelt hatte. Pastor Mangun hat natürlich Glauben in unsere Herzen und in die Herzen seines Teams gesät. Er bereitete alle in hervorragender Weise auf die Leitung und den Ablauf dieses BOTT-Abendgottesdienstes vor.

Bruder Mangun kam mitten in der Versammlung zu mir hinüber und sagte: „Sei nicht nervös, diese Versammlung ist so wichtig für Gott, sein Reich und sein Volk, so dass jeder auch gesalbt ist, der predigt."

Das hat den Druck wirklich verringert. Ich lache gerade, als ich diese Worte niederschreibe, denn so aufrichtig wie ich nur konnte, sagte ich: „Danke für dieses Wort der Ermutigung, Bruder Mangun."

Aber innerlich dachte ich: „Toll, bloß keinen Druck machen!"

Ich füge diesen Teil humorvoll hinzu, aber es gab keinen Zweifel, dass Gott mir ein Wort für sein Volk und eine besondere Salbung für den Augenblick seines Reiches gab.

Als ich Bruder Manguns Büro an diesem Abend verließ, sprach der Herr zu mir und sagte: „Das ist nicht dein Augenblick. Dies ist mein Augenblick. Du könntest heute Abend das Wort des Glaubens für Wunder sprechen, weil diese Gaben in dir wirken, aber du würdest mein Volk so viel mehr lehren, wenn du bereit wärst, dich zu verringern, damit andere wachsen können."

Der Herr wies mich an, Missionar Nathan Harrod

auf die Plattform einzuladen und ihn das Wort des Glaubens für Wunder, Zeichen und Wundertaten für Gottes Volk sprechen zu lassen.

Ich war so nervös dabei, Bruder Mangun um Erlaubnis zu fragen. Ich zog ihn zur Seite und sagte: „Sir, Gott hat mir aufgetragen, am Ende der Botschaft heute Abend Bruder Nathan Harrod zu benutzen, um das Glaubensgebet zu beten."

Bruder Mangun sah mich an und sagte: „Bruder Robinette, tue, was Gott dir gesagt hat! Tue es einfach innerhalb deines Zeitfensters."

An jenem Abend, als Bruder Nathan Harrod das Wort des Glaubens sprach, bewegte sich der Herr auf mächtige Weise durch die Vermittlung der apostolischen Gaben. Es gab viele bemerkenswerte Wunder und Gott wurde verherrlicht!

Am 27. September 2017 predigte ich auf der UPCI-Generalkonferenz, im Abschnitt „Im Dienste für globale Missionen", die Botschaft mit dem Titel: „Dies ist die größte Stunde der Kirche."

Der Herr sprach zu mir und sagte: „Mein Volk braucht apostolische Offenlegung und Vermittlung." Dann wies der Herr mich an, so viele apostolische Stimmen, wie es die Zeit erlauben würde, einzubeziehen, für die Botschaft, die er während dieses Gottesdienstes verkünden würde. Der Herr sagte mir, dass ich Bruder James Corbin, Bruder Nathan Hulsman, Bruder Michael Ensey, Bruder Art Wilson, Bruder

David Bounds, Bruder Jimmy Stark, Bischof Jim Stark, Bischof Mark Morgan und Bruder Eli Hernandez einsetzen sollte, um seinem Volk den Glauben für eine beispiellose Darstellung, Macht und Opferbereitschaft zu vermitteln.

Nach dem Gottesdienst kam ein Pediger von einer Seite des Plattforms auf mich zu und sagte: „Bruder Robinette, das war dein Moment. Vielleicht erlebst du ihn nie wieder. Warum sollten Sie ihren Moment vor dem UPCI- ministeriellen Wahlkreis mit anderen Menschen teilen?"

Ich war verblüfft über diese Frage und sagte: „Nein Sir, das war nicht mein Moment. Das war Gottes Moment. Denn Gott hat einen Plan für sein Reich, der nicht vorsieht, dass ich die Ehre erhalte oder das Lob der Menschen suche."

Wir sollten die Gaben und Möglichkeiten, die Gott uns gnädigerweise gegeben hat, niemals ausschließlich als die unsere Gaben ansehen. Wir sollten immer auf die Stimme Gottes hören und versuchen, andere mit einzubeziehen und zu segnen.

Selbstförderung ist die Frucht eines unabhängigen Geistes. Es gibt keinen Platz für jemand anderen. Manche Menschen versuchen, ihren unabhängigen Geist zu heiligen, indem sie sich einreden, sie seien zu spirituell, um verstanden zu werden, und alle anderen seien zu fleischlich. Unabhängigkeit wird überbewertet. Wir brauchen eine Wiederbelebung der apostolischen MIT-Abhängigkeit. Wir brauchen Gott und einander.

Ja, es hat Zeiten gegeben, in denen Gott nur einen Mann oder eine Frau benutzt hat, aber er zieht es vor, durch Einigkeit und Gemeinschaft zu wirken.

Prediger 4,9-12 sagt uns, dass zwei besser sind als einer, und ein dreifachgespanntes Seil wird nicht schnell reißen.

Jesus schuf im **sechsten Kapitel des Markusevangeliums** einen mächtigen Präzedenzfall für die Apostel, indem er sie in Zweiergruppen aussandte. In **Lukas Kapitel 10** wiederholte er diesen Vorgang.

In der Apostelgeschichte stellt die Bindung der Kirche die Ausführung und die Macht her, die aus den Seiten der Heiligen Schrift explodiert.

Der Apostel Paulus hob die Bindung der Kirche in **1. Korinther Kapitel 12** hervor:

1. Korinther 12,20-25
20 Aber nun gibt es viele Glieder und alle gehören zu dem einen Körper.
21 Das Auge kann doch nicht zur Hand sagen: "Ich brauche dich nicht", und der Kopf doch nicht zu den Füßen: "Ich verzichte auf euch".
22 Im Gegenteil, gerade die scheinbar schwächeren Glieder des Körpers sind unentbehrlich.
23 Die unansehnlichen kleiden wir mit größerer Sorgfalt, und die, deren wir uns schämen, mit besonderem Anstand.
24 Die ansehnlichen Glieder brauchen das ja nicht.

Gott hat den Leib so zusammengefügt, dass die geringeren Teile besonders geehrt werden,
25 denn er wollte keine Spaltung im Körper. Alle Glieder sollen einträchtig füreinander sorgen.

Epheser 4,11-12 offenbart, dass der fünffache Dienst von Aposteln, Propheten, Evangelisten, Pastoren und Lehrern zusammenwirken und Gottes Volk für das Werk des Dienstes ausrüsten.

Andere befördern

Wir sind für die apostolische Entwicklung der Ämter und Gaben unserer Brüder und Schwestern verantwortlich. Wir sind die Hüter des Ruf Gottes, das für das Leben des Volk Gottes bestimmt ist, die unter unserer Authorität sind.

Wir haben auf der ganzen Welt in Evangelisationsteams gedient und angeleitet, aber wir haben eine wertvolle Lektion von Bischof Daniel Garlitz gelernt, der etwa ein Jahrzehnt lang als Leiter des A-Teams in Malawi tätig war.

Ich kann mich nicht an eine Zeit erinnern, in der Bischof Garlitz sich selbst jemals auf den Predigt- oder Lehrplan des Evangelisationsteams aufschrieb. Viele Male haben wir versucht, ihn zu ermutigen, an unserer Stelle zu dienen, aber er hat immer unsere Versuche ihn zu ehren, mit einem sanften, aber erschreckenden „Nun, Brüder,...", zunichte gemacht. Diese beiden Worte bildeten den Abschluss vieler unserer Diskussionen.

Bischof Garlitz hat uns immer gesagt: „Der Herr will, dass ich eure Dienste erleichtere."

Bischof Garlitz war so leidenschaftlich für die Entwicklung unserer apostolischen Dienste. Er setzte sich so sehr dafür ein, unsere geistliche Reife zu sichern und uns Gelegenheiten zu bieten, in den Gaben des Geistes zu wachsen.

Bischof Garlitz machte das Team von den Gaben und Diensten der anderen abhängig und er wandte jeden Eindruck von Egoismus oder Selbstdarstellung ab. Er baute apostolische Männer auf und war ein Ausbilder apostolischer Methodik.

Als wir unsere eigenen Teams leiteten, wurde uns klar, dass all das Gute, was wir während der Malawi A-Team-Evangelisationen erlebt hatten, aus der radikalen Demut, Einigkeit und gegenseitigen apostolischen Abhängigkeit resultierte. Dies war der Grund, weshalb uns Bischof Garlitz auf unseren Reisen gefördert hatte.

Als wir in den Kreuzzügen, die wir anführten, Mannschaftsdienstpläne erstellten, weigerte ich mich, mich selbst auf den Zeitplan zu setzen. Ja, ich kann das Wort des Glaubens sprechen. Ja, ich bin gesalbt und dazu begabt Gottes Wort und Kraft in die Menschenmengen von vielen Tausenden von Menschen zu sprechen, aber die Momente des Reich Gottes gehören Gott.

Vor den Evangelisationen, die wir koordinierten, integrierten wir eine dreitägige Ausbildung des Evangelisationsteams, die die apostolische Anweisung und apostolische Vermittlung umfasst hat.

Der Herr hatte uns eine Vision und einen Plan für eine weltweite apostolische Ausbildung und weltweite apostolische Vermittlung gegeben, die es Millionen seines Volkes ermöglichen würden, für eine Evangelisation bereit zu sein, ausgebildet zu sein und einzugreifen, um wie ein Tsunami Gottes globale Ernte einzusammeln.

Weil es im Gottes Reich und im Segen nicht um uns geht, sollten wir das tun:

❖ Verschenken Sie es!

❖ Teilen Sie es!

❖ Beteiligen Sie so viele, wie Sie können!

❖ Fördern Sie jeden, den Sie können!

❖ Bieten Sie allen, die apostolische Aufklärung an!

❖ Schaffen Sie apostolische Ausbildungsmöglichkeiten für so viele wie möglich an!

❖ Halten Sie nichts zurück!

Solange wir im Dienst unsere Türen offen halten, wird Gott alles wieder aufstocken, beseitigen, zusammenbringen und überlaufen lassen! Halleluja!

Gott kann noch viel mehr durch uns tun, wenn wir als

Team zusammenarbeiten und gegenseitig unsere Berufung, unsere Gaben und unseren Dienst erleichtern und feiern.

Test 2: Korrektur und Herabstufung

Bei der Trauerfeier für Pastor Billy Cole bat Bischof Jim Stark alle Teilnehmer des Äthiopien-Evangelisationsteams aufzustehen, und gab diese Erklärung ab: „Wir haben alle die Billy Cole-Schule des Dienstes durchlaufen, und wir alle haben Narben, die das beweisen."

Alle im Gebäude lachten, aber einige von uns zuckten zusammen vor der Erinnerung an die schmerzliche, aber ach so kritisch apostolische Belehrung und Insruktion, die Pastor Billy Cole liebevoll mit diejenigen teilte, die diese hören würden.

Wenn Sie sich der Belehrung von jemandem, der Sie liebt, widersetzen, sind Sie nicht demütig. Wenn Sie nicht dazu kommen, diese Momente der Belehrung zu lieben und zu schätzen, sind Sie nicht demütig.

Als wir 1999 anfingen in den Gaben des Heiligen Geistes zu wirken, sahen wir auf unseren Reisen und Evangelisationen in den Vereinigten Staaten und Kanada Menschenmengen, die mit dem Heiligen Geist erfüllt und in den Namen Jesus getauft wurden.

Während dieses neuen Lebensabschnitts erhielt ich einen Anruf von einem Pastor, der wissen wollte, ob ich zum Dienst in seine Gemeinde kommen würde. Er sagte mir am Telefon, wenn wir kommen würden, gäbe es mindestens 100 Menschen in seiner Gemeinde, die den Heiligen Geist brauchten. Ich bin mir nicht sicher, ob die Aussage des Pastors ein Wunschdenken oder eine Fehlinterpretation war, aber als ich ankam, waren weniger als zehn Menschen in der Gemeinde und nur eine Person, die den Heiligen Geist brauchte.

Während des ganzen Gottesdienstes saß ich wütend auf der kleinen Plattform dieser kleinen Gemeinde! Ich hatte das Gefühl, dass ich in die Irre geführt und respektlos behandelt worden war. Sicherlich war das ein schlechter Umgang mit meiner Zeit und meinen Gaben. (Ja, ich habe mich geirrt!)

Als er mich sehr freundlich vorstellte, ergriff ich die Kanzel und sprach wütend diese Wort: „Ich predige nicht nur für eine Seele! Bringt diesen Mann nach vorne, und ich werde ihn zum Heiligen Geist durchbeten."

Der Mann kam nach vorne und wurde sofort mit dem Heiligen Geist erfüllt, samt dem Beweis in anderen Zungen zu sprechen. Die Tatsache seiner Wiedergeburt in Gottes Reich war keine Bestätigung für mein fleischliches Verhalten. Es war die Barmherzigkeit Gottes für die Seele dieses Mannes. Es war auch die Barmherzigkeit Gottes, dass ich nicht vom Zorn Gottes an der Kanzel niedergeschlagen wurde.

Als ich an diesem Abend die Gemeinde verließ, klingelte mein Mobiltelefon. Es war Pastor Billy Cole und er war nicht glücklich! Als ich ihn grüßte, war ich mir sicher, dass ich einen Verbündeten gefunden hatte, als ich ihm erzählte, was diese Gemeinde mir angetan hatte. Aber die ersten Worte aus seinem Mund waren: „Du dummer, arroganter Junge! Was hast du getan?"

Er erzählte mir, dass der Herr ihm während seines Gebetes die Sünde meines Stolzes und meiner Arroganz offenbarte. Er sagte: „Steigen Sie in ein Flugzeug und fliegen Sie nach West Virginia und kommen Sie zu mir nach Hause. Sagen Sie Ihre geplanten Predigten ab. Wenn Sie bei mir durchhalten, können Sie wieder predigen!"

Als der Mann Gottes sprach, war es, als ob jemand einen Lichtschalter umgelegt hätte. Ich konnte sofort erkennen, wie stolz ich gewesen war. Ich hatte mich geirrt. Mein Herz war gebrochen. Ich war ein Mann der Sünde.

Die Worte des Propheten Nathan an König David kamen wie Donner in mein geistiges Empfinden.

2. Samuel 12,7.9
7 Und Nathan sprach zu David: Du bist der Mann...
9 Warum hast du das Gebot des HERRN verachtet, Böses vor ihm zu tun?...

Sofort, während mir die Tränen über das Gesicht liefen, nahm ich den Hörer in die Hand und kündigte meine weiteren Termine. Ich kaufte ein Flugticket nach West Virginia, um mich mit Pastor Billy Cole zu treffen. Es würde nicht zu den angenehmeren Zeiten in Bruder Coles Haus zählen, aber es würde sich für mein weiteres Leben als äußerst profitabel erweisen.

Über drei Tage hat Bruder Cole mich spirituell auseinandergenommen. Er nahm mir, spirituell gesehen, meine Arroganz und meinen Stolz. Ich erinnere mich nicht an alles, was er mir gesagt hat. Eins steht fest, es war sowohl schmerzhaft als auch demütigend.

Irgendwann sagte er: „Stehen Sie vom Boden auf. Hören Sie auf, Buße zu tun. Sie brauchen keine Tränen mehr zu vergießen. Sie sind wieder bereit von Gott benutzt zu werden."

Er betete für mich und mit mir. Er gab mir den apostolischen Samen zurück in meine Hände und schickte mich zurück auf Gottes Erntefeld.

Test 2: Umgang mit persönlicher Herabstufung und der Herabstufung anderer

Bevor wir zu vollwertigen Missionaren ernannt wurden, verbrachten Stacey und ich einige Zeit im Ausland, um altgediente Missionare zu unterstützen.

In einem Fall unterstützten wir einen Missionar, indem wir seine Arbeit überschauten, während er und seine Familie in die Staaten zurückkehrten, um Gelder zu sammeln. Wir hatten unser gesamtes Vermögen liquidiert; unser Haus und unsere Habseligkeiten verkauft, um die Reise zu ermöglichen.

Um unser Budget einzuhalten, wohnten wir auf dem Dachboden der Gemeinde. Um der Hitze auf dem Dachboden zu entgehen, verbrachten wir im ersten Sommer unsere Zeit auf den Bänken in der Gemeinde. . Glücklicherweise wurde später eine

Klimaanlage installiert!

Wir haben alles getan, um unser Budget zu strecken. Als es den Anschein hatte, dass wir unser Erspartes aufgebraucht hatten, hat Gott auf wundersame Weise für uns gesorgt. Irgendwann gingen uns die Lebensmittel völlig aus, und Gott schickte uns jemanden mit Lebensmittel im Wert von 300 Dollar, die sie vor die Tür legten.

Wir haben in dieser Zeit sehr hart gearbeitet. Wir putzten, mähten, leiteten Bibelstunden an und dienten in der Muttergemeinde und anderen Gemeindegründungen. Wir leiteten auch wöchentliche Evangelisationsbemühungen in der Stadt an, führten Jugendgottesdienste durch und starteten ein Ausbildungsprogramm für den Dienst. Wir wurden sogar damit gesegnet, ein neues Werk in der Gegend zu gründen.

Unsere Zeit vor Ort war fruchtbar. Wir sahen viele Menschen, die wiedergeboren wurden. Gott ließ zu, das viele Seelen durch die verschiedenen Werke hinzugefügt wurden. Auch unsere Ausbildungsbemühungen für den Dienst blühten auf.

Die Dinge liefen so gut, dass wir uns dazu entschieden, uns für den Posten eines vollwertig ernannten Missionars für diese Nation zu bewerben, um unter den festangestellten Missionar zu dienen.

Stacey und ich waren schockiert, als der Missionar zurückkam, und ohne es mit uns abzusprechen, zur Kanzel trat und die Gemeinde darüber informierte, dass unsere Zeit in diesem Land zu Ende gekommen war. Es gab keine Erklärung.

Wir waren verletzt und beschämt. Wir konnten nicht verstehen, was schief gelaufen war. Unser Regionalleiter wies uns an, in ein Nachbarland überzuwechseln und dort unsere Bemühungen im Dienst fortzusetzen.

Unsere neue Aufgabe bestand darin, einem einheimischen Ministranten Gottes dabei zu helfen, in einer Großstadt eine Gemeinde zu gründen. Die Bemühungen in dieser Stadt eine Gemeinde zu gründen, waren schon dreimal gescheitert.

Als wir ankamen, waren wir immer noch über die Art und Weise verwundet, wie wir entlassen worden waren, aber wir haben uns darauf konzentriert, dem zuständigen Pastor bei der Errichtung des neuen Werkes zu helfen.

Wir beteten, fasteten, mobilisierten die Bürger in der evangelistischen Arbeit und hielten Erweckungsgottesdienste ab. Wieder einmal fügte Gott der Gemeinde etwas hinzu und die Gemeinde wuchs.

Leider kam es zu einer Meinungsverschiedenheit bezüglich der apostolischen Lehre. Der einheimische Ministrant, unter dessen Aufsicht wir standen, begann die apostolischen Wahrheiten über die Wiedergeburt und die Heiligkeit abzulehnen.

Zur Klarstellung: Ich glaube fest daran, dass das Sprechen in Zungen der erste Beweis für die Erfüllung mit dem Heiligen Geist ist. Außerdem war das Sprechen in Zungen eine entscheidende Komponente im täglichen Leben der neutestamentlichen Gläubigen nach der ersten Erfahrung der Wiedergeburt. Ich halte auch an der biblischen Tatsache fest, dass ohne Heiligkeit kein Mensch den Herrn sehen wird. (**Hebräer 12:14**)

Der einheimische Ministrant und seine Familie behaupteten, dass diese Lehren keine biblische Absolutheit seien.

Jedes Mal, wenn jemand mit dem Heiligen Geist erfüllt wurde, wurde seine anfängliche Erfahrung von der Familie des Predigers angefochten und entmutigt. Jeder Gottesdienst wurde zu einer umstrittenen Debatte.

Die Spannung zwischen mir und dem zuständigen Pastor war greifbar. Selten konnten wir uns treffen, ohne dass diese Themen wieder im Vordergrund standen.

Irgendwann wurde die Auseinandersetzung so heftig, dass man uns sagte, dass wir in der Stadt nicht mehr predigen, lehren, evangelisieren oder uns mit anderen treffen durften. Wir standen unter geistlichem Hausarrest!

Wir versuchten auf allen möglichen Wegen, eine Lösung und Korrektur der Situation herbeizuführen, aber nichts schien zu funktionieren.

Enttäuschend kam hinzu, dass der ortsansässige

Prediger eine Gemeindeversammlung einberief (wir erhielten die Erlaubnis, daran teilzunehmen), während der er einige Mitglieder aus der Gemeinde warf. Er sagte ihnen: „Solange Sie hier sind, werden wir nicht in der Lage sein, wohlhabende Menschen zu erreichen."

Wir und die vertriebenen Mitglieder flehten den Prediger an, die Lage nochmals zu überdenken. Bei diesem Treffen gab es viele Tränen, Verwirrung und großen Zorn. Auch hier blieb uns, nach vielen Versuchen die Probleme zu lösen, keine andere Möglichkeit, als uns der Führung des zuständigen Predigers in dieser Nation zu fügen.

Da es uns nicht erlaubt war, in der Nation zu dienen, kehrten wir verwüstet und verwirrt in die Staaten zurück.
Der gesamte Ablauf war ein Albtraum von Missachtung und Enttäuschungen. Es dauerte nicht lange, bis ich die Nachricht erhielt, dass diese Gemeindegründung geschlossen wurde.

Eine liebenswürdige Frau Gottes hielt in ihrem Haus Gebetstreffen ab und versuchte ihr Bestes, um Gottes Gemeinde am Leben zu halten. Ich schäme mich, sagen zu müssen, dass ich die Sache selbst in die Hand genommen habe. Ohne Erlaubnis kehrte ich zurück, mietete ein Gemeindezentrum, nahm Kontakt zu allen Menschen auf, die zuvor in der Gemeinde gewesen waren, und führte mit ihnen einen Erweckungsgottesdienst durch. Gott erfüllte an diesem Tag 12 Menschen mit dem Heiligen Geist.

Lassen Sie mich eines klarstellen: Die Ausgießung war nicht Gottes Sanktion für meine Handlungen, sondern eine Antwort auf den Glauben hungriger Suchender.

Als die Nachricht von meinen Taten die Leiterschaft erreichte, erhielt ich einen Anruf. Zu diesem Zeitpunkt war unsere tiefe Enttäuschung einer großen Frustration gewichen. Das Telefonat verlief nicht gut.

Obwohl wir nicht zum Rücktritt aufgefordert wurden, haben wir ein Rücktrittsschreiben vorbereitet. Auf einer nationalen Konferenz legte ich das Schreiben in die Hand eines unserer Leiter.

Es ist mir peinlich, sagen zu müssen, dass ich mich deutlich daran erinnere, folgendes gesagt zu haben: „Wenn diese Organisation so funktioniert, wollen wir nichts damit zu tun haben!"

Der Leiter war so ruhig und gelassn, wie eh und je, und nahm einfach mein Rücktrittsschreiben entgegen und sagte dann: „Bruder Robinette, was mit deiner Familie geschehen ist, war nicht richtig. Es ist furchtbar falsch. Aber was du durch dieses Unrecht in dir geschehen lässt, ist viel schlimmer. Du musst in ein Flugzeug steigen und denen, die dir Unrecht getan haben, die Füße waschen, und vielleicht wird Gott dich und deinen Dienst retten."

Diese Erklärung war ein Weckruf des Herrn! Spirituelle Lichter blitzten in meinem Geist auf. Ich wusste zweifellos, dass ich mich vor dem Missionar, der mich fortgeschickt hatte, radikal demütigen musste, sonst wäre mein Dienst beendet gewesen.

Kurze Zeit später stieg ich in ein Flugzeug und flog zurück in das Land, welches ich abrupt verlassen hatte. Ich traf mich privat mit dem Missionar, wir wuschen uns gegenseitig die Füße und beteten zusammen. Gott gab uns beiden Frieden hinsichtlich der Vergangenheit.

Wir wissen immer noch nicht, warum die Dinge so geschehen sind, wie wir sie erlebt haben. Wir sind jedoch davon überzeugt, dass unsere negative Reaktion auf die wahrgenommene Herabstufung unseren Dienst fast umgebracht hätte.

Die Missachtungen deckten Mängel in unserer geistigen Rüstung auf. Wären sie nicht in diesem frühen Stadium unseres Dienstes aufgedeckt worden, hätten sie unsere Zukunft vernichten können.

Schließlich wurden wir gebeten, die Verantwortung dafür zu übernehmen, diese Nation zu erreichen. Gott gab uns zurück, was die „Heuschrecken" gefressen hatten. In den letzten zehn Jahren hat Gott das Werk weiterhin gesegnet und wachsen lassen.

Matthäus 18,4
4 Wer nun sich erniedrigt wie dieses kleine Kind, der ist der Größte im Himmelreich.

Matthäus 23,12
12 Und wer sich selbst erhöht, der wird erniedrigt

werden; und wer sich selbst erniedrigt, der wird erhöht werden.

1. Petrus 5,6
6 So erniedrigt euch nun unter der mächtigen Hand Gottes, damit er euch zu gegebener Zeit erhöhen möge:

Wenn wir uns radikal demütigen, auch wenn uns Unrecht geschieht, auch wenn wir verletzt werden, auch wenn es nicht fair ist, wird Gott in uns und durch uns ein Werk durchführen, das unsere wildesten Vorstellungen übersteigt.

Die Herabstufung der Anderen

Ich muss noch hinzufügen, wie wir mit der Herabstufung von anderen umgehen zeigt, ob wir den Dienst und die seelenrettende Qualität radikaler Demut begriffen haben.

❖ Wir sollten uns niemals über die Zerstörung von Gottes Volk freuen.

❖ Wir sollten in Gottes Reich niemals eine geistliche Niederlage feiern.

❖ Wir sollten uns niemals über das Versagen von Diensten freuen.

❖ Wir sollten niemals versuchen jemandem geistlichen Schaden zuzufügen.

❖ Wir sollten niemals Schadenfreude empfinden, wenn wir die unangenehme Nachricht von der geistlichen oder organisatorischen Auflösung der Diener Gottes verbreiten.

Die Herabstufung des Volk Gottes sollte uns zu Tränen rühren, unsere Herzen brechen und Mitgefühl empfinden lassen, denn wir beten, dass Gott diese Person wiederherstellt, die dem Feind zum Opfer gefallen ist!

Restauration (nicht Klatsch, Kritik oder Verleumdung) ist unsere biblische und geistliche Verantwortung:

Galater 6,1
1 Liebe Geschwister, wenn jemand von euch in eine Sünde hineinstolpert, dann müsst ihr, als vom Geist bestimmte Menschen, ihn verständnisvoll auf den rechten Weg zurückbringen. Du solltest dabei aber gut aufpassen, dass du nicht selbst zu Fall kommst.

Die Frage: *"Habt ihr gehört, was mit diesem Prediger geschehen ist?"* beweist, dass man nicht geistlich und nicht apostolisch ist. Radikale Demut feiert den Aufstieg anderer im Königsreich, nicht den Abstieg!

Test 3: Ansprechen von Klatsch, Verleumdung und Kritik, die an Sie, Ihre Familie oder Ihren Dienst gerichtet sind

Gott hat für seine Kirche einen hohen Standard der zwischenmenschlichen Ethik festgelegt. Wir dürfen einander nicht angreifen. Wir sollten uns niemals an Klatsch und Tratsch erfreuen, verleumden oder Gottes berufene und gesalbte Gefäße kritisieren. Wir sollten uns nie an einem Gespräch beteiligen, die eine andere Person untergräbt. Wir sollten uns nie darüber freuen, dass jemand, in Bezug auf das königliche Werk für das Reich Gottes, keinen Erfolg hat.

Das Wort Gottes stellt klar dar, wie wir unsere Beziehung zu unseren Mitbrüdern und Mitschwestern im Reich Gottes und ihrer Beförderung angehen sollen.

In **1. Thessalonicher 5,11** wies der Apostel Paulus die Kirche an, einander im Glauben und im Werk des Reich Gottes zu ermutigen und aufzubauen.

In **Philipper 2,3-4** artikuliert der Apostel Paulus viel klarer die Verantwortung, die wir gegenüber unseren Brüdern und Schwestern in Christus in diesem apostolischen Reich haben:

Philipper 2,3-4
3 nichts aus Streitsucht oder Ehrgeiz tut! Seid vielmehr bescheiden und achtet andere höher als euch selbst!
4 Denkt nicht nur an euer eigenes Wohl, sondern auch an das der anderen!

Zweifellos sollte **Hebräer 10,24** dazu führen, dass die Überzeugung unser Herz ergreift und die Frucht der Gerechtigkeit in all unseren Beziehungen das Reich Gottes hervorbringt:

Hebräer 10,24
24 Und lasst uns aufeinander achten und uns gegenseitig zur Liebe und zu guten Taten anspornen.

Pastor Victor Jackson sagte: „Wenn Sie von Gott gebraucht werden wollen, seien Sie darauf vorbereitet, dass Negatives über Sie gesprochen wird. Seien Sie bescheiden und stecken Sie den Schlag ein."

Wenn Sie zu Recht auf verletzende Worte reagieren, wird die Erfahrung ein verbessertes Werkzeug sein, das Gott benutzt, um sein Instrument zu perfektionieren.

1994 fuhr ich mit meinem Pastor (der auch als Superintendent von Michigan diente) und einem anderen Prediger zu einem Treffen der Dienerschaft aus der Region. Während der Fahrt auf dem Highway erhielt er einen Anruf. In dem Moment, wo mein Pastor antwortete, begann ein Mann am Telefon zu schreien, ihn zu kritisieren und meinen Pastor zu verleumden. Er brüllte so laut, dass ich seine Worte hören konnte, obwohl das Telefon von Pastor Nix nicht auf Lautsprecher geschaltet war. Mein Pastor ertrug die Kritik und Verleumdung geduldig. Am Ende des Anrufs segnete er diesen Mann im Namen Jesus und betete für ihn. Auf dem Rücksitz des Fahrzeugs saß ein anderer Pastor, und als mein Pastor nach dem Anruf auflegte, fragte der andere Pastor: „Warum haben Sie diesen Mann nicht korrigiert? Er hat eindeutig gelogen! Er war respektlos! Er war unchristlich! Sie hätten ihn in seine Schranken weisen müssen!"

Mein Pastor wandte sich nicht einmal an den Prediger auf dem Rücksitz; er sah mich an und sagte: „Bruder Robinette, wenn du deine eigenen Schlachten schlägst, wird Gott dich das tun lassen, und du wirst verlieren. Aber wenn du still stehst, wenn du von ungerechten, unchristlichen und unwahren verbalen Angriffen verfolgt wirst, wird Gott für dich kämpfen. Und wenn Gott für dich kämpft, wirst du immer gewinnen!"

Wahre radikale Demut verteidigt sich nicht. Selbst Jesus sprach bei seinem Prozess kein Wort zu seinen Anklägern.

Demut macht sich keine Gedanken über den Ruf der Menschen. Der menschliche Ruf befasst sich damit, wie Menschen sich gegenseitig wahrnehmen, was selten damit zu tun hat, wie Gott uns sieht.

Wahre Demut konzentriert sich nicht auf das Erstreben eines Ansehens, oder das dieser geschützt wird, sondern richtet sich in vollem Umfang nach Gott, um ihn durch unsere Motive, Gedanken, Worte und Taten zu gefallen.

Ein sehr prominenter UPCI-Vorsitzender sagte mir kürzlich, er verbiete jedem, der unter seiner Leitung ist, sich in den Foren aufzuhalten, in denen Klatsch, Kritik und Verleumdung ungehemmt ausgetauscht werden. Ich persönlich halte dies für eine gute Praxis, die wir im Gebet in Betracht ziehen und durchführen sollten.

Es besteht eine große Gefahr, wenn wir wissentlich und bereitwillig schlechte Kommunikation unterhalten oder von ihr unterhalten werden.

Der Apostel Paulus sagte:

Philipper 4,8
8 Schließlich, liebe Brüder, was auch immer wahr ist, was auch immer ehrlich ist, was auch immer gerecht ist, was auch immer rein ist, was auch immer schön ist, was auch immer von gutem Ruf ist; wenn es irgendeine Tugend gibt und wenn es irgendein Lob gibt, dann denkt an diese Dinge.

Es ist allgemein bekannt, dass eine Person in weniger als 60 Sekunden ertrinken kann, wenn eine ½ Tasse Wasser in ihre Lungen gelangt. Dasselbe gilt, wenn Sachen im Hinterhalt besprochen werden. Sie können in weniger als 60 Sekunden spirituell ertrinken, wenn Sie zulassen an böswilliger Kommunikation teilzunehmen oder sich von böswillger Kommunikation unterhalten lassen. Allein ½ Becher böser Kommunikation in Ihren spirituellen Lungen kann dazu führen, dass der spirituelle Mensch verdorben wird. Der spirituelle Tod folgt dann sehr schnell!

Lassen Sie mich einige kritische Schritte aufzählen, die uns geholfen haben, schmerzhafte, sogar verbale Angriffe zu überwinden, und die uns in die Lage versetzt haben, in dem *radikal-apostolischen* Dienst in den Gott uns berufen hat, zu gedeihen:

- ❖ Behalten Sie Ihre spirituellen Disziplinen bei!

- ❖ Verteidigen Sie sich nicht!

- ❖ Stimmen Sie schnell mit Ihren Feinden überein

und demütigen Sie sich radikal vor ihnen!

❖   Nehmen Sie sich Zeit, um ehrlich und bescheiden über den Angriff, der gegen Sie geführt wird, nachzudenken, und seien Sie bereit und willig, notwendige Veränderungen vorzunehmen!

❖   Bleiben Sie in der Nähe Ihres Pastors und lassen Sie ihn in Ihr Leben sprechen!

❖   Isolieren Sie sich nicht. Bleiben Sie zugänglich für ihre apostolischen Freunde!

❖   Nehmen Sie sich Zeit, den Herrn täglich zu loben!

❖   Bleiben Sie geistlich und zielstrebig im Reich Gottes tätig!

Lassen Sie diese Aussagen in Ihr geistiges Empfinden sickern:

❖   Der Feind kann uns mit Klatsch, Verleumdung und Kritik nur vernichten, wenn wir unser Gebetsleben leiden lassen.

❖   Der Feind kann nur gewinnen, wenn wir uns entscheiden uns zu verteidigen, anstatt Gott zu erlauben für uns zu kämpfen.

❖   Der Feind ist siegreich, wenn wir die gleiche Art von Angriffen auf uns nehmen.

❖   Der Feind kann uns nur vernichten, wenn wir nicht bereit sind, ehrlich über die Vorwürfe nachzudenken, und wenn wir uns weigern irgendeine Verantwortung dafür zu übernehmen.

❖ Der Feind kann unsere Zukunft nur behindern, wenn wir aus der Tiefe unserer geistigen Autorität herausgehen.

❖ Der Feind kann uns nur überwinden, wenn wir uns isolieren.

❖ Der Feind kann uns nur aufhalten, wenn wir alles vergessen, was Gott für uns getan hat, und wenn wir aufhören im Sturm zu beten.

❖ Der Feind kann uns nur besiegen, wenn wir unsere Berufung, unsere Vision und unsere Gabe aufgeben und uns weigern so zu dienen, wie Gott uns gesalbt hat, um in seinem Reich zu dienen.

Der Weg *radikal-apostolisch* zu werden, ist manchmal wirklich herausfordernd, aber wir können es schaffen! Halte durch, mein Freund, diese schmerzhafte Zeit wird sicherlich vorübergehen, und Gott wird die Zukunft schützen, die er für dich geplant hat! Gott wird den Dienst schützen, zu dem er dich berufen hat! Gott wird deine Familie inmitten des Sturms beschützen!
Gott wird die Gabe, die er in dir gelegt hat, sicher schützen! Solange du radikal demütig bleibst, ist deine Zukunft in Gottes Reich sicher und unbegrenzt.

Der General Superintendent der UPCI, David K. Bernard, schrieb die folgende Erklärung für gesunde Kommunikation auf einer Social-Media-Plattform. Er zählte vier Prinzipien auf, die das Volk Gottes berücksichtigen sollte:

"Als ich einige der Kommentare las, kam ich nicht umhin, mir zu überlegen: Würden diese Prediger wollen, dass ihre Frau, ihre Kinder, die jungen Prediger in ihrer Gemeinde oder ihre Mitglieder diese Kommentare lesen? Würden sie es gutheißen, wenn Mitglieder ihrer Gemeinde in den sozialen Medien in gleicher Weise darüber diskutieren? Auch wenn wir die Politik eines Kandidaten unterstützen, sollten wir nicht die Taktik der Welt übernehmen.

Auch wenn einige mir wahrscheinlich vorwerfen werden, naiv, idealistisch und übermäßig spirituell zu sein, glaube ich, dass vieles von dem, was wir beobachtet haben, weltlich, nicht göttlich, nicht der Heiligkeit entsprechend und für Diener Gottes ungeeignet ist. Wir müssen uns entschieden, uns gegen diese Taktiken zu wehren, ob auf diesem Forum oder anderswo. Wir müssen die folgenden Lehren der Heiligen Schrift beherzigen:

❖ <u>***Langsam zum Reden & langsam zum Zorn.***</u> *"So sei denn, meine geliebten Brüder, jeder Mensch schnell zum Hören,* **langsam zum Reden, langsam zum Zorn***; denn der Zorn der Menschen bringt nicht die Gerechtigkeit Gottes hervor"* **(Jakobus 1,19-20)***.*

❖ <u>***Frieden schaffen***</u>*. "Aber die Weisheit, die von oben kommt, ist zuerst rein, dann friedfertig, sanftmütig, bereit nachzugeben, voller Barmherzigkeit und guter Früchte, ohne Parteilichkeit*

und ohne Heuchelei. Nun wird die Frucht der Gerechtigkeit in Frieden gesät von denen, die **Frieden
stiften**"   (*Jakobus 3,17-18*).

❖   **_Vermeiden Sie grobe Scherze_**. "Aber Hurerei und
alle Unreinheit oder Begierde soll nicht einmal unter
euch genannt werden, wie es sich für Heilige geziemt;
weder Unreinheit noch törichtes Reden noch **grobe
Scherze, die sich nicht ziemt**, sondern eher ein Dank-
gebet"
(**Epheser 5,3-4**).

❖   **_Seien Sie höflich; schimpfen Sie nicht_**. "Schließlich
seid ihr alle eines Sinnes und habt Mitleid miteinander; liebt wie Brüder, seid weichherzig, **seid höflich;
nicht Böses um Böses zu erwidern** oder Abscheu um
Abscheu zu erwidern, sondern im Gegenteil Segen, im
Wissen, dass ihr dazu berufen seid, damit ihr einen
Segen erbt"   (**1. Petrus 3,8-10**). "

KAPITEL V
Radikale Opfergaben

*"Der Menschlicher Fortschritt kommt weder automatisch
noch ist er unvermeidlich ... Jeder Schritt auf dem Weg
zum Ziel der Gerechtigkeit erfordert Opfer, Leiden
und Kampf und unermüdliche Anstrengungen und
leidenschaftliche Sorge engagierter Menschen."*
Martin Luther King Jr.

*"So niederträchtig eine Sache wie Geld oft ist, kann
es doch in einen ewigen Schatz verwandelt werden.
Es kann in Nahrung für die Hungrigen und Kleidung
für die Armen umgewandelt werden. Es kann einen
Missionar unterstützen, verlorene Menschen aktiv
für das Licht des Evangeliums zu gewinnen, und
sich so in himmlische Werte verwandeln. Jeder
zeitliche Besitz kann in immerwährenden Reichtum
verwandelt werden. Was immer Christus gegeben
wird, ist sofort mit Unsterblichkeit verbunden."*
A. W. Tozer

*"Man kann opfern und nicht lieben. Aber man kann
folgendes nicht: Lieben und nicht opfern."*
Kris Vallotton

Sprüche 11,24-25
24 Mancher teilt mit vollen Händen aus und
bekommt doch immer mehr, ein anderer spart über

Gebühr und wird doch arm dabei.

25 Wer andern Gutes tut, dem geht es selber gut, wer anderen Erfrischung gibt, wird selbst erfrischt.

2. Korinther 9,6-7

6 Das sage ich aber: Wer sparsam sät, der wird auch sparsam ernten; und wer reichlich sät, der wird auch reichlich ernten.

7 Ein jeder nach dem, was er sich in seinem Herzen vorgenommen hat, so soll er geben, nicht widerwillig oder aus Notwendigkeit; denn Gott liebt einen fröhlichen Geber.

Unsere Geschichte

Unsere Offenbarung der apostolischen Kraft, die durch radikale Opferbereitschaft entstand, begann in Ypsilanti, Michigan in der Apostolischen Glaubenskirche.

Unsere pastorale Familie, Pastor William und Schwester Candace Nix, gehörten zu den größten Beispielen für radikale Opfergaben, die wir je erlebt haben. Mehrmals segnete der Herr die Apostolische Glaubenskirche mit Zeiten des phänomenalen Wachstums, was dazu führte, dass unsere Kirche Bauprojekte in Angriff nahm.

An zwei Gelegenheiten standen Pastor und Schwester Nix an der Kanzel der Gemeinde. Anstatt ihren Angehörigen einfach zu bitten, aufopfernd zu geben, machten sie sich zum Vorbild. Ich werde nie ihre Ankündigung vergessen, dass sie ihre Rente aufgeben würden, damit wir eine neue Kirche bauen konnten. So etwas hatte ich nie zuvor erlebt. Das Beispiel von Bruder und Schwester Nix hatte den Samen des opfernden Gebens in unserem geistlichen Empfinden gepflanzt, der in den 26 Jahren unseres apostolischen Dienstes unermessliche Mengen an Frucht hervorgebracht hat. Wir haben auch gelernt, dass wir, wenn wir für Gott opfern, Gott nicht überbieten können.

Die Gemeinde von Ypsilanti, Michigan wurde sehr gesegnet, weil unsere Familiengemeinde dem Beispiel unserer Pastorenfamilie folgte. Wir erfreuten uns an der Gunst Gottes und der Zunahme der Finanzen, der Evangelisationsbemühungen und der Dienste unserer Gemeinde. Wir wurden immer wieder Zeugen der Frucht, die in **Maleachi 3,10-12** und **Lukas 6,38** versprochen wurde.

Als wir im August 1994 heirateten, verpflichteten wir uns, als Familie radikale Opfer zu bringen. Wir waren jung und arm, aber wir wollten das Muster und die Praxis des aufopfernden Gebens in unseren Finanzen zu Beginn unserer Ehe festlegen. Ich war 19 Jahre alt, und Stacey war gerade 18 Jahre alt geworden, als wir anfingen, Beziehungen mit weltweiten Missionarsfamilien zu knüpfen. Wir hatten nicht viel, aber wir hatten uns vorgenommen, jeden einzelnen Monat aufopfernd für diejenigen zu spenden, die aktiv versuchten, die Menschen auf der ganzen Welt zu erreichen. Als wir heirateten, besaßen wir kaum Möbel. Wir besaßen eigentlich nur ein Doppelbett und ein paar kleine Schlafzimmergegenstände. Zu dieser Zeit lebten wir in Deutschland. Zu bestimmten Zeiten im

Jahr stellten die Anwohner viele Dinge, die sie nicht mehr wollten, auf den Bordstein. Die Amerikaner dort nannten es „deutsches Gerümpel." Es waren oft wirklich gute Sachen dabei. Ich kann Ihnen gar nicht sagen, mit wie vielen wunderbaren Dingen Gott uns gesegnet hat, während wir, während der Sperrmüllzeit, durch die deutschen Städte fuhren. Wir besuchten damals die Vereinigte Pfingstkirche „Bethel" in Landstuhl, Deutschland. Direkt unter der Gemeinde befand sich ein großes Möbelhaus, dessen Parkplatz wir mitbenutzten, um dort unsere Autos während unserer Gottesdienste zu parken. Eines Abends, als wir in die Gemeinde kamen, fiel uns auf, dass auf dem Parkplatz in der Nähe des Straßenrandes ein wunderschönes, fünfteiliges, Wohnzimmermöbelset aus weißem Leder stand. Meine Frau sagte: „Das ist unser Segen! Das ist wahrscheinlich Sperrmüll. Lass uns das mitnehmen." Ich sagte ihr: „Baby, das ist nicht unser Segen. Schau, wie schön und neu das aussieht. Das ist auf keinen Fall „Gerümpel." Nach einigem hin und her, gefolgt von einer eher unbequemen und überzeugenden Zeit des Schweigens, gingen wir in das Möbelgeschäft und fragten nach dem Manager. Ich sagte: „Sir, wir haben für Missionen gespendet, und wir sahen, dass draußen Möbel stehen, und MEINE FRAU denkt, das sei unser Segen. Ist das Sperrmüll und können wir uns das einfach mitnehmen?" Der Manager fing an zu lachen und erklärte mir, dass die Möbel draußen nagelneu seien und einen Wert von 5 000 Deutsche Mark hätten. Sie räumten gerade einen Platz in der Mitte des Ladens frei, um die weiße Ledermöbelgarnitur zum Kernstück ihres Geschäfts zu machen. Es war mir natürlich sehr peinlich und ich entschuldigte mich beim Manager, dass ich seine Zeit vergeudet hatte. Ich wollte gerade mit meiner Frau den Laden verlassen, als der Manager unerwartet sagte: „Warten Sie einen Moment. Sind Sie wirklich Missionsspender und Sie haben wirklich geglaubt, dass dies Ihr Segen sei?" Wir sagten: „Ja, Sir." Er erwiderte: „Dann werden wir es Ihnen kostenlos überlassen. Geben Sie uns Ihre Adresse und wir werden Ihnen morgen alle fünf Stücke persönlich nach Hause liefern."

Du kannst Gott nicht einfach überbieten!

Am 30. September 2005, ein Freitag, predigte der verstorbene Apostel, Pastor Steve Willoughby, während der UPCI-Generalkonferenz über den Dienst der Auslandsmissionen. Verzeihen Sie mir, wenn ich mich nicht mehr genau daran erinnere, was er gepredigt hat, aber ich werde nie vergessen, welche Absichten er hatte. Am Ende dieses Gottesdienstes holte Bruder Willoughby einen Scheck über 10,000 Dollar aus seiner Tasche und sagte, der Herr habe ihm gesagt, er solle ihn als Opfergabe für die globalen Missionen an diesem Abend geben. Der Glaube war in diesem Gottesdienst sehr groß. Zu diesem Zeitpunkt saßen alle ernannten Missionare, die im Ausland dienten und an der Generalkonferenz teilnahmen, während des Dienstes ihrer Abteilung auf dem Podium. Während Bruder Willoughby an die Generalversammlung der Generalkonferenz appellierte, sich ihm für die radikale Opfergabe anzuschließen, sprach Gott zu mir und sagte: „Worauf wartest du? Verspreche über 10,000 Dollar zu opfern und prüfe mich an diesem Tag, ob ich nicht die Fenster des Himmels öffne und dir Segnungen geben werde, für die du keinen Platz haben wirst."

Wir hatten keine 10,000 Dollar. Tatsächlich hatten wir nicht einmal 100 Dollar auf der Bank! Aber Gott hatte zu mir gesprochen, und ich wollte Gott gehorchen! Meine Frau war nicht mit mir auf dem Podium, aber ich war mir sicher, dass sie dasselbe fühlte wie ich. Ich versuchte, sie vom Podium aus anzurufen, um mich zu vergewissern, dass sie mit mir einer Meinung war. Was ich nicht wusste war, dass meine Frau zur gleichen Zeit versuchte mich von ihrem Balkonplatz aus anzurufen, um mir zu sagen, dass das, was ich fühlte, *nicht* von Gott war! Da ich sie nicht erreichen konnte, nahm ich an, dass ihr Schweigen eine Bestätigung für meine Gabe war. Also, dass wir uns einig darüber waren, eine Zusage von über 10,000 Dollar zu machen. Ich fand einen Zettel und schrieb: *Die Familie Robinette wird 10,000 Dollar geben. Geben Sie uns nur etwas Zeit, um es zu beschaffen.*

Ich verließ unter Tränen, die mir vor Freude über das Gesicht herunterliefen, das Podium, in der Hoffnung es Gott zu beweisen, doch meine Frau traf mich am Altar mit Tränen in den Augen. Nicht weil sie sich freute, sondern weil sie mich nicht rechtzeitig erreicht hatte, um meine Wahnsinnsentscheidung aufzuhalten. Während wir aus so unterschiedlichen

Gründen weinend vor dem Altar standen, trat ein Pastor an uns heran, griff um mich herum und steckte einen Scheck in meine linke vordere Anzugstasche, ohne ein Wort zu sagen. Ich war zu sehr mit dem Weinen beschäftigt, um das Wunder des Augenblicks zu erkennen. Ich erinnerte mich erst wieder an den Scheck, als wir an den Abend in unserem Hotel ankamen. Als ich den Inhalt meiner Taschen auf den Schreibtisch im Hotelzimmer entleerte, sah ich den Scheck. Ich öffnete den gefalteten Scheck, der für über 20,000 Dollar ausgestellt worden war!!! Zusammen mit dem Scheck war ein Zettel, auf dem stand: *"Sie haben Gott Glauben bewiesen, und er hat bewiesen, dass Sie ihn nie überbieten können!"*

Wir weinten an diesem Abend wie kleine Babys im Hotelzimmer und freuten uns über die Treue unseres großen Gott!

Die Auslandsmissionen der UPCI berichteten über die Ergebnisse dieses Dienstes wie folgt: "Männer und Frauen, Pastoren und Unternehmen haben sich heute Abend zusammengeschlossen, um ein Rekord-Opfer von über 1,1 Millionen Dollar sowie eine Unterstützung von Partner in Mission (PIM) von über 1 Million Dollar zu geben. Aufgrund der großzügigen Spende der Vereinigten Pfingstkirche werden zehn Missionarsfamilien das Privileg haben, vorzeitig von der Generalkonferenz ins Feld zurückzukehren. Sie werden keinen weiteren Tag mehr Spenden sammeln müssen. Zusätzlich zu dieser wunderbaren Darstellung des Gebens für das Königreich, haben die Männer und Frauen der UPCI über 1,1 Millionen Dollar versprochen und gespendet, um Defizite auszugleichen und Reservegelder für unsere reisenden Missionare bereitzustellen." Diejenigen, die 500 Dollar und mehr versprochen und gespendet hatten, erhielten Leuchtstäbe. Als die Arena-Mitarbeiter die Lichter des Hauses ausschalteten, durchdrangen Hunderte von Leuchtstäben die Dunkelheit und die Leiden der Deputation und setzte ein überwältigendes Zeichen der Unterstützung und Solidarität für unsere im Ausland tätigen Missionare. „An all jene, die gaben ... an jene, die opferten ... an jene, die geben werden ... Ich danke Ihnen!

Diese Erfahrung war ein Katalysator für eine kontinuierliche und konsequente Opferbereitschaft in unserem Dienst und hat uns Segnungen zurückgegeben, die unsere kühnsten Vorstellungen übertroffen haben!

Wir setzten das Beispiel des Opfergebens fort, als wir Pastor der Vereinigten Pfingstkirche in Wien, Österreich wurden, die wir später in „Kirche der Apostelgeschichte" umbenannten.
In den elf Jahren, die wir dort gedient haben, hat unsere Familie 21 Missionarsfamilien persönlich finanziell gefördert und jeden Monat weit über 1 000 Dollar für die globalen Missionen der UPCI und für die Missionsbemühungen in den deutschsprachigen Ländern gespendet.

Die Gemeinde der Kirche der Apostelgeschichte folgte unserem Beispiel und begann ebenfalls aufopfernd zu spenden, sowohl global als auch lokal, um Gottes beispiellose globale Ernte zu ermöglichen.

Im April 2008 hielten wir unsere erste Erweckung „Glaubensversprechen" in Österreich ab. Glaubensversprechen ist ein Programm für Ortsgemeinden, mit dem sie sich Zusagen von ihren Gemeinden einholen können, um Missionsbemühungen in der ganzen Welt finanziell zu unterstützen. Wir luden zwei Missionare und einen Vertreter für globale Missionen aus unserer Gemeinschaft zur Teilnahme ein.

Vor diesem Wochenende wurden die Spenden unserer Gemeinde nicht regelmäßig für die Mission eingesammelt, aber Dank des Opfers des Volk Gottes gab die Kirche der Apostelgeschichte, monatlich über 2.000 € ($2,940) für Missionsbemühungen auf der ganzen Welt. In den letzten drei Jahren unseres Pastorats spendete die Gemeinde 200.000 € ($236,000) an Missionen.

Die Entscheidung unseres Pastorats Opfergaben zu erbringen, war einer der entscheidenden Schlüssel, der eine beispiellose Ernte und viele mächtige Wunder in der Nation Österreich ausgelöst hat.

Auch nachdem wir das Pastorat der Kirche der Apostelgeschichte in Wien, Österreich verlassen hatten, setzten wir den Aufruf zur radikalen Opfergabe in unserem persönlichen Geben fort.

Am 27. September 2017, als wir im Gottesdienst der globalen Missionen der UPCI-Generalkonferenz predigten, planten wir, wie schon viele Male zuvor,

10,000 Dollar beim Opferaufruf der „Globalen Missionen" zu geben. Aber während ich predigte, sprach der Herr zu mir und sagte: „Wenn du weiterhin die gleiche Menge an radikalen Opfern gibst, wirst du weiterhin das gleiche Maß an Segen erfahren. Aber wenn du dein Opfer verdoppelst, werde ich deine Segnungen verdoppeln!"

Wieder einmal stand ich ohne Beratung mit meiner liebenswürdigen Frau Stacey an der Kanzel und sagte: „Gott hat uns gerade gesagt, dass wir 20,000 Dollar für dieses Opfer geben sollen."

Meine Frau und ich hatten uns zuvor darauf geeinigt, während des Gottesdienstes 10,000 Dollar zu geben. Sie stand am Altar mit einem zusätzlichen 20-Dollar-Schein in der Hand, um das Geld in die Opferschale zu werfen. Als sie mich sagen hörte, dass wir jetzt 20,000 Dollar geben würden, steckte sie den 20-Dollar-Schein schnell wieder in ihre Handtasche und sagte zu Missionarin Tanya Harrod: „Ich behalte diese 20 Dollar, weil wir sie noch brauchen werden!"

Der Generaldirektor der Globalen Missionen der UPCI, Pastor Bruce Howell, verschickte nach dem Gottesdienst folgende Textnachricht:

„Die Einnahmen belaufen sich auf insgesamt $2.373.616,00 ... in bar: $608.983,00 ... 15 Missionare werden zurückgeschickt (in die Mission). Bereits 5 habe ich es mitgeteilt!!!! Bruce Howell und GM."

Ich wünschte, ich könnte Ihnen berichten, dass jemand auf mich zugekommen ist und mir einen

Scheck für über 20,000 Dollar in die Tasche gesteckt hat, aber so ist es diesmal nicht passiert.

Etwas mehr als einen Monat später war ich an einem Sonntagmorgen vor dem Gottesdienst wieder in meinem Büro in Wien, Österreich. Ich öffnete einen Brief von unserem Direktor für globale Missionen, Pastor Bruce Howell, in dem er mich freundlich daran erinnerte, das Versprechen vor Ende des Jahres einzusenden.

Um ehrlich zu sein, stresste mich die Lage. Wir hatten keine 20,000 Dollar, und ich wusste nicht, wie wir vor Weihnachten ein so hohes Versprechen einlösen würden. Ich dachte mir: *Ich bringe das heute einfach den Mitgliedern der Kirche der Apostelgeschichte und sehe, ob wir daraus ein Kirchenprojekt machen können. Dann können wir es sicherlich in einem Monat bezahlen.*

Ich saß auf meinem Bürostuhl und erinnerte Gott an das, was er mir auf der UPCI-Generalkonferenz am 27. September 2017 an der Kanzel versprochen hatte. Ich legte den Brief von Pastor Bruce Howell auf die eine Seite meines Schreibtisches, um ihn später zur Kanzel zu tragen, und öffnete den nächsten Brief von meinem Posteingang. Als ich den Brief öffnete, fiel ein Scheck heraus, der für 20,000 Dollar ausgestellt war! *(Notiz des Übersetzers: Der Übersetzer dieses Buches war bei diesem Ereignis im Büro von Pastor Robinette zu einem persönlichen Gespräch anwesend und war daher ein unmittelbarer Zeuge dieses wundervollen Ereignisses!!!)*

Ich begann zu weinen! Gott hatte es wieder getan! Man kann Gott einfach nicht überbieten!! Ich nahm diesen Scheck und den Brief von Pastor Howell an diesem Morgen zur Kanzel und erzählte der Gemeinde, was Gott getan hatte. Wow! Wir hatten an diesem Sonntag einen feurigen Gottesdienst!

Der finanzielle Traum unserer Familie ist es, eines Tages in der Lage zu sein, mit jedem UPCI-Missionar finanziell zusammenzuarbeiten. Wir haben keine Angst vor radikalen Opfergaben und wir glauben, dass Gott uns in diesen letzten Tagen in die Lage versetzen wird, ein finanzieller Segen für seine weltweite Kirche zu sein.

Lassen Sie mich Ihnen einige aussagekräftigere Zeugnisse radikaler Opfer von Predigern und Heiligen geben:

Pastor Brian und Jill Careccia
Musik-Ministranten
Heavenview UPC, Winston Salem, North Carolina

„Jill und ich waren frisch verheiratet und dienten als Musik-Ministranten in North Carolina in den USA. Wir hatten nicht viel, aber wir glaubten an das Geben und wir glaubten an Missionen. Wir gaben nicht, um zu empfangen, denn wir glaubten an die Verheißungen, die Gott aus seiner Gunst diejenigen verspricht, die geben.
An einem Mittwochabend kam ein junges Missionsehepaar, Charles und Stacey Robinette, in unsere Gemeinde und teilten mit uns ihr Herz und ihre Last für ihre Berufung für globale Missionen. Wir konnten ihre Lei-

denschaft wirklich spüren. Als sie zu unserer Gemeinde sprachen, sprach Gott zu meiner Frau und mir, dass wir ihren Dienst unterstützen sollten. Wir fühlten uns beide veranlasst, aufopfernd zu geben.

Ich spielte Klavier und meine Frau betete am Altar. Wir tauschten Blicke aus und wir spürten, dass Gott zu uns beiden das gleiche sprach, alles zu geben! Meine Frau kam zu mir am Klavier und flüsterte mir ins Ohr, was Gott ihr auf den Herzen gelegt hatte. Ich sagte ihr, dass ich genau dasselbe fühlte. Wir hatten nicht sehr viel, aber wir gaben alles, was wir auf unserem Bankkonto hatten. Wir stellten den Scheck aus und holten tief Luft. Wir glaubten, dass Gott sich um uns kümmern würde, aber wir waren immer noch ein wenig nervös.

Der Wetterdienst kündigte einen Schneesturm an, der in dieser Nacht durchziehen sollte. Nach dem Gottesdienst holten wir das Kleingeld aus unserem Auto und sammelten das wenige Bargeld ein. Wir gingen in einen Laden, um einige wichtige Dinge zu besorgen, für den Fall, dass wir für ein paar Tage eingeschneit sein würden. Auf der Heimfahrt, als wir uns unserer Wohnung im Evangelisten-Quartier der Gemeinde näherten, blieb unser altes Auto einfach stehen. Es hatte uns seit meiner Studienzeit gute Dienste geleistet, aber während der Fahrt schaltete es sich buchstäblich aus. Wir rollten geräuschlos auf den Parkplatz der Gemeinde, wo unsere Fahrt zu Ende war. Keiner von uns wollte sagen, was uns beiden zu diesem Zeitpunkt durch den Kopf ging.

Wir saßen still da und starrten schweigend geradeaus, während wir einige Minuten lang dem Schnee zuschauten. Ich schaute zu meiner Frau hinüber und sagte: „Gott wird sich um uns kümmern." Ich weiß nicht, ob ich es wirklich geglaubt habe, aber es schien mir das Richtige zu diesem Zeitpunkt zu sein! Wir wussten nicht, dass Gott einige Wochen zuvor einer Familie gesagt hatte, uns ein Auto zu kaufen. Mehrere Familienmitglieder waren vom Herrn dazu bewegt worden, uns ein neues Fahrzeug zu kaufen, ohne sich untereinander abzusprechen. In den folgenden Tagen informierte uns diese Familie über ihre Pläne. Wir weinten, während sie erzählten was Gott ihnen auf den Herzen gelegt hatte. Sie weinten, als wir ihnen von den Missionsangeboten erzählten, zu denen Gott uns ermutigt hatte.

Innerhalb weniger Tage wurden uns die Schlüssel zu einem vollgetankten Auto ausgehändigt, das wir uns alleine niemals hätten leisten können. Ich bin mir nicht sicher, ob damals viele Menschen von Charles Robinette gehört hatten. Gott schenkte uns ein Wunder, und er ermöglichte uns es in die vielen Wunder zu investieren, die durch den Dienst der Familie Robinette auf der ganzen Welt geschehen sind."

Angelina Adams

„Missionar Charles Robinette sprach in unserem Abendgottesdienst eine Botschaft, die bestätigte, was der Herr mir kürzlich auf mein Herz gelegt hatte. Ich hatte an dem Abend, an dem Missionar Robinette sprach, die Opfergaben dargebracht. Vor allem hatte ich mir vorgenommen, meine Einkünfte Christus zu übergeben. Dazu gehörten meine Zehnte und die Opfergaben, sowie Spen-

den für andere Dienste innerhalb der Kirche. Es war ein Umdenken bezüglich des Geldes, das ich als Gabe überreichte. Ich musste mir absolut sicher sein. Als ich betete, bat ich Gott, mich zu einem fröhlichen Geber zu machen. Ich bat Gott, mir die Menschen auf's Herz zu legen, damit ich sie segnen konnte. Ich betete, dass der Herr meinen Glauben durch meine Zehnte und Opergaben stärken würde. Und das Wichtigste: Als ich betete, dankte ich Gott immer wieder für das, was er in meinem Leben tun würde.

Nicht weniger als eine Woche später begann der Segen einzutreffen! Man sagte mir, dass ich bei der Arbeit eine Prämie erhalten würde. Man sagte mir, dass es kein sehr großer Bonus sein würde, aber ich war trotzdem dankbar. Ich dachte, ich würde eine Geschenkkarte für über 25 Dollar erhalten. Stattdessen wurde mir ein Bonusscheck von über 300 Dollar überreicht! Ich war so glücklich, und dann erinnerte ich mich... dass Gott in seinen Versprechen treu ist.

Am GLEICHEN Wochenende fuhr ich nach Hause, um meine Eltern zu besuchen. Sie segneten mich mit zusätzlichen 100 Dollar! Ich konnte es kaum erwarten, zurück nach Tampa zu kommen, um die Zehnte auf meinen Segen einzuwerfen und meinen jüngeren Bruder zu segnen! Aber das ist noch nicht alles! Ich habe meine Meinung über das Geben wirklich geändert. Jetzt weiß ich, dass Gott für mich sorgen wird, und ich habe aufgehört, mir Sorgen zu machen. ICH HÖRTE WIRKLICH AUF, ÜBER DEN FINANZIELLEN DRUCK von Studiendarlehen, den Kredit auf mein Auto und die Miete nachzuden-

ken.

*Am 2. September wurde ich zum Supervisor in meiner
Agentur befördert!! Ich hatte mich 3-4 Wochen zuvor für
die Stelle beworben und von niemandem etwas über die
Stelle gehört. Ich hörte auf daran zu glauben, dass ich die
Stelle bekommen würde. Aber dann erinnerte ich mich,
dass Gott derjenige ist, der mich befördert und nicht der
Mensch. Die Segnungen strömten herbei, und ich bin Gott
wirklich dankbar, dass er mich unterstützt hat."*

Bischof Daniel Davy
Zeugnisse aus dem New Life Tabernacle, Seffner, Florida

❖ *„Ein Mann in Louisiana kaufte ein Grundstück und war gerade dabei, Zahlungen zu leisten,
als die Bank den Kredit einforderte. Er schuldete bis
zum Montagmorgen 100,000 Dollar, sonst würde die
Immobilie an die Bank verfallen. Bis zum Sonntag
des Gottesdienstes über Glaubensversprechen hatte
er nur 50,000 Dollar in bar, die er der Bank geben
konnte, aber es fehlten ihm immer noch 50,000
Dollar. Während des Gottesdienstes über Glaubensversprechen beschloss er, da er den Besitz nicht retten
konnte, alle 50,000 Dollar für Missionen zu spenden.
Am Montag erschien er bei der Bank, um sie wissen zu
lassen, dass er in Verzug geraten würde. Der Bankver-
walter kam sofort heraus, schüttelte seine Hand
und sagte: „Danke, dass Sie Ihren Kredit vollständig
bezahlt haben." Er sagte: „Bitte prüfen Sie Ihre Un-*

terlagen noch einmal, ich habe Ihnen nichts gezahlt. Ich bin gekommen, um Ihnen mitzuteilen, dass ich nicht das Geld habe, um den Kredit abzuzahlen." Der Bankmanager ließ ihn wissen, dass am Sonntag zur gleichen Zeit seines Gottesdienstes, in dem er 50,000 Dollar an die Missionen gegeben hatte, eine Einzahlung von 100,000 Dollar auf dem Darlehenskonto verbucht wurde!

❖ *„Am 14.10.2008 fühlten mein Mann und ich während des Erweckungsgottesdienstes uns dazu veranlasst, aufgrund der Glaubensbotschaft, die von Pastor Robinette gepredigt wurde, zu geben. Wir gaben unseren Gehaltsscheck, den wir in der Hand hatten, in dem Wissen, dass wir diesen Gehaltsscheck für die Hypothek brauchten. Im Vertrauen darauf unterschrieben wir ihn und legten ihn in den Opferkorb. Gott schuf nicht nur einen Weg, um die Hypothek zu bezahlen, wir erhielten auch am Dienstag, den 8.12.2014, einen Anruf, dass wir einen Scheck von über 10,000 Dollar erhalten würden. Die Segnungen hörten dort nicht auf. Irgendwie landete unsere Kreditkartenrechnung ein paar Tage später an einer anderen Adresse. Wir bekamen einen Anruf, dass sie nicht nur vollständig bezahlt wurde, sondern dass wir ein Guthaben hatten. Gott goss immer weiter seinen Segen aus. Wir wurden mit einem Stapel nagelneuer Kleider für unsere ganze Familie gesegnet. Und die Segnungen gingen weiter. Am 30. August 2014 segnete uns jemand mit einem nagelneuen Jahreswagen für 25,000 Dollar. In BAR kom-*

plett ABBEZAHLT. Wir mussten nichts zuzahlen. Die Segnungen des Herrn machen reich und fügen keinen Kummer hinzu. Gott gebührt die Herrlichkeit für die großen Dinge, die er getan hat. Wir haben bewiesen, dass man Gott nicht überbieten kann. Danke, Jesus!"

❖ *„Richard gab während des Gottesdienstes am 08.10.2014 aufopfernd. In seinem ersten Semester gab man ihm $138 zurück, da seine Studiengebühren von $9,000 für das Jahr beglichen waren. Er legte die $138, die sie ihm gaben, für das zweite Semester an, und er bezahlte nur $68.00 am Ende seines letzten Jahr am College. Er erhielt ein Stipendium, ein Arbeitsstipendium, und arbeitete bei Camp meetings, aber er hatte nie eine so niedrige Zahlung erwartet."*

❖ *„Der Herr wies mich an, während der Missionskonferenz mit Pastor Robinette ein Opfer zu bringen. Ich legte das Geld, das ich damals bei mir hatte, in die Opferschüssel. Ich leerte meine Bankkonten aus. Dann sagte mir der Herr, ich solle auch meine elektronischen Geräte abgeben. Ich tat alldies. Innerhalb einer Woche wurde ich mit einem nagelneuen Kia von 2015 gesegnet. Das war ein Wunder an sich, denn meine Kredibilität war niedrig. Gott sei die Ehre."*

Pastor Matthew Drake
Jacksonville, North Carolina

„Als ich in Jacksonville, North Carolina Pastor war, be-

suchte uns Bruder Robinette und teilte uns die Bedürfnisse der deutschsprachigen Nationen in Europa und die Vision die seine Familie hatte mit. Ein junger Mann, der sich zu dieser Zeit darauf vorbereitete, zum Militär zu gehen, kam nach dem Dienst tränenströmend in mein Büro und fragte, ob er mit mir sprechen könne. Er sagte: „Herr Pastor, ich brauche etwas Führung. Ich bin fast überwältigt von der Bürde, etwas zur Unterstützung dieses Missionars beizutragen."

Ich sagte: „Nun, gut – was ist das Problem?!?"

Er sagte: „Nun, das einzige Geld, das ich habe, ist das Geld, das ich unter meiner Matratze gespart habe, um mir ein Motorrad zu kaufen. Ich glaube, Gott sagt mir, dass ich das hergeben soll."

Ich ließ ihn wissen, dass ich diese Entscheidung nicht für ihn treffen konnte, aber dass ich über die Jahre gelernt hatte, dass man Gott einfach nicht überbieten kann, und viele Male, wenn er so etwas von einem verlangt - bereitet er denjenigen auf einen Segen vor! Nun, er hat dieses Geld gegeben – und zwar alles! Und seitdem hat Gott ihn mit einem neuen Zuhause, einem neuen Lastwagen, einer Frau und einem Kind gesegnet! Er war tatsächlich einer der jungen Männer, die mir halfen, die Richlands UPC zu gründen!"

Ich bete heute dafür, dass Sie, während Sie die Zeugnisse unseres Herrn lesen, dem Heiligen Geist erlauben werden Sie selbst, Ihr Herz, Ihren Verstand und Ihre Opferbereitschaft zu verändern!

Das Wort Gottes ist voll von Zeugnissen und Beispielen radikaler Opferbereitschaft:

1 Könige 17,13, erzählt die Geschichte der Witwe von Zarephath. Sie backte dem Propheten Elia zuerst einen Kuchen mit allem, was sie noch hatte. Gott antwortete auf ihre radikale Opfergabe und er erfüllte nicht nur ihre unmittelbaren Bedürfnisse, sondern ihr Segen floss auch über. Gott gab ihr genug Öl und Essen, damit sie und ihr Sohn inmitten der Dürrezeit gedeihen konnten.

Matthäus 26,7-13 gibt uns einen Einblick in ein weiteres Beispiel für radikale Opferbereitschaft. Eine Frau mit einem Alabastergefäß mit sehr kostbarer Salbe goß diese auf das Haupt von Jesus. Die Jünger sahen es als Verschwendung an, aber Jesus nannte dies ein gutes Werk! Jesus erklärte, dass ihr Opfer ein Merkmal ihrer Tat sein würde. Das ist wirklich erstaunlich!

Wenn Sie **Lukas 21** lesen, erhalten Sie ein noch klareres Bild davon, wie Jesus unsere Opfer betrachtet. Die Bibel sagt, dass die reichen Männer ihre Gaben in den Opferteller warfen. Sie gaben aus ihrem Überfluss. Aber eine gewisse arme Witwe gab zwei Scherflein. Zwei Scherflein zusammen entsprachen dem Wert der kleinsten römischen Münze. Diejenigen, die einfach aus ihrem Überfluss spendeten, erforderten von Jesus keine Antwort. Die Witwe aber, wie die Bibel sagt, gab alles, was sie für ihren Lebensunterhalt hatte, wozu Jesus sagte: „Wahrlich, ich sage euch, diese arme Witwe hat mehr in den Gotteskasten gelegt als alle, die eingelegt haben."

Vergessen wir nicht die Tatsache, dass die frühe Kirche in **Apostelgeschichte 2,44** und **Apostelgeschichte 4,32** all ihren Besitz und ihr Land verkaufte und es denen gab, die Bedürfnisse hatten.

Eine der Schriftstellen, die dieses wertvolle Prinzip der radikalen Opfergabe bekräftigt, ist **2. Korinther 8,2**:

2. Korinther 8,2

2 Sie haben sich nicht nur in schwerer Bedrängnis bewährt, sondern ihre übergroße Freude und ihre tiefe Armut haben sich in den Reichtum ihrer Freigebigkeit verwandelt.

Die mazedonische Kirche, die von Armut betroffen war, gab radikal aufopfernd und über ihre Möglichkeiten hinaus. Sie waren nicht davon besessen persönliche Schätze anzulegen, persönliche Reichtümer zu erwerben oder gar ihre eigenen persönlichen Bedürfnisse zu befriedigen. Sie gaben aufopfernd für andere und vertrauten darauf, dass Gott sie segnen würde, niedergedrückt, zusammengeschüttelt und überfließend.

In **Matthäus 7,11** haben wir eine Verheißung von Gott, die niemals versagen wird:

Matthäus 7,11-12

11 Wenn ihr nun, da ihr böse seid, euren Kindern gute Gaben zu geben wisst, wie viel mehr wird euer Vater

im Himmel denen Gutes geben, die ihn bitten.

12 Alles nun, was ihr wollt, dass euch die Menschen tun sollen, das tut ihr auch ihnen; denn dies ist das Gesetz und die Propheten.

Gott wird Sie segnen, wie Sie andere segnen und wie Sie geben, um seine Vision vom Reich Gottes zu ermöglichen!

Man kann Gott nicht beim Ausgeben überbieten!

Die Bibel gibt Klarheit darüber, wie wir geben sollen:

❖ Wir sollten fröhlich geben! (**2. Korinther 9,7**)

❖ Unser Geben sollte von Liebe motiviert sein! (**1. Korinther 13,3**)

❖ Wir sollten Gott mit den ersten Früchten unseres Reichtums ehren! (**Sprüche 3,9**)

❖ Wir sollten mit dem richtigen Geist geben! (**Matthäus 6,2**)

❖ Wir sollten jedem geben, der bittet! (**Lukas 6,30**)

❖ Wir sollten großzügig geben! (**Sprüche 3,27**)

Werfen Sie einen Blick auf einige der Versprechen, die mit radikal aufopferndem Geben verbunden sind:

❖ Es wird demjenigen gut gehen, der großzügig gibt! (**Psalm 112,5**)

❖ Sie werden gesegnet sein, wenn Sie großzügig

geben! (**Sprüche 22,9**)

❖ Ihre Kinder werden wegen Ihrer Großzügigkeit gesegnet werden! (**Psalm 37,26**)

❖ Die Arbeit Ihrer Hände wird gesegnet sein! (**Sprüche 3,9; Sprüche 11,25**)

❖ Sie werden glücklich sein, wenn Sie großzügig sind! (**Apostelgeschichte 20,35**)

❖ Sie werden reicher werden! (**Sprüche 11,24**)

❖ Gott selbst wird Ihre Bedürfnisse erfüllen! (**Philipper 4,19 & Sprüche 28,27**)

Die Verheißungen Gottes, die mit radikaler Opferbereitschaft verbunden sind, sind zu groß, um sie in diesem Buch aufzulisten. Sie sind maßgeblich, als dass seine Kirche sie ablehnen könnte.

Lassen Sie mich an Ihr spirituelles Empfinden appellieren:

❖ Keine Angst mehr!

❖ Kein Zurückhalten unserer Einkünfte vor dem Herrn mehr!

❖ Kein Zögern mehr!

❖ Wir geben nicht mehr einfach aus unserem Überfluss heraus!

Wir, Gottes radikal apostolische Kirche, werden den

machtproduzierenden, apostolischen Wechsel zu der glaubenserfüllten Disziplin des radikalen Opfergebens vollziehen!

Wir können es kaum erwarten, die Zeugnisse der finanziellen Wunder zu hören, die Gott Ihnen schenken wird, wenn Sie radikal für das Reich unseres großen Gott opfern!

DIE BELOHNUNG

KAPITEL VI
Radikale Apostolische Realität

*"Gott hat uns in Christus Jesus das Privileg verliehen,
über der gewöhnlichen, menschlichen Lebensebene
zu leben. Diejenigen, die gewöhnlich sein, und auf
einer niedrigeren Ebene leben wollen, können das tun,
aber was mich betrifft, so werde ich es nicht tun."*
Smith Wigglesworth

*"Ich kann durch die Kraft des Geistes sagen, wo
immer Gott ein Volk bekommen kann, das im Wort
Gottes einmütig und einträchtig zusammenkommt,
dass die Taufe des Heiligen Geistes auf sie
fallen wird, wie im Haus des Kornelius."*
William J. Seymour

*"Der Zweck eines geisterfüllten Lebens ist es, die
übernatürliche Kraft unseres lebendigen Gottes
zu demonstrieren, so dass die nicht errettete
Menschenmenge ihre toten Götter aufgibt,
um den Namen des Herrn anzurufen
und erlöst zu werden. "*
T.L. Osborn

1. Korinther 2,4-5
4 Mein Wort und meine Predigt beruhten nicht
auf der Überredungskunst menschlicher Weisheit,

sondern auf der Beweisführung des Geistes und der Kraft Gottes.

5 Euer Glaube sollte sich nicht auf menschliche Weisheit gründen, sondern auf die Kraft Gottes.

In diesen letzten Tagen sind wir Zeugen einer beispiellosen Demonstration der Macht Gottes in Kirchen, Städten und Nationen auf der ganzen Welt!

Ich hatte das Privileg, viele unglaubliche Ausgießungen des Heiligen Geistes und Tausende Wunder auf der ganzen Welt zu sehen. Ich habe miterlebt, wie Gottes Macht in religiöse Institutionen einbrach, die politische Opposition überholte und soziale Barrieren auflöste!

Lassen Sie mich einige der Zeugnisse der Taufe des Geist Gottes erwähnen, die wir in jüngster Zeit rund um den Globus erlebt haben:

- ❖ In Manilla erfüllte Gott in einer Versammlung mindestens 8,000 Menschen mit dem Heiligen Geist!
- ❖ In Bangladesch erfüllte Gott in einer Versammlung über 7,000 Menschen mit dem Heiligen Geist, und es wurde von über 7,000 Wunder berichtet!
- ❖ In Pakistan erfüllte Gott in einer Versammlung über 300 Menschen mit dem Heiligen Geist!
- ❖ In Madagaskar erfüllte Gott in einer Versammlung mindestens 1,700 Menschen mit dem

Heiligen Geist!

❖ In Malawi erfüllte Gott während des Evangelisations-Wochenendes mindestens 3,000 Menschen mit dem Heiligen Geist!

❖ In Guatemala erfüllte Gott in einer Versammlung etwa 858 Menschen mit dem Heiligen Geist!

❖ In Thailand erfüllte Gott in einer einzigen Versammlung 284 Menschen mit dem Heiligen Geist!

❖ In Haiti erfüllte Gott in einer Versammlung 584 Menschen mit dem Heiligen Geist!

❖ In Mindanao erfüllte Gott in einer einzigen Versammlung 1,555 Menschen mit dem Heiligen Geist!

Zusätzlich zu diesen großen Ausgießungen des Geist Gottes haben wir gesehen, wie ganze Organisationen der Dreifaltigkeit die Offenbarung des mächtigen Gottes in Christus empfangen und in den Namen Jesus erneut getauft und mit dem Heiligen Geist erfüllt wurden.

Im März 2020, während der COVID-19-Pandemie, erhielten wir einen Anruf von einem Pastor in Duisburg, Deutschland. Er sagte uns, dass wir eine rumänische Pfingstkirche in Essen, Deutschland besuchen mussten.

Am 1. März 2020 fuhr meine Familie nach Essen, um sich mit Pastor Cantemir Floarea zu treffen. Wir empfanden diese Kirche als liebevoll, großzügig und leidenschaftlich. An diesem Abend predigte ich über die Kraft des Namens Jesu.

Jeder Rumäne im Gebäude kam zum Altar, weinte und rief zum Namen des Herrn. Viele wurden mit dem Heiligen Geist erfüllt und sprachen in anderen Zungen, genau wie in den biblischen Aufzeichnungen.

Nach diesem Gottesdienst bat uns Pastor Floarea, am 12. März 2020 wiederzukommen, um in einer anderen rumänischen Pfingstkirche in Gelsenkirchen, Deutschland zu predigen.

Ich kehrte mit meiner Familie zusammen mit Bruder und Schwester Nathan Hulsman, Missionare für die Schweiz, zurück. Die Gemeinde war voll von Männern, Frauen und Kindern, die hungrig nach der Darstellung und der Kraft unseres mächtigen Gottes waren.

Der Heilige Geist fiel am Ende des Gottesdienstes. Gott erfüllte 36 dieser kostbaren Menschen mit dem Heiligen Geist. Über 50 Menschen berichteten vom bemerkenswerten Wundern.

Zum Zeitpunkt der Verfassung dieses Buches wurde mit den Gemeinden in Essen und Gelsenkirchen abgestimmt, ihre Mitglieder in den Namen Jesus zu taufen. Das ist die apostolische Wirklichkeit!

Wir müssen vom Denken wegkommen, dass die Erweckung kommt, und uns zu einem Denken hinbewegen, dass die Erweckung schon hier ist!

Die Offenbarung der Taufe im Namen Jesus durchzieht die Völker! Der Heilige Geist wird in Länder ausgegossen, die dem Christentum lange verschlossen waren! Die ganze Erde wird mit der Herrlichkeit des Herrn erfüllt! Niemand und nichts kann aufhalten, was Gott in diesen letzten Tagen tut!

Der Herr hat zu mir über die Notwendigkeit gesprochen, dass die Kirche dem Geist der Angst widerstehen muss! Wir werden mit Informationen überschwemmt, die Angst in unseren Herzen schüren. Die etablierten Nachrichtenagenturen säen täglich schamlos die Saat von Panik und Angst aus.

Soziale Mediengiganten und politische Rechtsträger übermitteln falsche Aussagen über Pandemien, über die Wirtschaft und soziale Fragen. Es ist eine Zeit, in der Jesus in Lukas 21:26 versprochen hat, dass die Herzen der Menschen sie aus Angst vor dem, was in der Welt geschieht, im Stich lassen würden.

In **Matthäus 6** und **Markus 13** gebietet Jesus:

❖ Haben Sie keine Angst um Ihr Leben!
❖ Haben Sie keine Angst davor, was Sie essen und trinken werden!

- ❖   Haben Sie keine Angst vor Ihren Bedürfnissen!
- ❖   Haben Sie keine Angst vor morgen!
- ❖   Haben Sie keine Angst vor dem, was Sie sagen werden!

Matthäus 6,26

26 Seht die Vögel unter dem Himmel; denn sie säen nicht, sie ernten nicht und sammeln nicht in Scheunen; und doch ernährt sie euer himmlischer Vater. Seid ihr nicht viel besser als sie?

Matthäus 6,28-30

28 Und warum denkt ihr an die Kleidung? Betrachtet die Lilien auf dem Felde, wie sie wachsen; sie mühen sich nicht ab und spinnen auch nicht:

29 Und doch sage ich euch, dass auch Salomo in all seiner Herrlichkeit nicht wie einer von diesen gekleidet war.

30 Darum, wenn Gott das Gras auf dem Feld, das heute steht und morgen in den Ofen geworfen wird, so kleidet, wird er euch, ihr Kleingläubigen, nicht viel mehr kleiden?

Wir dürfen der Pandemie und der Angst in unserer Welt nicht zum Opfer fallen! Wir sind keine gewöhnlichen Männer und Frauen! Wir sind die *radikal-apostolische* Kirche, die aus Wasser und Geist wiedergeboren wurde!

Ich sage nicht, dass jedes Anliegen oder Problem nur

Einbildung ist. Viele der Herausforderungen unserer Welt sind unbestreitbar real. Aber selbst die Realität von Krise und Chaos ist der Realität Gottes und seiner Kirche untergeordnet. Wir müssen unseren Glauben an die apostolische Realität der Macht Gottes und seinen Verheißungen an die Kirche in den letzten Tagen knüpfen.

Jesus sagte uns in Matthäus 6,33

33 Ihr aber trachtet zuerst nach dem Reich Gottes und nach seiner Gerechtigkeit, so wird euch dies alles hinzugefügt werden.

Von welcher Realität sind Sie besessen, vom Reich dieser Welt oder vom Reich Gottes? Ich vertrete nicht die Ansicht, dass Sie diese gegenwärtige Welt ignorieren sollten, aber ich erinnere Sie daran, zuerst das Reich Gottes zu suchen. Wenn die wichtigsten Fakten in Ihrem Leben aus den Mainstream-Medien stammen, wird Ihr Dienst dadurch zur Geisel. Wenn die wichtigsten Fakten aus der Bibel stammen, wird sie Ihren Dienst freigeben.

Paulus mahnt uns in **Kolosser 3:2**, unsere Zuneigung auf die Dinge von oben zu richten, nicht auf die Dinge dieser Welt. Wählen Sie selbst, nach welcher Realität Sie leben wollen. Entscheiden Sie sich dafür, Ihren Glauben zu nähren und nicht Ihre Ängste.

Wenn Ihr Lebensmantra lautet, dass die Welt schlecht

ist und immer schlimmer wird, haben Sie nicht Unrecht. Wenn Sie sich dafür entscheiden zu glauben, dass Gott gut ist und dass er sein Werk durchführt, liegen Sie nicht falsch. Wählen Sie Ihre Realität.

Wir können nicht zulassen, dass Angst die globale Kirche Gottes infiziert. Wir können nicht zulassen, dass Furcht die Art und Weise beeinflusst, wie wir dem Volk Gottes dienen. Wir können nicht zulassen, dass Furcht die Art und Weise verändert, wie wir in unseren biblisch-apostolischen Diensten arbeiten.

Wir dürfen unsere "apostolische Wirklichkeit", die Paulus erklärt hat, nicht vergessen:

2. Timotheus 1,7
7 Denn Gott hat uns nicht den Geist der Furcht gegeben, sondern den Geist der Kraft, der Liebe und des gesunden Verstandes.

Wenn Gott Ihnen keine Angst gegeben hat, kann sie nicht bestehen!
Wenn die Furcht nicht vom Herrn kommt, hat sie keinen Platz in Ihrem Leben!

Wir haben eine apostolische Realität, die sicher ist, unabhängig davon, was in der Welt geschieht.

Unsere "apostolische Realität" besteht darin, dass wir die Macht dazu haben:

❖ Sehen Sie wie die Toten erweckt werden

und wieder Leben! **(Johannes 11,38-44, Markus 7,8-11 & Apostelgeschichte 9)**

❖ Die Blinden sollen sehen! **(Johannes 9,1-7 & Matthäus 9,27-31 & Markus 8,22-26 & Markus 18,35-43)**

❖ Die Tauben hören! **(Markus 7,31-37)**

❖ Krankheiten auf wundersame Weise heilen! **(Markus 17,11-19)**

❖ Sprechen Sie das Wort des Glaubens und schöpferische Wunder werden sich manifestieren! **(Markus 22,50-51)**

❖ Legt den Gelähmten die Hände auf, und sie werden gehen! **(Apostelgeschichte 3,2-11)**

Gottes Aufklärung und Macht ist unsere "apostolische Wirklichkeit"!

Apostelgeschichte 1,8

8 Ihr werdet aber Kraft empfangen, nachdem der Heilige Geist auf euch gekommen ist …

Matthäus 10,1

1 …er gab ihnen Macht gegen unreine Geister, um sie auszutreiben und alle Arten von Krankheiten und Leiden zu heilen.

Markus 16,17-18

17 Und diese Zeichen werden denen folgen, die

glauben: In meinem Namen werden sie die Teufel austreiben; sie werden in neuen Zungen reden;

18 Sie sollen Schlangen aufnehmen; und wenn sie etwas Tödliches trinken, soll es ihnen nicht schaden; sie sollen die Hände auf die Kranken legen, und sie sollen genesen.

Die "apostolische Realität" besteht darin, dass Gottes apostolische Kirche die Lösung für jede globale Pandemie und jeden gesellschaftlichen Zusammenbruch ist!

Jesus versprach seiner Kirche:

Johannes 14,12-14

12 Wahrlich, wahrlich, ich sage euch: Wer an mich glaubt, der wird die Werke, die ich tue, auch tun; und er wird größere Werke als diese tun, weil ich zu meinem Vater gehe.

13 Und was immer ihr bitten werdet in meinem Namen, das will ich tun, damit der Vater verherrlicht werde im Sohn.

14 Wenn ihr in meinem Namen um etwas bitten werdet, so will ich es tun.

In **Apostelgeschichte 4,33** bezeugten die Apostel die Auferstehung von Jesus mit großer Kraft!

In **Apostelgeschichte 6,8** war Stephanus voller Glauben und Kraft. Er tat große Wunder und Wundertaten!

Unsere "apostolische Wirklichkeit" besteht darin, dass die Darstellung und die Kraft des Heiligen Geistes durch unsere geistlichen Adern fließt. Wir sollten sprechen, führen und handeln, als hätten wir die Kraft Gottes in uns!

Gott positioniert seine *radikal-apostolische* Kirche überall auf der Welt, damit wir in diesen letzten Tagen seine Vision der globalen Ernte sehen und verwirklichen können!

Lassen Sie mich einige Dinge an Ihr spirituelles Empfinden richten:

- ❖ Es ist an der Zeit, dass diese *radikal apostolische* Armee die Festungen der Angst niederreißt, die unser Leben, unsere Ämter, Städte und Völker plagen!
- ❖ Es ist an der Zeit, die ängstlichen Vorstellungen zu überwinden, die das Potenzial des Königreichs einschränken!
- ❖ Der Geist der Angst hat sich arrogant erhoben!
- ❖ Aber die *radikal-apostolische* Kirche wird der Angst das Rückgrat brechen, und zwar jetzt, im Namen Jesus!
- ❖ Wir werden zu unserer "apostolischen Wirklichkeit" erwachen!
- ❖ Wir werden uns nicht darüber unterhalten, was der Feind und die Welt uns gegeben hat.

❖ Wir werden in unseren Herzen, in unseren Gedanken, in unserem Glauben und in unserem Geist das feiern und verherrlichen, was Gott selbst uns gegeben hat!

❖ Wir müssen mutig das Wort Gottes predigen!

❖ Wir müssen mutig den Kranken die Hände auflegen, und sie werden genesen!

❖ Wir müssen das Wort des Glaubens mutig aussprechen!

❖ Wir müssen mutig sein, die Massen zu taufen, indem wir sie in den einzigen rettenden Namen Jesus eintauchen!

❖ Wir müssen mutig sein, die Menschen zum Heiligen Geist durchzubeten!

❖ Wir müssen mutig das Evangelium in die ganze Welt tragen!

Warum lesen Sie dieses Buch? Vielleicht ist es zur Information oder Inspiration, aber ich vermute, dass Sie den Ruf Gottes verspüren, *radikal- apostolisch* zu sein.

Vielleicht erwarten Sie eine apostolische Darstellung des Geistes des Herrn.

Ich erkläre die Darstellung des Geistes und der Kraft des allmächtigen Gottes im Namen Jesus als die Ihre! Sie werden in diesen letzten Tagen mächtig von Gott gebraucht werden!

Gott wird Sie verwenden, um einen globalen Einfluss zu nehmen, bevor die Posaune ertönt! Lassen Sie mich jetzt das Gebet des Glaubens über Sie beten:

„Durch die Autorität des Wort Gottes, durch die Macht des Namens Jesus und durch die Macht des Heiligen Geistes, der auf Sie fällt, während Sie diese Worte lesen: wird eine übernatürliche Salbung Ihnen in diesem Augenblick verliehen und freigesetzt, in Jesus Namen! Eine Taufe mit radikal-apostolischer Darstellung und Kraft des Heiligen Geistes kommt gerade jetzt auf Ihre Leitung und Ihr Amt, im Namen Jesus! Eine radikal-apostolische Kühnheit und Autorität kommt gerade jetzt auf Sie zu, im Namen Jesus! Eine radikal apostolische Gabe des Glaubens kommt in diesem Augenblick über Sie, im Namen Jesus!"

Hebt eure Hände hoch und feiert das, womit Gott euch gerade tauft!

KAPITEL VII
Radikale Zeugenaussagen

Während ich dieses Buch schrieb, wurde mir klar, dass der Herr uns eine Vielzahl an Zeugnissen gegeben hat, die ich nicht den Kapiteln zuordnen konnte. Sie mussten jedoch erzählt werden.

Was Sie jetzt lesen werden, ist ein Beweis dafür, dass die Kraft Gottes in unserer Generation wirkt.

Wunder und Ausgießungen des Heiligen Geistes sind keine Relikte der Vergangenheit. Sie geschehen genau jetzt, überall auf der Welt.

Ich bete dafür, dass diese Zeugnisse Ihren Glauben starken Antrieb geben und Sie dazu ermutigen, in Kühnheit hervorzutreten, damit Sie die Ausgießung des Heiligen Geistes und die Wunder mit eigenen Augen sehen können!

Pastor David E. Myers
Ostwind-Pfingstkirche

Palm Bay, Florida

„Vor den Toren der Vereinigten Staaten liegt das ärmste Land der westlichen Hemisphäre, Haiti. Mit nur 10 714 Quadratmeilen und geschätzten 10,8 Millionen Einwohnern ist Haiti ein Ort der Dunkelheit, großer Armut und Verzweiflung. Sie werden nicht viele Kreuzfahrtschiffe oder Touristenmassen finden, nur zahlreiche Konklaven des Voodoo und der Dämonenverehrung. Es ist kein beliebter Ort für Hochzeitsreisen. Es ist ein Ort voller Schmerz und Misstrauen. Es ist ein Ort, an dem die Bedürfnisse der Befriedigung bei weitem überwiegen. Hoffnung ist ein ferner Traum, und Schmerz ist eine tägliche Mahnung. Haiti ist ein verzweifeltes Missionsfeld.

Kürzlich kehrten wir spät in der Nacht von unserem Evangelisationsort in St. Marc, Haiti in unser Hotel zurück. Wir stießen immer wieder auf eine Straßensperre nach der anderen, wo bewaffnete Banditen waren, die sich in der Dunkelheit versteckt hielten. Sie verbarrikadierten die Straßen, so dass Fahrzeuge nicht passieren konnten. Wir fuhren durch drei verschiedene Barrikaden ohne Zwischenfälle, stießen aber schließlich auf eine Straßensperre aus Felsblöcken und Betonhindernissen, an der wir nicht vorbeifahren konnten. Jordan, unser Freund und Sicherheitsbeamter, der auch den Präsidenten von Haiti beschützte, fuhr mit mir in einem Konvoi von vier Vans. Er befahl, das Fahrzeug anzuhalten und dass alle in den Vans bleiben sollten. Jordan näherte sich mit gezogener Neun-Millimeter-Pistole der Barrikade. Er beseitigte das Hindernis, als Schüsse fielen. Der Staub von Kugeln, die auf die Felsbrocken um Jordan herum aufschlugen, versprühte sich in der Luft. Jordan versuchte den Kugeln auszuweichen und erwiderte das Feuer. Gleichzeitig versuchte er geschickt Felsbrocken zur Seite zu rücken. Geschosse und großen Steine kamen von beiden Seiten der Straße auf uns zu. Der schwarze Hintergrund der Nacht und die Schüsse verrieten, dass wir uns in einem Hinterhalt befanden!

Irgendwie war es Jordan gelungen, genügend Felsbrocken der Straßensperre wegzurücken, so dass wir weiterfahren konnten. Alle vier Kleinbusse fuhren durch die Sperrung durch, ohne dass jemand angeschossen oder verletzt wurde. Als wir in unserem Hotel ankamen, erzählte uns Jordan, dass er beim Rückblick auf die Vans, Schilder um unsere Fahrzeuge herum gesehen hatte. Gott schützte sein Volk! Jordan empfing in der Evangelisation den Heiligen Geist und gab Gott die ganze Ehre. Es gab noch weitere 536 Menschen, die Gott mit seinem Geist erfüllte, und über 200 berichteten von bemerkenswerten Wundern. Für viele endet die Geschichte hier, aber nicht für apostolische Pfingstler, die glauben, dass jeder die Wahrheit hören soll ..."

Missionar Charles G. Robinette
General Superintendent von Deutschland, Schweiz,

Liechtenstein und Österreich

Im Jahr 2008 führte das A-Team in der Stadt Lilongwe, Malawi unseren ersten Kreuzzug. Die Teamleiter waren Bischof Daniel Garlitz, Pastor Charles Wright, Pastor Greg Hurley, Pastor David Bounds, Pastor Robert Gordon und ich selbst.

Wir hatten großes Vertrauen und investierten einen beträchtlichen finanziellen Betrag, um einen großen Kreuzzug für die Bevölkerung in Malawi zu ermöglichen. Bei der Ankunft war die Veranstaltung nicht so gut organisiert oder geworben worden, wie uns gesagt worden war. Pastor David Bounds drückte es richtig aus, als er sagte: „Wir hatten 10 000 Menschen erwartet, aber nur 350 nahmen an dem Treffen teil."

Erstaunlicherweise erfüllte Gott 336 mit dem Heiligen Geist, und 44 wurden trotz aller Herausforderungen und trotz der spärlichen Anwesenheit in den Namen Jesus getauft.

Nach diesem ersten Evangelisationseinsatz begannen wir, mit den nationalen Gemeindeführern zusammenzuarbeiten, um sie auf eine größere Ernte im Land Malawi vorzubereiten.

Um Ihnen einige der Herausforderungen näher zu bringen, die wir zu Beginn der A-Team-Bemühungen in Malawi erlebt haben, möchte ich Ihnen ein weiteres Wunder mitteilen.

Während der Durchführung eines Trainingsseminars

für Altardiener in Malawi wurde deutlich, dass keines der über hundert Mitglieder des nationalen Dienstteams jemals den Heiligen Geist empfangen hatte. Einige schienen über das, was wir lehrten, verwirrt zu sein, andere lehnten strikt ab.

Ich beugte mich zu Bischof Garlitz hinüber und sagte: „Ich glaube nicht, dass einer dieser Diener den Heiligen Geist hat und in anderen Zungen gesprochen hat."

Bischof Garlitz sagte: „Nein, das sind malawische Prediger, ihre Ehefrauen und die Mitglieder des Dienstteams kommen aus ihren Ortsgemeinden."

Je länger wir lehrten, desto offensichtlicher wurde es, dass die lehrmäßige und spirituelle Verbindung nicht vorhanden war.

Irgendwann beugte sich Bischof Garlitz zu mir hinüber und sagte: „Tue, was immer du im Heiligen Geist zu tun müssen glaubst."

Als ich die Kanzel ergriff, bat ich alle aufzustehen, die noch nie den Heiligen Geist gemäß der Bibel empfangen und in anderen Zungen gesprochen hatten. Fast der ganze Raum stand auf. Also baten wir sie, sich zu setzen, und fragten sie erneut, um dafür zu sorgen, dass sie uns nicht missverstanden hatten. Wieder stand fast jeder im Raum auf! Prediger und Pastoren, die mit mir auf der Bühne waren, standen auf, damit das Publikum den Heiligen Geist empfangen konnten! Wir führten sie in ein Bußgebet, und als wir begannen, das Wort des Glaubens auszusprechen, fiel der Strom aus (eine Gewohnheit in Malawi). Die Tonanlage und das Licht waren weg. Der

Raum war völlig dunkel. Man konnte überhaupt nichts sehen.

Wir haben das Wort des Glaubens so laut ausgesprochen, wie wir konnten! Ohne Mikrofon und ohne Licht! Dann brach ein geistlicher Wind los und ein großes Tosen vom Himmel erfüllte die Dunkelheit! Es klang, als würde Wasser durch den Raum rauschen. Dann gingen die Lichter wieder an und jeder im Raum weinte und sprach in anderen Zungen!

Dies war offensichtlich ein einflussreicher Moment für die Bevölkerung in Malawi.

Als die Ausbildung und die spirituelle Reife des Feldes zu wachsen begannen, begann Gott ein beispielloses Werk in Malawi zu tun.

Von der ersten Evangelisation im Jahr 2008 bis zur letzten Malawi A-Team-Evangelisation im Jahr 2017 haben wir erlebt, wie Gott mindestens 10 665 Menschen mit der Gabe des Heiligen Geistes erfüllt hat, mindestens 1 440 in den Namen Jesus getauft wurden, mindestens 192 Blinde ihr Augenlicht und mindestens 83 Taube ihr Gehör erhielten, mindestens 75 Menschen, die sichtbare Tumore hatten, geheilt wurden. Wir sahen zu, wie sie durch die Kraft des allmächtigen Gottes verschwanden. Mindestens 1 167 bezeugten, von allen möglichen Krankheiten auf wundersame Weise geheilt worden zu sein und ungefähr 15, die gelähmt in die Evangelisationsgottesdienste gebracht worden waren, wurden wieder völlig geheilt!

Pastor David Bounds
Parkersburg, West Virginia

„Während meines Dienstes in Lilongwe versuchte ein Mann, der von Dämonen besessen war, mich während der Predigt anzugreifen. Als er auf mich zukam, blieb er etwa auf halbem Weg zur Kanzel stehen. Es schien, als ob er mit der Faust gegen etwas oder jemanden kämpfte. Er schwang seine Arme, als ob er von unsichtbaren Bienen angegriffen worden wäre. Keiner von uns war auf das, was als Nächstes geschah, vorbereitet. Irgendetwas hob diesen Mann auf fast sechs Meter hoch in die Luft und warf ihn gegen eine Ziegelmauer. Als er die Mauer traf, brach er sich das Bein. Wir waren erstaunt!

Die Ältesten des Kreuzzugs- und das Sicherheitsteams brachten ihn zum Altar und Gott heilte sein Bein auf wundersame Weise ! Er ging mit einem Wunder nach Hause. Er brachte daraufhin seine Familie zurück, und alle drei Personen empfingen die Gabe des Heiligen Geistes und wurden in den Namen Jesus getauft.“

„Während eines unserer frühen A-Team-Evangelisationen, als die lokale Verwaltung und Organisation noch nicht voll entwickelt war, kamen wir auf das Evangelisationsgelände und mussten feststellen, dass außer uns und einem nationalen Vertreter niemand dort war. Das ganze Feld war leer bis auf eine Versammlung von Geisterbeschwörer (ich glaube, man nannte sie Zionisten), die am Rande des Evangelisationsgeländes ein Feuer errichteten. Diese Geisterbeschwörer waren völlig vom Teufel besessen. Als unser Team ankam, bedeckte der Rauch

ihres Feuers das Fußballfeld. Sie verbrannten Plastik und Maisseide, um den Kreuzzug zu verhindern. Wir stiegen alle aus dem Fahrzeug aus. Wir begannen Gott zu bitten, die Richtung des Windes zu ändern und auf den Marktplatz zu blasen, denn der Rauch wehte uns direkt ins Gesicht. Sobald wir alle anfingen zu beten, änderte der Wind sofort seine Richtung! Er blies den gesamten Rauch vom Fußballfeld weg und auf den Marktplatz. Die Geisterbeschwörer beschworen und verfluchten die Mitglieder des A-Teams. Sie hatten große schwarze Schlangen, mit denen sie tanzten und über ihren Köpfen schwangen. Aufgrund ihrer Gegenwart und der Angst vor ihren Flüchen hatten die Menschen in Malawi einfach zu viel Angst, um sich auf dem Spielfeld zu versammeln. Sogar der nationale Leiter empfahl uns, zu gehen und an diesem Abend keinen Gottesdienst abzuhalten. Bruder Robinette und ich verließen mit einem Übersetzer das Podium und begannen über das Feld zu gehen und riefen den Namen Jesus den Geisterbeschwörern zu! Wir fingen an sie zu ermahnen und der Übersetzer übersetzte alles in Chichewa. Diese Geisterbeschwörer regten sich noch mehr auf. Einer wurde so wütend, dass er den Kopf der schwarzen Schlange in seinen Mund nahm. Der Schwanz der Schlange wickelte sich um seinen Kopf. Der Geisterbeschwörer begann mit dem Schlangenkopf im Mund zu singen und seine Augen rollten zurück, bis man nur noch das Weiße seiner Augen sehen konnte. Wir fuhren einfach fort, das Blut von Jesus zu verlauten! Als der Geisterbeschwörer merkte, dass wir keine Angst vor ihm hatten und dass seine Beschwörungen und Flüche nicht funktionierten, packte er schließlich die Schlange am

Schwanz und versuchte, die Schlange Bruder Robinette und mir zuzuwerfen. Wir standen nur da und bekräftigen die Kraft des Blut Jesu. Irgendwann flohen die Geisterbeschwörer aus Angst vor unserem Gott vom Feld! Sobald der Unfug beendet war und die Menschen in Malawi gesehen hatten, was unser Gott mit den Geisterbeschwörer getan hatte, versammelten sie sich in großer Menge am Abend. Sie wurden mit dem Heiligen Geist erfüllt und im Namen Jesus getauft! Viele Malawier, die vom Teufel besessen waren, wurden in dieser Nacht während des Evangelisation-Gottesdienstes befreit."

„In Lilongwe geschah eine weitere einschneidende Erfahrung. Während des Gottesdienstes trugen die Bürger einige gelähmte Männer auf Karren auf das Feld. Sie platzierten sie auf der rechten Seite der Plattform, ungefähr 100 Meter entfernt. Sie setzten sie ab, damit sie die Verkündigung des Wort Gottes hören konnten. Nachdem wir über Buße und den Glauben an Gott gepredigt hatten, sprachen wir das Wort des Glaubens aus. Diese gelähmten Männer wurden auf wundersame Weise geheilt! Sie standen von ihren Feldbetten auf und kehrten völlig geheilt im Namen Jesus nach Hause zurück! Der dort zuständige General Superintendent von Malawi, Bischof Kabbalah bestätigte gemeinsam mit dem Missionar Roy Well dieses beispiellose Wunder."

Pastor Charles Wright
Nashville, Indiana

„Während einer Evangelisation in Mzuzu, Malawi befanden sich das Team und die nationale Kirche mitten in einem Heilungsgottesdienst. Als sich eine Gebetskette bildete, kam ein junges Paar, Mitte 20, zum Gebet hinzu. Sie waren ordentlich gekleidet. Man merkte, dass es sich nicht um ein junges Paar aus dem Dorf handelte. Sie beteten an, beteten am Altar, und man merkte, dass sie Gott liebten und ihm vertrauten. Ich hatte sie zuvor schon unter der Woche bemerkt, und mir fiel auf, dass sie keine Kinder hatten. Das war wirklich merkwürdig für ihre Kultur. Als die Gebetskette sich bewegte, wurden die Menschen durch die Kraft Gottes, die sich bewegte, geheilt und gesegnet. Ich schaute auf. Dort stand dieses Paar mit Tränen im Gesicht vor mir. Als das Team ihnen die Hände auf den Kopf legten und anfingen für sie zu beten, wurde ein Wort der Prophezeiung gesprochen. Es wusste keiner zu diesem Zeitpunkt von ihrem Problem: „Fürchtet euch nicht. In dieser Nacht werdet Ihr geheilt werden. Von diesem Tag an seid Ihr ganz. Ihr werdet gesund sein. Eure Kinder werden gesund sein. Dein Mann wird gesund sein!"

Sie begannen zu jubeln, Gott anzubeten und zu loben. Als die Evangelisation zu Ende war und wir uns darauf vorbereiteten, nach Hause zurückzukehren, fragten wir den dortigen Pastor nach dem jungen Paar. Er erzählte uns, dass sie ein Leben in Sünde geführt hatten, bevor sie in die Kirche kamen. Die Frau war an AIDS erkrankt. Sie hatte Angst davor, ihrem Mann die Krankheit weiterzugeben und womöglich ihr ungeborenes Kind zu infizieren. Dies war der Grund, weshalb sie keine Kinder hatten. Zwei Jahre später waren wir in Blantyre, Malawi auf einem Kreuzzug. Derselbe Mann ging zum Altar und bat um Gebet für seine Frau und sein ungeborenes Kind. Ich erkannte ihn wieder und gratulierte ihm zu seinem Kind. Es stellte sich heraus, dass dies sein zweites Kind war, das Gebet brauchte. Das erste Kind war vollkommen gesund, aber das zweite Kind brauchte das Gebet. Wir begannen, Gott zu loben und ihm für das zu danken, was er getan hatte. Gott heilte das zweite Kind. An den Verheißungen und Wunder Gottes mangelt es nicht.

„Das erste Mal, als das Team in Malawi zusammen war, verließen wir ein Treffen mit den nationalen Gemeindeleitern. Bruder Garlitz sagte den Gemeindeleitern, dass das Team auch eine Evangelisation für die Kinder durchführen wollte. Sie waren sich nicht allzu sicher, ob sie irgendeine Art von Gottesdienst für die Kinder in Malawi anbieten sollten. Ich erinnere mich, dass Bruder Garlitz ihnen sagte, wenn sie einen Gottesdienst für die Kinder ablehnten, dann würden wir auch keine Gottesdienste für die Erwachsenen abhalten. Sie haben widerwillig nachgegeben.

Ich glaube wirklich, dass dies der Anfang von etwas Großartigem unter den Kindern Malawis und für die ganze Kirche Malawis war. Nach diesem Treffen wurde das Team in den Bus gesetzt, der zurück zum Hotel fuhr. Während unser Fahrer die Straße entlang fuhr und wir alle über die Ereignisse des Tages sprachen, bemerkte Bruder Garlitz eine seiner bekannten Ansagen: „NUN, BRÜDER, wer wird sich jetzt um diese Kinder kümmern und wer wird schauen, wie diese Kinder mit der Taufe des Heiligen Geistes erfüllt werden?"

Das ganze Team wurde still. Wir sahen uns alle an. Ich bin sicher, wir dachten alle dasselbe: „Es ist schwer genug, etwas mit englischsprachigen Kindern in einem amerikanischen Kindergottesdienst zu tun.Wie können wir das mit den Kindern mitten in Afrika tun, die eine andere Sprache sprechen?"

Ein Schrei ertönte von der Vorderseite des Busses: „WRIGHT, KÖNNEN SIE MIT DEN KINDERN IRGENDWAS TUN?" Ich sagte: „JA SIR, ICH KANN DAS."

Ich hatte keine Ahnung, dass wir in den nächsten Jahren Tausende von Malawi-Kindern mit dem Heiligen Geist erfüllt sehen würden, dass eine starke Kindergottesdienst-Abteilung entstehen würde und dass diese Kinder in Malawi ein großer Teil des Zuwachses der Kirche in Malawi werden sein würden.

Bei unserem ersten Kindergottesdienst waren etwa 40 Kinder anwesend. Das letzte Mal, als wir einen Kindergottesdienst in Blantyre hatten, waren über 2 000 Kinder im Gottesdienst.

Die Kinder liebten es, Jesus anzubeten, zu singen, zu jubeln und ihn zu preisen. Diesen Kindern beim Lobpreis zuzuschauen und zuzusehen, wie Gott sie mit dem Heiligen Geist erfüllt hat ... Was für ein Segen!!!

„Eines Abends stand das Team auf dem Podium und schaute in die Menge , als es bemerkte, dass alle Kinder goldene Sterne oder lila, orangene, oder gelbe Punkte auf der Stirn trugen. Das Team fragte mich: „Wright, was ist los mit all den Aufklebern auf den Köpfen der Kinder?"

Ich erklärte, dass wir allen Altardienern eine Karte mit Aufklebern gegeben hatten. Wenn ein Kind den Heiligen Geist empfangen hatte, wiesen wir die Altardiener an, einen Aufkleber auf ihre Stirn zu kleben. Am Ende des Gottesdienstes sagten wir den Kindern, die Aufkleber trugen, dass sie nach vorne kommen sollten. Sie sagten uns ihre Namen und wir zählten genau , wie viele den Heiligen Geist empfangen hatten.

Als wir auf dem Podium standen, wunderte das Team sich nicht, als sie alle diese Kinder mit Sternen auf ihrer Stirn sahen. Die Sterne wurden zu einem Markenzeichen. Ob Sie es glauben oder nicht, die Sterne ermutigten die anderen Kinder zu beten und noch mehr versuchten den Heiligen Geist zu empfangen, weil sie alle einen Aufkleber auf ihre Stirn haben wollten.

Man konnte leicht erkennen, wann diese Kinder den Heiligen Geist empfangen hatten. Ihr Ton und ihre Gesichter änderten sich sofort.

„Ich erinnere mich an eine Nacht in Blantyre, Malawi, in der die Sonne an diesem Abend bereits untergegangen war. Die Sterne schienen hell. Die Menschen hatten zu Ende gesungen. Der Staub hatte sich gelegt. Es war Zeit für das Wort.

Es gab zwei Lichter, die am Ende des Podiums hingen. Ein großer Scheinwerfer, der an der Wand der Bibelschule angebracht war, strahlte in die Menge hinein. An diesem Abend waren etwa 1 000 Menschen für die Evangelisation anwesend.

Das Team begann dafür zu beten, dass der Strom länger anbleiben würde, da der Strom jederzeit ohne Vorankündigung und ohne jegliche Warnung plötzlich ausfiel. Ich wurde aufgefordert, an diesem Abend zu predigen. Während ich predigte, machte ich mich auf den Weg hinaus in die Menge. Als das Wort ertönte und der Heilige Geist sich bewegte, konnte man spüren, dass etwas Großes geschehen würde. In der Mitte der Predigt, ohne jene Vorankündigung, BAMM, gingen die Lichter aus und die Lautsprecheranlage war tot!

Ich befand mich inmitten einer Menschenmenge ohne Licht und ohne Lautsprecher. Ich predigte einfach weiter und rief das Wort Gottes. Es schien, als ob das Wort einfach an die Betonwand getragen wurde und lauter gemacht wurde, so dass die Menge es hören konnte.

Als ich zum Podium zurückblickte, stand das ganze Team mit den Taschenlampen ihrer Handys in der Hand da, um ein wenig Licht zu geben.

Als ich wieder auf die Plattform zurückkam, hatte der Missionar den alten Generator wieder zum Laufen gebracht. Die Lichter gingen wieder an und das Mikrofon schaltete sich wieder ein. Alles rechtzeitig für den Altarruf.

In dieser Nacht empfingen über 365 Menschen in Malawi die Taufe im Heiligen Geist. Wir alle dachten, dass das, was der Gegner böswillig im Sinn hatte, sich für viele Menschen in Malawi als ein ganz besonderer Abend herausstellte.

Ohne Lichter und ohne Mikrofon betete und lobte die Kirche in Malawi Gott umso mehr. Nichts konnte das Wirken aufhalten, das Gott an diesem Abend tun wollte."

Pastor W. Clay Jackson, MD, DipTh
Arlington, Tennessee

„Als ich vor einigen Jahren gebeten wurde, an einer Evangelisation des A-Teams in Malawi teilzunehmen, tat ich das, was viele nordamerikanische Prediger tun - ich überprüfte meinen Kalender und mein Bankkonto und wog meine aktuellen Verpflichtungen gegen meine Zeit-, Energie- und Finanzressourcen ab. Ich zögerte, ehrlich gesagt, einer weiteren Verpflichtung, da das Leben oft mit Terminen überladen ist, zuzusagen.

Zum Glück habe ich hartnäckige Freunde, und es wurde mehr Druck ausgeübt. Man sagte mir, dass diese Erfahrung meinen Dienst verändern würde. Ich muss gestehen, dass mir diese Behauptung schwer zu glauben fiel. Damals hatte ich drei Jahrzehnte lang öffentlich gedient, und ich stellte fest, dass sich meine Gewohnheiten, Begabungen, Schwächen und meine Rolle, ob zum Guten oder zum Schlechten, alle durch wesentliche Veränderungen gefestigt hatten. Noch bevor der erste Evangelisationsgottesdienst begann, sah ich, wie falsch ich lag und wie gesegnet ich sein würde, an einem Programm teilzunehmen, dessen apostolische Salbung mit mir übereinstimmte – ja vom christlichen Charakter sogar noch überboten wurde.

Unter dem Strohdach einer Jagdhütte hörte ich stunden-lang wie gebannt zu, wie die Teamleiter ehrlich und demütig über das Wirken des Geistes, über transkul-turelle Dienste, über die Fehlbarkeit der menschlichen Gefäße, die wir sind, und über den großen Gott, der hinabsteigt, um das gesamte Unternehmen zu bev-ollmächtigen, diskutierten. Ich werde es lange als eines der erbaulichsten, ermutigendsten und erleuchtend-sten Gespräche meines Lebens in Erinnerung behalten. Nach einigen Tagen ähnlicher Gemeinschaft, Team-training und Gebet unter den nordamerikanischen und europäischen Teammitgliedern schlossen wir uns den na-tionalen Kirchenleitern Malawis und unserer Familie der globalen Missionen, für eine Zeit des zusätzlichen Gebets und der logistischen Planung, an.

Schließlich fuhr unser Team auf das Evangelisations-gelände, wo ich sofort von zwei Merkmalen der Kirche in Malawi überrascht wurde - ihre physische Armut, aber auch ihre tiefe, unverkennbare Freude. Diejenigen, die es sich leisten konnten, fuhren mit dem Fahrrad zum Treffpunkt. Die meisten kamen zu Fuß. In man-chen Fällen waren sie sogar tagelang gewandert. Als der Gottesdienst begann, hatte mich nichts in meiner vorh-erigen Erfahrung auf die Schönheit dieses gemeinsamen Singens und Tanzens vorbereitet - Musik und Bewegung waren frei, in den Zustand der Reinheit und Freude, bevor Sünde und Sinnlichkeit diese verdorben und den

Glanz des Himmels getrübt haben.

In den Kreuzzugsdiensten lief nicht alles wie geplant. Das ist in Afrika die Regel. Stromausfälle, Verspätungen, Staub, Regen und die pralle Sonne - all das trug dazu bei, dass ein nordamerikanischer Pfingstler seine bekannten Erfahrungen mit religiösem Anstand, Produktionswerten und gewohntem Komfort weit hinter sich ließ. Aber die Zusammenarbeit und Rücksichtnahme zwischen dem heimischen Team, der gastgebenden Missionarsfamilie und dem Besucherteam waren der Aufgabe gewachsen.

Und als es an der Zeit war, dass das Wort verkündet und der Geist offenbart wurde, demonstrierte der Herr seine Souveränität und Macht auf eine Weise, die nicht zu leugnen war. Ich habe persönlich miterlebt, wie Menschen von Blindheit, Taubheit und sichtbaren Tumoren geheilt wurden. Und was noch erfreulicher war, während jedes Gottesdienstes wurden Hunderte von Menschen mit der kostbaren Gabe des Heiligen Geistes erfüllt.

Ich ertappte mich dabei, für die Fehler der Vergangenheit Buße zu tun, die darin bestanden, den Geist Gottes aufgrund meiner kulturellen Erwartungen einzuschränken und unter Tränen die „Götzen der Verkaufsreligion" niederrieß.

Ich ging als ein Mann nach Malawi und kam als ein anderer zurück.

Seitdem ich mit den wertvollen Menschen in Malawi zusammengearbeitet habe, habe ich Gott nie wieder eingeschränkt, indem ich dachte, dass er etwas anderes

*braucht, um seine Ziele zu erreichen. Alles was er braucht
ist sein Wort, seinen Geist und ein williges Gefäß.*

*Ich setze diese Tat der großen Kirche Malawis geholfen
zu haben, um Seelen zu erreichen, mit jedem Aspekt der
Bereitschaft für das Reich Gottes zu arbeiten, gleich -
ich habe mehr gewonnen, als ich gegeben habe, und das
ist nicht naheliegend. Einmal in der Woche oder auch
öfter sehnen sich meine Sinne nach der afrikanischen
Morgendämmerung, wenn die ganze Welt erwacht und
darauf wartet, dass eine synkopierte Trommel den
Rhythmus des Lebens schlägt. Aber noch stärker sehnt
sich meine Seele nach der flüssigen schwarzen Nacht,
wenn der unverkennbare Aufruf der Stimmen Tausender
meiner Brüder und Schwestern in den hohen Tönen die
Dunkelheit durchdringt und Jesus unter den strahlenden
Sternen des afrikanischen Himmels verherrlicht wird."*

Pastor Chris Green
Internationaler Evangelist

*"Als ich in einer Arena inmitten von Tausenden von
Gläubigen stand und ich Zeuge des spirituellen Hungers
der Menschen wurde, konnte ich mir ein Lächeln nicht
verkneifen, denn ich wusste, dass es in dieser Woche viele
Wunder geben würde. Jesus sagte: „Selig sind, die da hungern und dürsten nach der Gerechtigkeit; denn sie werden
satt werden" (Matthäus 5,6).*

*Es kommt immer so - wo Hunger herrscht, ist eine
Aufklärung nahe. Und in Mindanao wurde diese Aussage
auf großartige Weise bewiesen. Wir erfuhren in der er-*

sten Nacht des Evangelisationstrainings, dass Mindanao wegen des fruchtbaren Bodens als "Land der Verheißung" bezeichnet wurde. Menschen aus allen Teilen der Philippinen zogen wegen des fruchtbaren Bodens nach Mindanao. Auf jeder Evangelisation, an der wir teilnahmen, gab es eine Fülle an Vorbereitungen, einschließlich konzentriertem Gebet, Fasten, Lehre und Ausbildung.

Bei dieser besonderen Evangelisation hatten wir die Gelegenheit, mit den Bibelschülern und Pastoren vor Ort zusammenzukommen, um die Konzepte des Wirkens in der Gabe des Glaubens zu lehren und auszuüben. Während wir draußen saßen, geschützt durch ein Vordach über unseren Köpfen, fing es heftig an zu regnen. Das Wasser stieg buchstäblich vom Boden an, auf dem wir saßen. Während jeder Prediger sprach, stieg das Wasser immer höher und höher und drohte die Technik lahm zu legen. Inmitten dieser Ablenkung goss Gott an diesem Abend seinen Geist über diese Männer und Frauen aus, die uns im Geist und in der Seele für die kommenden Tage der Gottesdienste vereinten.

An diesem Abend besuchten Mitglieder unseres Teams einen Gottesdienst an einem anderen Ort, wo Gott ein erstaunliches Werk vollbrachte. Das Team berichtete uns, dass bei diesem Treffen eine große Bewegung des Heiligen Geistes stattgefunden hatte. Über 20 Menschen wurden zum ersten Mal mit seinem Geist erfüllt. Es gab auch mehrere Heilungszeugnisse, darunter ein sechsjähriger gelähmter Junge.

Bruder Andreassen, eines unserer Teammitglieder aus Norwegen, machte den Altarruf, als plötzlich ein kleiner

Junge auf die Plattform getragen wurde und sich auf einen Stuhl setzte. Bruder Andreassen wurde darüber informiert, dass dieser Junge seit seiner Geburt gelähmt war und noch nie Laufen gelernt hatte. Das Team begann zu beten und legte ihm die Hände auf. Plötzlich spürte der Junge, es gibt ein Video, welches diesen Moment festhält, ein Kribbeln in den Beinen. Einen Augenblick später wurde dieses Kribbeln zu einer Kraft, die es ihm ermöglichte, zum ersten Mal in seinem Leben zu stehen und zu gehen. Er ging über das Podium. Die Menge wurde nahezu verrückt, als sie begriffen, dass dieser Junge gerade auf wundersame Weise geheilt worden war. Gelobt sei Gott!

In einem großen stadionartigen Auditorium war eine große Versammlung für unseren Kreuzzug-Gottesdienst organisiert worden. Neben diesem Stadion wurde ein großes Zelt für den Frauen-Gottesdienst aufgestellt, in dem viele Frauen mit dem Heiligen Geist erfüllt wurden. An einem Tag hielten wir an diesem Ort drei Gottesdienste ab: einen Jugendgottesdienst, einen Gottesdienst für Frauenund einen Hauptgottesdienst für alle Anwesenden. Es ist schwer, die Worte zu finden, um die Aufregung und den Glauben angemessen zu beschreiben, die in diesen Gottesdiensten herrschten. Wir hatten das Gefühl, dass wir über jede Wahrheit in der Bibel hätten predigen können, die Menschen wären mit großer Erwartung zum Altar gekommen.

Mehrere Mitglieder unseres Teams hatten die Gelegenheit, in den verschiedenen Gottesdiensten zu sprechen. Einer dieser großen Gelegenheiten ergab sich, als sie

Zeuge davon wurden, wie es war, wenn über 1 200 Menschen in einem Gottesdienst mit dem Heiligen Geist erfüllt werden. Ich werde nie das Bild vergessen, als ich hinter Bruder Robinette und neben anderen Mitgliedern unseres Teams stand, als er das Glaubensgebet über diese Gemeinde von Tausenden betete. Es fiel uns schwer, uns auf das Gebet zu konzentrieren und nicht staunend dazustehen und zuzusehen, wie der Geist fiel. Es kam uns vor, als ob wir einer Sternschnuppe oder einem Feuerwerk am vierten Juli zuschauten.

Während dieser Ausgießung des Geistes Gottes begannen wir für diejenigen zu beten, die Heilung brauchten. In diesem fremden Land wurde das Gebet für die Kranken ganz anders gehandhabt als in Nordamerika. Das Heilungsgebet war sehr strategisch, spezifisch und zielgerichtet, im Gegensatz zu einem vagen, allgemeinen Heilungsgebet. Dort sind die Menschen verzweifelt genug, dass sie alles tun, was von ihnen verlangt wird, um ihre Heilung zu erhalten. Deshalb wurden wir darauf vorbereitet, sehr sorgfältig darauf zu achten, was wir diesen Menschen sagen sollten, denn sie würden es sonst tun. Stellen Sie sich vor, das wäre ein Problem in einer nordamerikanischen Gemeinde. Aber das ist der Grund, warum in diesem Gottesdienst über 5 000 Menschen von bemerkenswerten Wunder der Heilung in ihrem Körper Zeugnis ablegen konnten. Diejenigen, die blind waren, konnten nun sehen. Diejenigen, die taub waren, konnten nun hören. Menschen mit verkrüppelten Beinen und Armen wurden geheilt.

Ganz gleich, wie oft ich erlebt habe, wie Gott das Wun-

*derbare vollbracht hat, ich bin jedes Mal, von seiner Liebe
und Macht überrascht, wenn er es aufs Neue tut.
Frei sein und Vertrauen gehen Hand in Hand. Wenn man
einmal dieser Kraft Gottes ausgesetzt ist, kann man nicht
mehr zum Durchschnitt und zur Apathie zurückkehren.*

Wenn man sieht, wie Gott Kranke heilt, kann man es
nicht unbemerkt lassen. Wenn man sich dem Wunderbaren aussetzt, stärkt das nur den Glauben, dass Gott es
wieder tun wird. Aus diesem Grund scheinen bestimmte
Älteste unter uns ständig im Wunderbaren von Gott zu
wandeln. Sie haben es im Laufe ihres Lebens so oft gesehen, dass ihr Glaube nicht aufgibt. Sich dem Wunderbaren auszusetzen, lässt keinen Platz für Unglauben.

Die Woche in Mindanao wurde mit einer einzigartigen
Erfahrung abgeschlossen, da unser Team das Privileg
hatte, an einem Tag in über 30 verschiedenen Kirchen zu
predigen. Wir teilten uns in Zweier- oder Dreiergruppen
auf, obwohl einige von uns auch alleine gingen. Meine
Mission an diesem Tag führte mich auf eine dreistündige
Autofahrt über die Insel. Obwohl ich müde und anges-
pannt war, war es einer der schönsten Reisen, die ich je
gemacht habe.

Nach einem langen, aber aufregenden Tag, an dem auf
der ganzen Insel gedient wurde, kam das Team am
Abend wieder zusammen und erfuhr, dass am gleichen
Tag über 100 Seelen den Heiligen Geist empfangen hatten. Insgesamt erfüllte Gott über 1 500 Menschen mit
dem Heiligen Geist, 68 Menschen wurden getauft, und
über 5 000 Menschen gaben Zeugnis von bemerkenswerten Wunder der Heilung an ihrem Körper ab. Das ist das

Ergebnis dessen, was geschieht, wenn ein mächtiger Gott einem hungrigen Volk begegnet; „sie sollen erfüllt werden! (Matthäus 5,6)."

„Heilt die Kranken, reinigt die Aussätzigen, erweckt die Toten, treibt die Teufel aus: frei habt ihr empfangen, frei gebt... Siehe, ich sende euch aus wie Schafe inmitten der Wölfe, seid also klug wie die Schlangen und harmlos wie die Tauben" (Matthäus 10,8.16).

Diese Anweisung, die Jesus seinen Jüngern gab, beinhaltet ein Versprechen der Deutung, eine Warnung vor Verfolgung und ein Wort der Belehrung. Bevor man in die Dimension der Deutung eintritt, muss eine bewusste Vorbereitung stattfinden. Es ist Bruder Robinette sehr ernst damit, vor und während jeder Evangelisation eine Fülle an Ausbildungsseminaren und Vorbereitungen anzubieten.

Erlauben Sie mir, Ihnen mitzuteilen, was diese Schulungen beinhalten und wie Gott ihre Bedeutung gleich in der ersten Nacht unserer Evangelisation in Bangladesch bestätigte, als über 5 000 Menschen von einer bemerkenswerten Heilung Zeugnis ablegten.

Die Einzigartigkeit dieser Kreuzzüge besteht darin, dass das Team aus Männern und Frauen aus der ganzen Welt besteht, von denen die meisten sich nicht kennen und diese Art des Dienstes zum ersten Mal erleben. Es ist unerlässlich, dass wir viel Zeit mit Lehren, Ausbildung und dem Aufbau der Einheit innerhalb der Gruppe verbringen. Da wir draußen Tausende von Menschen sehen, die den Heiligen Geist empfangen, ist dieser Teil der Reise immer mein Favorit. Der letztendliche Zweck der Ausbildung besteht darin, alle auf einer Wellenlänge zu bringen, so dass wir, wenn wir das Evangelisationsgelände betreten, eine vereinte Armee von Gläubigen sind, die sowohl effektiv als auch geschützt ist. Unvermeidlich erlebten wir auf diesen Kreuzzügen Opposition und Widerstand, sei es von Geisterbeschwörer, staatlicher Unterdrückung oder anderen Formen des spirituellen Widerstands. Deshalb ist es von entscheidender Bedeutung, vereint und vorbereitet zu sein, wenn dieser Angriff erfolgt.

In den Monaten vor der Evangelisation ist jedes Teammitglied verpflichtet, an Telefonkonferenzen teilzunehmen, um Visionen zu vermitteln und die Teammitglieder in der Arbeit mit Menschen zum Empfang des Heiligen Geistes zu schulen. Das Team trifft zwei bis drei Tage vor dem ersten Evangelisationsgottesdienst vor Ort ein, wo wir ein intensives persönliches Training und Gebetstreffen abhalten, die eine geistliche Einheit in die Gruppe bringt. Es ist immer wieder erstaunlich zu beobachten, wie die neuen Teammitglieder durch diese Trainingseinheiten in eine andere Dimension der Salbung und des Glaubens eintreten. Diese zwei bis drei Tage gehören zu den wichtigsten in der Vorbereitung auf die Evangelisation.

Für die Dauer des Aufenthalts wird alles im Team gemeinsam erlebt. Frühstück, Besichtigungen, Mittagessen, Gebetstreffen, Abendessen, Kaffee - alles wird gemeinsam gemacht, um einen Zusammenhalt und eine Einheit zu bilden. Dies kann nicht genug betont werden, um die Wirksamkeit des Kreuzzuges zu gewährleisten. Gott kann zerbrochene Gefäße benutzen, weniger aber geteilte Gefäße.

Stellen Sie sich einen Geistlichen vor, der noch nie jemandem die Hände aufgelegt hat, um den Heiligen Geist zu empfangen. Jetzt stellen Sie sich vor, Tausende zu sehen, die den Heiligen Geist empfangen. Das ist bei den meisten unserer erstmaligen Teammitglieder der Fall. Unser Team besteht oft aus Pastoren, Lobpreisleitern, Lehrern, Laienpastoren und Ehepartnern, die noch nie jemandem die Hände aufgelegt haben und dadurch ein Heilungswunder geschehen oder jemanden den Heiligen Geist empfangen sehen.

Vielleicht sind Sie gerade jetzt, während Sie dieses Buch lesen, ein Pastor, der noch nie gesehen hat, wie jemand ein Wunder empfängt, während er ihm im Gebet die Hände auflegt. Und jetzt erhalten Sie eine Einladung nach Bangladesch, um mitzuhelfen, dass Tausende muslimische und buddhistische Menschen den Heiligen Geist empfangen, die noch nie vom Heiligen Geist gehört haben.

Sie können sich vorstellen, wie wertvoll es ist, sich mit einigen Ältesten zusammenzusetzen, die seit Jahren in diesem Glauben tätig sind, um persönliche Weisheit und Ausbildung zu teilen und auf diese Weise verwendet zu werden. Dies war der Rahmen für den ersten Besuch unseres Teams in Bangladesch zu einer „Heiligen-Geist"-Evangelisation.

Im Flugzeug gab Gott eine Auslegung in anderen Zungen

und prophezeite, dass er dieses Team einsetzen würde, um Tausende von Menschen mit dem Heiligen Geist zu erfüllen. Wenn Gott im Flugzeug Zungenrede und Auslegung gibt, werden Sie sicher mit großer Erwartung ankommen. Während einer unserer Schulungssitzungen lehrte Pastor David Meyers über drei verschiedene Arten des Glaubens, die zu dieser Evangelisation gehörten: der Glaube, der befiehlt, der Glaube, der Kontakt aufnimmt und der Glaube, der abdeckt. Das Team hatte beschlossen, dass die Menge zu groß wäre, um herumzugehen und allen Heilungsbedürftigen die Hände aufzulegen. Deshalb beteten wir und glaubten, dass Gott uns mit "gebietendem Glauben" benutzen würde, d.h. einfach das Wort des Glaubens aussprechen, das befiehlt, dass Heilung stattfinden und die Krankheit verschwinden soll. Während des Altarrufs in der ersten Nacht wurde uns schnell klar, dass dies ein Problem war.

Wir schätzten, dass die Menge an diesem ersten Abend mindestens 8 000 Menschen betrug. Die Vision für diesen Gottesdienst war eine Ausgießung der körperlichen Heilung. Am Ende der Predigt ergriff Bruder Nathan Harrod die Kanzel, um das Glaubensgebet zu beten, während der Rest des Teams mit erhobenen Händen hinter ihm stand. Nachdem wir alle die Heilung "befohlen" hatten, nahmen etwa drei Personen ihre Heilung in Anspruch. Während wir für die drei dankbar waren, gab es Tausende, die die Heilung in ihrem Körper brauchten. Also beteten wir wieder und befahlen erneut, dass es Körper gab, die geheilt werden mussten. Dieses Mal erhoben sich zwei Hände und bezeugten ihre Heilung. Warum gab es nicht mehr Menschen, die geheilt worden waren? Zum

Glück spürte Bruder James Corbin, der Missionar in Bangladesch, was das Problem war. Sein Wissen über ihre Kultur gab ihm die Weisheit, dass sie nicht bereit waren für das gesprochene Wort des Glaubens, und dass sie mit jemandem Kontakt aufnehmen mussten.

Die Menschen in Bangladesch sind "empfindsame" Menschen. Es ist sehr gewöhnlich, zwei Männer, die eine rein platonische Freundschaft führen, händehaltend zu sehen. Ich habe selbst am letzten Abend herausgefunden, wie einfühlsam sie sind, als mich eine Gruppe von Männern während des Gottesdienstes direkt vom Boden hochhob und anfing, mich über ihre Köpfe zu heben, während sie Gott lobten.

Dies war ein Vorfall, der in unserem Kreuzfahrttraining nicht behandelt wurde. Bruder Corbin wandte sich an das Team und wies uns an: „Diese Leute verstehen das Wort des Glaubens nicht. Wir müssen ihnen auf ihrem Niveau begegnen und ihnen die Hände auflegen.“

Wir waren 40 im Team, die für 8 000 Personen zuständig waren, aber wir wussten, dass wir, wenn die Gaben der Heilung wirken sollten, den Suchenden auf ihrer Glaubensstufe begegnen mussten.

Im Laufe der nächsten Stunde legte das Team jedem, den sie erreichen konnten, die Hände auf, und der Geist der Heilung begann sich wie ein Lauffeuer zu bewegen. Als die Kraft Gottes fiel, erkannten die Menschen, dass es eine Verbindung zwischen der Heilung und dem Kontakt durch das Handauflegen gab.

Infolgedessen griffen diese liebenswürdigen Menschen

verzweifelt nach uns, um diesen Kontakt für ihre Heilung herzustellen. Ihr Glaube ging über alles hinaus, was ich je gesehen oder mir hätte vorstellen können. Instinktiv wurde ich fast frustriert, als die Menschen verzweifelt nach mir griffen, um mit mir Kontakt aufzunehmen. Die Menschen berührten meine Hände, meine Arme und sogar meine Schuhe und legten dann ihre eigenen Hände zur Heilung auf ihren Köpfen. Ich wollte sie davon abhalten nicht nach mir zu greifen, aber ich merkte, dass Menschen dadurch geheilt wurden. Sofort erinnerte mich der Heilige Geist an die Antwort von Jesus die er diejenigen gab, die während seines Wirkens geheilt wurden: „Euer Glaube hat euch gesund gemacht."

Ihr Glaube machte für mich keinen Sinn und passte nicht zu meiner Kultur, aber dennoch war es ein Glaube, und Gott ehrte diesen Glauben, so wie er den Glauben der Frau ehrte, die den Saum seines Gewandes berührt hat.

Als wir diesmal die geheilten Menschen aufriefen, gaben über 5 000 Menschen Zeugnis von einem bemerkenswerten Heilungswunder. Es war ein Werk Gottes, über das uns Bruder Meyer über diese verschiedenen Arten des Glaubens lehrte, die perfekt mit dem Evangelisationsgottesdienst am folgenden Abend zusammenhingen.

Ich hatte nie zuvor über die Begriffe „Glaube befehlen" und „Kontaktglaube" nachgedacht, noch hatte ich die Relevanz dieser Begriffe im Hinblick auf den Grad des Glaubens eines Suchenden in Betracht gezogen."

Pastor Jeff Mallory

Präsident von Hope Village International

„Die Philippinen sind seit vielen Jahren für das Land der Erweckung bekannt. Es war unser Privileg, im Laufe der Jahre an vielen Kreuzzügen teilzunehmen. Wir sind mit sehr gesalbten und fähigen philippinischen Leitern gesegnet worden. Sogar die Ministranten anderer Gemeinden aus anderen Ländern haben mit uns zusammengearbeitet, um sich an die Seelenernte in diesem großen Land zu beteiligen.

Etwas wirklich Außergewöhnliches geschah im Oktober 2019, als der Globale Missionar Evangelist, Bruder Charles Robinette und seine Gruppe, für die Evangelisation auf den Philippinen nach Davao kam. Die philippinischen Leiter der großen Insel Mindanao beschlossen gemeinsam im Gebet, diese Evangelisationen "Mindanao in Brand" zu nennen.

Die Menschen auf Mindanao neigen dazu, vorsichtig zu sein, wenn ein Besucher zum ersten Mal kommt, da sie Aufrichtigkeit und Absichten sehr gut spüren können. Mit dem Robinette-Team war es jedoch Liebe auf den ersten Blick. Die Begeisterung war von Anfang an spürbar. Der Zeitplan der Gottesdienste und das Errichten der verschiedenen Plattformen, sowohl innen als auch außen, waren mit Menschen vollgepackt. Das Feuer entfachte ohne das erforderliche „Aufwärmen" oder einer Einführungsphase, denn die „menschliche Fackel", Bruder Robinette, entzündete das Feuer, und das großartige Team schloss sich mit vereinten Kräften an. Die philippinischen Apostel brachten es auf eine andere Ebene, da jeder Mensch in der riesigen Menschenmenge von der mit dem Geist „gesättigten" Luft begeistert war.

Als alles gesagt und getan war, wurde die riesige Menge zum ersten Mal mit dem Heiligen Geist erfüllt. Hunderte und Aberhunderte von Wundern wurden bezeugt. Die Insel Mindanao ist sehr groß, und das Reisen stellte eine enorme Herausforderung dar. Die meisten Pastoren konnten jedoch teilnehmen, weil die Vision von Bruder Robinette darin bestand, jeden möglichen Pastor und Leiter mit einzubeziehen. Mehr als 1 000 Pastoren waren unter den gegebenen Umständen zusammgekommen. Es war eine gewaltige Aufgabe, aber mit der Hilfe des Herrn wurde sie gemeistert!

Mindanao war FEUER und FLAMME! Sie brachten das Feuer zurück in ihre Gemeinden, in den abgelegenen Gemeinden an der Küste, in den Bergen, in den Dschungel, sogar in den überwiegend muslimischen Gebieten. Das Feuer breitete sich von diesem einen Treffen auf Hunderttausende von Menschen aus. Die Menschen auf Mindanao können die Rückkehr von Bruder Robinette und seinem sehr gesalbten und mächtigen Team kaum erwarten!"

Während der letzten beiden Evangelisationen in Bangladesch hat Gott über 12 384 Menschen mit der Gabe des Heiligen Geistes erfüllt, und über 13 300 haben von bemerkenswerten Wundern Zeugnis abgelegt. Die folgenden Zeugnisse werden Ihr Herz mit Sicherheit schneller schlagen und Ihren Glauben wachsen lassen!

Pastor James Corbin
Präsident der UPC von Bangladesch

„Größere Hochebenen und Ebenen im Heiligen Geist"
Während der letzten Jahre haben wir beobachtet, wie der Herr in jeder Situation sein Versprechen einer Erweckung von
1 Million Seelen in Bangladesch erfüllt hat. Wir sind nicht überrascht, denn der Herr ist der allmächtige, ehrfurchtgebietende Gott, und er bewegt sich in seiner großen Herrlichkeit und Pracht. Dafür sind wir ihm einfach dankbar!

Vor Jahren zeigte mir der Herr die Vision eines Steins, der in ein ruhiges Gewässer geworfen wurde. Als der Stein die Oberfläche des ruhigen und gleichmäßigen Wassers berührte, entstanden Wellen vom Einschlug. Sofort sprach der Herr zu mir diese Worte: „So wie dieser Stein auf das Wasser aufschlug und die Wellen in verschiedene Richtungen getrieben hat, so werde ich dies in dieser Nation (Bangladesch) tun, und damit die Menschen beeinflussen, die das Land umgeben.

Asien befindet sich in der Tat im Epizentrum des Endschubs der Ernte in dieser Endzeit. Die größte Bewegung des Geist Gottes in Asien und der Welt steht noch bevor. Sie steht sogar an der Tür und klopft an!

Vor einigen Jahren, nach einer gewaltigen Evangelisation, in der der Herr über 1 300 Menschen mit der Gabe des Heiligen Geistes erfüllte und Tausende heilte, fühlte ich mich stark vom Herrn dazu aufgefordert, dass wir jedes Jahr Evangelisationen durchführen sollten.

263

Genau in dem Moment, als ich dies so unglaublich stark vom Herrn spürte, sprach der Herr zu Pastor Charles Robinette über Bangladesch. Wir nahmen sofort Kontakt miteinander auf und begannen, die Evangelisation zu planen.

Nachdem das Team aus vielen verschiedenen Teilen der Welt in Bangladesch angereist war, führten wir unser erstes Treffen als Team durch. Der Heilige Geist bewegte sich bei diesem ersten Treffen und bei allen weiteren Treffen so stark, dass es klar war, dass Gott in Bangladesch nicht nur eine Ernte für sein Reich ernten wollte, sondern dass er die Teammitglieder im Heiligen Geist zu größeren Hochebenen und Ebenen führen wollte. Menschen mit einem großen Hunger nach den Dingen des Herrn und vom Herrn gebraucht zu werden, erlaubten den Herrn durch sie hindurchzuströmen und sie wie niemals zuvor zu benutzen.

Während dieser Evangelisation (2018) empfingen 5 382 Menschen die Gabe des Heiligen Geistes und Tausende wurden im Namen Jesus geheilt. Während der letzten Evangelisation (Januar 2020) hat der Herr das Leben eines jungen Mannes (Mitglied des Evangelisationsteams, der etwa 19 Jahre alt war) so hungrig gemacht, dass er mit eigenen Augen erlebt hat, wie Gott ein Wunder vollbrachte.

Ein kleines Kind, das von einem Erwachsenen getragen wurde, wurde diesem jungen Mann gebracht, damit er für das Kind beten konnte. Als er das Kind ansah, bemerkte er, dass dem Kind ein Teil seiner Ohren und auch ein Gehörgang fehlten. Er legte beide Hände auf den Kopf des

Kindes, wo ein Ohr war und wo nur ein Teil des Ohres fehlte, und betete im Namen Jesus. Als er seine Hände entfernte, bemerkte er, dass dort, wo nur ein Teil des Ohres war, nun ein voll entwickeltes Ohr entstanden war. Das Kind konnte danach perfekt hören.

7 000 empfingen die Gabe des Heiligen Geistes und über 7 000 wurden während dieser Evangelisation im Namen Jesus geheilt!

Gott sei alle Herrlichkeit und Ehre in Jesus Namen! Die größeren Hochebenen und Ebenen im Heiligen Geist, zu denen Gott die Kirche und die Nation von Bangladesch führte, waren und sind nicht nur für diejenigen, die als Söhne und Töchter im Land geboren sind, sondern auch für diejenigen, die geglaubt und viel geopfert haben, um ein Teil von Gottes Werk, wie auch Teil des Evangelisationsteams in Bangladesch, zu sein.

Die Aussage „Nimm an einer Missionsreise teil, und sie wird dein Leben für immer verändern" ist noch nie so wahr wie heute. Gott wird Sie, Ihren Charakter, und für viele sogar, Ihr Wesen verändern. Er wird Sie zu dem Gefäß der Ehre machen, zu dem Sie berufen sind. Im Namen Jesus."

Pastor Chris und Pastor Amanda Lepper
Bentonville, Arkansas

„Jemand mit katholischem Hintergrund stellte einmal die Frage: „Wie fängt man an, Menschen von Jesus zu erzählen, die ihn noch nicht einmal kennen?"

Sie fuhr fort: „Wenn diese Person keine Bibel besitzt, woher soll sie dann wissen, wo sie ihn finden kann?"

Auf ihre aufrichtige Frage erhielt sie eine aufrichtige Antwort: Erstens glauben wir daran, vom Geist Gottes erfüllt zu sein. Zweitens glauben wir an die Kraft und Darlegung seines Geistes. Es war während der "Heiligen Geist"-Evangelisationen in Bangladesch, wo wir Zeugen der übernatürlichen Kraft Gottes wurden, die sich durch Tausende von bemerkenswerten Wundern zeigte und Tausende, die die Gabe des Heiligen Geistes empfingen.

Im Jahr 2018 stand ein Team von 39 Pastoren und örtlichen Pastoren in Bangladesch und beobachtete, wie eine dunkle Wolke über das Evangelisationsgelände zog. Es lag Erwartung und Vorfreude in der Luft. Begeisterung für das, was Gott in diesem Gottesdienst tun würde. Es war fast greifbar. Aber aufgrund des Aberglaubens in Bangladesch hielt man den herannahenden Sturm für ein schlechtes Zeichen; dass es Flüche regnen würde. Die Menschen brauchten ein Zeichen des Himmels, dass Gott seinen Geist „regnen" lassen würde. Als das Team zu beten anfing, begann einer der örtlichen Pastoren (Pastor Peter) zu prophezeien: „Unser Gott ist der wahre Gott", sagte er. „Und es wird nicht regnen."

Plötzlich begann der Wind Gottes mit solch göttlicher Sicherheit durch diesen Ort zu wehen, so dass die dunklen Wolken davon zogen. Es folgte ein Zeichen vom Himmel. Gott platzierte strategisch einen doppelten Regenbogen am Himmel, damit alle sehen konnten, dass er der einzig wahre und lebendige Gott ist - stärker als jeder andere und größer als jeder Sturm.

Gott demonstrierte seine Macht in dieser Nacht durch viele bemerkenswerte Wunder. Dies war eines von vielen Wundern, Zeichen und Wundertaten, die Gott während der Kreuzzüge in Bangladesch vollbrachte.

Eines Abends wurde ein junges Mädchen, etwa 8 Jahre alt, nach vorne gebracht, um für sie zu beten. Ihre Mutter zeigte auf die Augen des Mädchens und ließ uns wissen, dass sie blind war. Als ich meine Hände über ihre Augen legte und zu beten begann, bemerkte ich, dass sich ihre Augen unter meinen Daumen bewegten. Als ich meine Hände wegnahm, sah sie ihre Mutter an und sagte ihr in Bangla, dass sie sehen konnte. Gott hatte gerade ein bemerkenswertes Wunder vollbracht, indem er diesem jungen Mädchen das Augenlicht schenkte!

An einem anderen Abend während des Gottesdienstes brachte ein Vater seinen Sohn mit, damit für ihn gebetet wurde. Der kleine Junge konnte nicht laufen und musste unter den Armen gestützt werden. Als mein Mann und ein anderer Pastor für ihn beteten, hörten sie ein Knacken hinter seinem Knie, und plötzlich begann der Junge auf und ab zu springen. Er konnte wieder laufen!

Viele Male sehen wir in der Heiligen Schrift, dass Jesus Wunder vollbringt, nicht nur um der Wunder willen, sondern damit die Menschen an ihn glauben.

In Bangladesch haben wir genau das erlebt und können es bezeugen. Menschen, die ein Wunder empfangen hatten, kamen in der nächsten Nacht zurück, und Gott hat sie mit seinem Geist erfüllt.

Während des Bangladesch-Kreuzzuges 2020 meldeten sich Tausende von Menschen, die ein Wunder Gottes brauchten. Vor allem eine Frau hatte sich gemeldet, die zuvor an einem großen Tumor an ihrer Seite gelitten hatte. Bevor ihr jemals jemand die Hand zum Beten auflegte, war dieser Tumor bereits verschwunden, als das Glaubensgebet über die Menschen gesprochen wurde. Gott heilte sie von dem Tumor und sie kam in der nächsten Nacht zurück und empfing die Gabe des Heiligen Geistes! Im selben Gottesdienst standen vier Mädchen staunend da, sahen sich gegenseitig an und blickten zu ihrer Freundin zurück, die gerade von einem Tumor hinter ihrem Ohr geheilt worden war. Die Freunde schauten nach, um zu sehen, wo der Tumor hin war. Das Mädchen fühlte hinter ihrem Ohr und konnte ihn nicht finden. Wie durch ein Wunder war der Tumor verschwunden, als das Wort des Glaubens gesprochen wurde. Die vier Freundinnen freuten sich mit ihr, dass sie gerade von ihrem Tumor geheilt worden war.

Wie können wir Menschen von Jesus erzählen, die nicht wissen, wer er ist oder wo sie ihn finden können? Die Macht zeigt immer auf die Quelle. (Apostelgeschichte 1,8) Welch einen mächtigen Gott dienen wir! Er ist ein Gott, der seine Macht unter uns sichtbar machen möchte und sich dafür entscheidet, irdische Gefäße für himmlische Zwecke zu benutzen" (Apostelgeschichte 1,8).

Pastor Jordan Easter

The Peninsula Pentecostals

„Wunder! Zeichen! Wunder! Als ich an Bord meines Fluges nach Bangladesch stieg, glaubte ich von ganzem Herzen, dass all diese Dinge gleichbedeutend sind, mit dem was es heißt apostolisch zu sein. Bis zu diesem Zeitpunkt hatte ich von der wunderwirkenden Kraft unseres Gottes gehört. Ich war in Gottesdiensten gewesen, in denen glaubensbildende Berichte über das Wunderbare gepredigt wurden. Ich habe nie daran gezweifelt, dass Gott in diesen Tagen Wunder vollbringen konnte und würde, aber ich hatte es nie mit eigenen Augen gesehen. Ich war hungrig nach dem Wunderbaren, unzufrieden mit der Norm, unzufrieden mit zweifelhaften Ausreden und sehnte mich nach dem Übernatürlichen. Als ich also in das Flugzeug von Istanbul nach Dhaka stieg, war mein Herz bereit, sich herausfordern und in das oft verschmähte und angezweifelte Reich des Wunderbaren drängen zu lassen.

Ich werde nie vergessen, wie ich in das Planungstreffen des Evangelisationsteams ging. Ich werde nie vergessen, wie ich diesen Raum voller großer Männer und Frauen Gottes betreten habe. Da waren Pastoren, die Wunder gesehen und große Bewegungen Gottes erlebt hatten, und doch waren sie alle hungrig und hatten genauso ein großes Verlangen danach wie ich, dass die Kraft Gottes gezeigt werden würde! Dieser Hunger vereinte uns. Es war egal, wie ihre Nachnamen war. Es spielte keine Rolle, welchen Titel sie trugen oder welche Position sie innehatten. Das Einzige, was zählte, war unser gegenseitiger Hunger. Dieser Hunger und der Wunsch, von Gott ge-

braucht zu werden, flossen in alles ein, was wir als Team taten. Ich werde nie die apostolische Vermittlung und die radikale Unterwerfung vergessen, die in den Andachten unseres Teams stattfanden. Jede Botschaft, die wir hörten, hatte eine Reinheit und Authentizität. Während dieser Andacht im Team geschahen Dinge, die ich für den Rest meines Lebens weitergeben und umsetzen werde. Das Bild von Bruder Robinette und Bruder Corbin, die sich in gegenseitiger Unterwerfung einander die Füße gewaschen haben, hat für immer in meinem Gedächtnis eingeprägt. Die Botschaft von Missionar Alan Shalm, „Das Orakel Gottes" zu sein, ist in meinem Gedächtnis verewigt. Die Zungenrede und die Auslegung, die prophetischen Äußerungen, die absoluten Worte Gottes; all das ist mir im Gedächtnis haften geblieben und hat einen unauslöschlichen Einfluss auf meine Zukunft hinterlassen.

Und schließlich werde ich nie die radikalen Wunder vergessen, die ich mit eigenen Augen gesehen habe. Die kostbaren Menschen in Bangladesch, von denen einige noch nie das Evangelium gehört hatten, waren hungrig nach diesem Gott, über den wir predigten. Sie waren so extrem, da sie an uns zogen und an uns zerrten, als sie uns baten für sie zu beten.

Dies passierte in der zweiten Nacht des Kreuzzuges. Ich bewegte mich durch die Menge und legte so vielen Menschen wie möglich die Hände auf (bis zu diesem Zeitpunkt hatte ich persönlich während des Kreuzzuges noch kein Wunder gesehen), als eine junge Frau an meinem Ärmel zog. Mit Tränen im Gesicht zeigte sie auf das, was ihr Baby zu sein schien. Es war zunächst nicht klar, was das Bedürfnis war, aber als ich versuchte, mit der Frau zu kommunizieren, zeigte sie auf das Ohr des Babys, besser noch, auf den Bereich, wo sich das Ohr normalerweise hätte befinden sollen. Das Baby hatte eine Ohrdeformation, die ich heute als Mikrotie bezeichnen würde. Es gab keine Ohröffnung. Es war nur ein Fleischknäuel. Dies war kein Gebetswunsch wegen Kopfschmerzen! Dies war keine Bitte um ein Gebet, weil der Rücken weh tat. Obwohl Gott Kopfschmerzen heilen kann und obwohl er Rückenschmerzen sofort wegnehmen kann, gab es keinen Zweifel, dass Gott das Ohr dieses Babys hätte heilen können. Ich musste nach dem Beten nicht fragen: „Wie fühlen Sie sich?" Nein, für diese Bitte würde es sichtbare Beweise geben, wenn Gott das Kind heilte. Obwohl mein Glaube herausgefordert wurde, betete ich mit jedem Gramm Glauben, das ich besaß. Ich habe nicht geschrien. Ich habe nicht eine Stunde herumgewartet. Ich legte nur meine Hände auf das Ohr dieses unschuldigen Babys und betete das Gebet des Glaubens. Nachdem ich meine Hand entfernte, konnte ich es fast nicht glauben. Das Ohr des Babys war normal! Ich musste nicht immer wieder beten. Ich brauchte nicht zu betteln und Gott anzuflehen. Ich folgte einfach der Lehre der Evangelisationsleiter, betete das Gebet des Glaubens, und Gott tat das Wunder.

Von da an sah ich wie der Graue Star verschwand, wie die Gelähmten sprangen und die Stummen sprachen. Die Reise nach Bangladesch gab mir nicht das Gefühl, dass Wunder nur in fremden Ländern möglich waren, aber sie lehrte mich, dass „diese Zeichen denen folgen werden, die da glauben", ganz gleich, wo wir uns befinden. Dies ist wirklich eine globale Ernte!"

Missionar Nathan Harrod
Präsident der UPC von Spanien

„Im Laufe der Jahre habe ich festgestellt, dass der Dienst während des Kreuzzuges ein unschätzbares Instrument ist, um Prediger darin zu schulen, wie sie arbeiten sollen und die Machtgaben präsentieren können. Einige der nützlichsten Dinge wurden in den Treffen vor den Evangelisations-Gottesdiensten gelehrt. Bei der Vielzahl an Evangelisationen, an denen ich teilgenommen habe, hatten wir Zeiten der Schulung über die Gaben des Geistes, bevor wir das Evangelisationsgelände überhaupt betreten haben. Das waren Zeiten des Gebets und der praktischen Lehre über die Gabe des Glaubens, die Gaben der Heilung und das Wirken von Wunder. Prediger, die die Gelegenheit hatten, sich mit diesen Gaben auseinanderzusetzen, waren dann in der Lage, das Gelernte sofort in die Praxis umzusetzen Dies hat meines Erachtens so viele Dienstbereiche verändert. Die praktische Vorgabe, wie man für jemanden betet, der ein Wunder empfangen soll, konnte sofort umgesetzt werden, und bestätigte somit, was man gelernt hatte. Wie viele im Laufe der Jahre festgestellt haben, „werden viele Dinge aufgenommen und nicht gelehrt."

Aus diesem Grund habe ich versucht, junge Prediger und andere Pastoren zu diesen Kreuzzügen mitzunehmen, um das, was bei diesen Treffen vermittelt wurde,

„einzufangen." Mein Ziel war es nicht nur, diese Pastoren dazu zu bringen, daran teilzunehmen und die Erlebnisse zu bezeugen, die Gott in diesen Evangelisations-Gottesdiensten tat, sondern auch das Gelernte und die spürbare Ausstrahlung des Glauben zu ihren Gemeinden zurückzunehmen. Jeder Prediger, der mich auf diesen Evangelisationen begleitet hat, wurde für immer verändert!

Mein Assistenzpastor, Pastor Rafael, begleitete mich auf einer der Evangelisationen in Bangladesch, wo er sich an die Belehrungen und die Vermittlung anschloss, die vor den Evangelisations-Gottesdiensten für das Evangelisationsteam stattfanden. In der zweiten Nacht der Evangelisation sah ich zu, wie sich eine Schlange vor ihm bildete. Jeder, dem er an diesem Abend die Hände auflegte, wurde geheilt. Da er nur Spanisch sprach, konnte er sich nicht direkt mit ihnen verständigen. Ich stand mit einem Übersetzer da, der mir sagte, wofür sie Gebet brauchten, und ich übersetzte es ins Spanische.

Der erste war ein kleiner Junge, der auf beiden Ohren taub war. Pastor Rafael legte ihm die Hände auf und das Kind erhielt sein Gehör. Die Mutter des Jungen bestätigte das Wunder. Der nächste war ein Mann mit einem großen Kropf von der Größe eines Softballs, der sofort verschwand, als Pastor Rafael ihm die Hände auflegte und im Namen Jesus betete. Danach kam ein kleiner Junge, der auf einem seiner Augen blind war und sofort bezeugte, dass er sehen konnte, als man für ihn betete. Die Schulung, die Pastor Rafael vor der Evangelisation erhielt, und die Aktivierung des Glaubens während der

*Evangelisation veranlassten ihn, nach Spanien zurück-
zukehren und sofort das Gelernte in die Praxis umzusetzen.*

*Nur wenige Wochen später wurde er gebeten nach Barce-
lona ins Krankenhaus zukommen, wo eine Dame bereits
drei Tage lang im Koma lag. Er sprach das Wort des Glaubens und diese Dame erwachte sofort und empfing den
Heiligen Geist in ihrem Krankenhausbett. Pastor Rafael
hat in Spanien Hunderte von bemerkenswerten Wundern gesehen, die auf das zurückzuführen sind, was er
während dieses Kreuzzuges erlebt hat. Bei einer anderen
Evangelisation begleitete mich eines der Vorstandsmit-
glieder unserer Organisation in Spanien. Er erzählte mir
später, dass er noch nie für jemanden gebetet und in
seinem Dienst noch nie umgehend ein Wunder gesehen
hatte. Es war während der Schulungen vor dem Kreuzzug und der Zeit der Umsetzung des Gelernten, als sein
Glaube zu wachsen begann. Er betete persönlich dafür,
dass die Blinden sehen und die Tauben hören konnten,
und bezeugte mit eigenen Augen die wunderwirkende
Kraft unseres Gottes.*

*In der darauffolgenden Woche setzte er als Pastor einer
Gemeinde, das Gelernte und die Erfahrungen während
des Evangelisationseinsatzes in die Praxis um. Über 70
Menschen in seiner Ortsgemeinde gaben Zeugnis von
Wunder, 19 empfingen den Heiligen Geist und sprachen
in anderen Zungen. Er sagte mir später: „Ich hätte nie
gedacht, dass Gott mich in diesen Bereichen des Glaubens
und des Wirkens von Wunder bringen würde. Was ich
in den Trainingssitzungen gelernt habe, hat mein Leben*

und meinen Dienst für immer verändert."

Viele Ministranten glauben, dass das Wundersame passieren kann, aber sie sind sich nicht sicher, ob es durch sie geschehen wird. Wenn Sie aber in die Atmosphäre des Wundersamen versetzt werden, fangen Sie an, das aufzunehmen, was in der Atmosphäre ist. Der Glaube ist ansteckend. Wenn dem Menschen, die nach dem Wundersamen hungern, erklärt wird, was das Wort Gottes sagt, und es dann vor den eigenen Augen erfolgt, ist es mehr als nur eine Theorie. Es aktiviert das, was der Heilige Geist in Sie hineingelegt hat. Wenn man einmal etwas für sich selbst erlebt hat, kann man nie mehr derselbe sein, aber es ist wichtig, an der richtigen Stelle zu sein, damit man dort ist, wo Gott wirkt und vermittelt.

Jeder Prediger, der mich jemals auf diesen Kreuzzügen begleitet hat, hat nicht nur Tausende von bemerkenswerten Wundern mit eigenen Augen gesehen, sondern ist auch in seine Gemeinde zurückgekehrt und hat gesehen, wie dieselben Wunder in den Ortsgemeinden geschehen sind. Dies bestätigt, dass das, was Gott in einem Land tun wird, er auch in einem anderen Land tun wird."

Pastor Ventura Azzolini
Internationaler Evangelist

„Ich war das erste Mal in Manaus. Es war heiß und klebrig. Die Luft war dick und humide. Aber Feuchtigkeit war nicht das Einzige in der Luft. Es gab einen Hunger. Man konnte ihn spüren. Man konnte ihn fühlen. Man konnte es ergreifen. Unser erstes Treffen war beim örtli-

chen Bibel College. Als wir mit über hundert Bibelstudenten in weißen Hemden, schwarzen Hosen und schwarzen Krawatten in diesem engen Raum saßen, wurde aus dem Hunger eine radikale Erwartung. Diese Studenten kamen nicht nur zu einer Vorlesung. Sie kamen in der Erwartung des Übernatürlichen. Und genau das ist passiert. Bruder Robinette und Bruder Stark begannen, den Glauben, der bereits vorhanden war, durch Predigten und Belehrungen aufzubauen. Bruder Robinette und alle Mitglieder des Evangelisationsteams, die um ihn standen, streckten ihre Arme über die Menge der Studenten und begannen, alles geistliche weiterzugeben, was der Herr zur Verfügung hatte. Es war unglaublich. Die Gaben begannen zu wirken. Die Studenten weinten und beteten füreinander. Gott bereitete sie auf die nächste Nacht vor.

Am nächsten Abend machten sich das Evangelisationsteam und die Schüler auf den Weg zum Jerusalemer-Zentrum (ein Außenpavillon mit Platz für mehr als 10 000 Menschen, der am Ufer des Amazonas gebaut worden war). Die Menschen erschienen mit den Bussen. Tausende von Menschen füllten den Pavillon, als der Gottesdienst in demonstrativem Lobpreis zu explodieren begann. Man spürte, dass Gott dazu bereit war, etwas Unglaubliches zu tun. Bruder Robinette trat an die Kanzel und predigte das Wort des Glaubens. Die Atmosphäre war explosiv. Dann geschah es. Hunderte von Menschen, die Heilung brauchten kamen nach vorne. Das Evangelisationsteam, die heimischen Pastoren und die Schüler des Colleges stellten sich alle vor der Plattform auf. Als Bruder Robinette das Glaubensgebet über die Menge sprach, gingen alle, die sich vor dem Altar *aufgereiht hatten, in das Meer von Menschen, um diesen die Hände aufzulegen. Sofort geschahen Wunder. Blinde Augen konnten wieder sehen. Die Tauben erhielten ihr Gehör. Die Tumore verschwanden. Krumme Beine wurden wieder gerade. Buchstäblich geschahen überall im Pavillon Wunder zur gleichen Zeit.*

Am nächsten Abend erschienen am selben Ort mit demselben Team wieder Tausende. Der Herr erfüllte Hunderte von Menschen mit der Gabe des Heiligen Geistes. Es war ein Wochenende, das ich nie vergessen werde. Es war einfach radikal!"

Missionar Nathan Hulsman
Missionar in der Schweiz

„Seit 2007 ist das AMTC, ein Ausbildungsprogramm, Nummer eins in der gesamten UPC-GSN. Doch erst seit etwa 2015 können wir bezeugen, dass Gott in unserer Region beispiellos Türen öffnet. Als wir Pastor David kennenlernten, schenkte Gott uns die Gunst vieler unabhängiger Pastoren aus der Umgebung. Gott wird uns von dem was er tun will, eine Kostprobe geben, bis er weiß, dass man uns die Ernte anvertrauen kann, die er bereitstellen will. Er ist der Herr der Ernte, und er ist derjenige, der jemand in die Ernte hinaussendet.

Seit 2015 haben wir miterlebt, wie über 1 100 Studenten mit der apostolischen Botschaft ausgebildet wurden. Mindestens 350 haben die Taufe des Heiligen Geist empfangen, mindestens 166 wurden in den Namen Jesus ge-

tauft und mindestens 190 bemerkenswerte Wunder wurden bezeugt. Wir preisen Gott für alles, was er getan hat, und wir sind dankbar für das radikale Opfer zahlreicher nordamerikanischer Pastoren.

Während dieser Endzeiternte, die Gott bereitstellt, wird sie anders aussehen als alles, was wir vielleicht erlebt haben. Sie wird sich anders anhören als alles, was wir vielleicht sogar erlebt haben. Seit wir die Ausbildung zu einem wesentlichen Teil der Eröffnung neuer Städte gemacht haben, hat Gott uns Pastoren gegeben, die große Gemeinden seelsorgerlich betreuen, die die Botschaft des einzigen Gottes nie verstanden haben. Doch nach einer Woche Ausbildung kehren die meisten von ihnen an ihre Kanzeln zurück und predigen die apostolische Botschaft."

Pastor David Gaziala
Duisburg, Deutschland

„Als ich nach Europa einwanderte, wurde ich von der schönen Botschaft von Jesus Christus angezogen und bekehrte mich im Juli 1985 zum Christentum.
Ich war Pastor und fand schnell eine Gemeinschaft von afrikanischen Pastoren in ganz Europa. Es war ein Segen die Gemeinschaft mit Menschen zu teilen, die ähnliche Schwierigkeiten und Erfahrungen im Dienst und im Leben gemacht hatten. Ich hatte das Privileg, durch ganz Europa zu reisen und auf mehreren Bibelkonferenzen zu sprechen.

Während ich mich in der Bibel vertiefte, um das Thema meiner Vorträge zu belegen, wurde mir klar, dass der-

selbe, der einzige Gott, der mit den Israeliten in der Wüste, im Tabernakel und im Tempel war, auch im Fleisch von Jesus Christus am Kreuz war. (Johannes 1,1-3. 14; 2. Korinther 5,19-22)

Ich teilte dieses mit Frau Dvora Ganani von der „Jüdischen Agentur für Israel", mit der wir mehrere Städte in Belgien und Deutschland besucht haben. Wir luden Pastoren und Pastorinnen ein und besuchten Bibelorte für Bildungsreisen in Israel.

Nachdem sie meine Botschaft hörte, stellte sie mich Bischof Robert McFarland vom UPC Biblical Institute – Jerusalem vor. Er klärtr mich über wesentliche Lehren wie die Einheit Gottes, die Taufe von Wasser und Geist im Namen Jesus usw. auf. Ich selbst war gemäß Matthäus 28,19-20 bereits in einer charismatischen Kirche getauft worden.

Als ich 2015 in Jerusalem war, legte der Herr mir ans Herz, nach Europa zurückzukehren und eine Gemeinde in Duisburg, Deutschland zu gründen. Bischof Robert McFarland setzte mich mit Bischof Charles G. Robinette, dem General Superintendent der UPC-GSN (Vereinigte Pfingstkirche - Deutschsprachige Nationen), in Verbindung.

Auf dem Rückweg von Wien nach Jerusalem, nachdem ich an einer Konferenz, einer unabhängigen brasilianischen Gemeinde unter der Leitung von Pastor Naki Pedro, teilnahm, traf ich mich in Duisburg mit Bischof Robinette. Während unseres ersten Treffens teilte ich Bischof Robinette meine Vision mit, die die gleiche Vision war, die der Herr ihm gegeben hatte: eine große multikulturelle und multiorganisatorische globale Ernte.

Im Januar 2016 organisierte ich eine Reise nach Duisburg, Deutschland, um die Eröffnung des 1. AMTC (Ausbildungszentrum für das Apostolische Amt) in Norddeutschland vorzubereiten. Das Treffen bestand aus Bischof Robinette, der auch der Gründungspräsident des AMTC war, und Pastor Mitch Sayers, dem Administrator des AMTC.

Die Gruppe bestand aus mehr als 15 unabhängigen Pastoren, darunter: Pastor Pajo Malosa, Pastor Santo do Espirito, Bruder Sando Kanda, Pastor Justin, Pastor Nteka Benga, Pastor Mampuya Mbongo, Pastor Naki Mumesso und weitere Leiter anderer christlicher Organisationen. Bischof Robinette predigte über „Apostolische Darstellung und Macht!"

Viele Pastoren taten für ihre Sünden Buße und sprachen zum ersten Mal in anderen Zungen. Neun Studenten meldeten sich für den Duisburger AMTC-Campus an, und drei unabhängige Gemeinden baten darum, sich uns ebenfalls anzuschließen. (Pastor Naki Pedro von Wien, Pastor Pajo Malosa von Lüttich, und Bruder Christian Kox, der ein deutscher Pastor ist, kam mit seiner Frau. Viele andere Pastoren in Deutschland zeigten ihr Interesse).

Ich hatte für das Ereignis gebetet und die letzten Vorkehrungen vorgenommen, als ich am 24. Februar aus Israel nach Deutschland zurückflog, um dem Team 2 Tage vor Beginn des AMTC zu helfen. Wir beschlossen das

AMTC im Wohnzimmer von Bruder Sando Kanda abzuhalten. Die Gruppe bestand aus fast 15 Studenten von denen die meisten Pastoren waren. Unsere nordamerikanischen AMTC-Ausbilder waren Bruder und Schwester Gates aus Kansas City, Bruder Hibbert aus New York und Bruder Gratto aus Kanada.

*Während unseres Programms besuchte uns Bischof Robinette, um ein Wort vom Herrn zu sprechen und um unseren Studenten und Ausbildern Unterstützung zu schenken. Er sprach kurz über **Apostelgeschichte 2,37-38**. In dem Moment, während ich für ihn übersetzte, hörte ich, wie mir eine innere Stimme sagte, dass dies jetzt die Gelegenheit sei, in den Namen Jesus Christus getauft zu werden. Sofort unterbrach ich den Bischof und sagte: „Ich möchte erneut getauft werden."*

Er forderte andere auf, dem Wort Gottes zu gehorchen und sich ebenfalls erneut taufen zu lassen. Ich wurde im Badezimmer unseres Bruders Sando Kanda von Bischof Robinette, zusammen mit einem anderen Studenten und Bruder Onya Luciano, im Namen des Herrn Jesus getauft.

Meine Frau Maria Teresa und meine Töchter, Marie Isabelle Gaziala und Dariela Gaziala, wurden im Juli des folgenden Jahres in den Namen Jesus Christus getauft.

Ich empfand große Freude und Frieden darin, Gottes Wort zu halten und Gott zu gehorchen. Ich kehrte nach Israel mit der festen Überzeugung zurück, dass ich meine ganze Familie mitbringen und nach Duisburg zurückkehren sollte. Ich teilte dies Bischof Robinette und Bischof McFarland mit und sie ermutigten mich Gott zu ge-

horchen.

Die Duisburger Gemeinde organisierte weiterhin mehrere Schulungen (AMTC) für viele Pastoren und Bedienstete aus verschiedenen Städten Europas. Sie wurden nicht nur in der apostolischen Lehre geschult, sondern akzeptierten auch erneut im Namen Jesus Christus getauft zu werden und erkannten Jesus als den einen und wahren Gott an. Sie tauften nicht mehr gemäß der Trinitätsformel. Pastor Emmanuel aus Düsseldorf wurde ebenfalls in den Namen Jesus erneut getauft.

Am 9. Mai lud mich Bischof Robinette nach Wien ein. Dies war eine Gelegenheit für mich, unsere Beziehung zu stärken. Ich schlug vor und überzeugte Pastor Naki Pedro Mumeso und seine Frau, ebenfalls Bischof Robinette kennenzulernen. Seitdem gehören Pastor Pedro Naki Mumeso, seine Frau, ihre Kinder und viele seiner Gemeindemitglieder der UPC an. Es war für mich eine großartige Erfahrung, wie in der Kirche der Apostelgeschichte in Wien, Österreich viele Brüder aus Syrien, Irak, Iran und Afghanistan kamen, die im Namen des Herrn getauft wurden und die Gabe des Heiligen Geistes empfingen, sowie in anderen Zungen sprachen.

Während ich in Wien war, erhielt Bischof Robinette einen Anruf von Pastor Nathan Hulsman. Der Bischof fragte mich, ob ich den kongolesischen Pastor Israel Pakasa aus dem Kongo kannte, der in Zürich in der Schweiz lebte. Ich sagte dem Bischof: „Er ist mein Cousin, aber ich habe ihn schon lange nicht mehr gesehen.“

Als ich in Israel wieder ankam, rief mich Pastor Israel

Pakasa an, um mir mitzuteilen, dass er von Pastor Nathan Hulsman kontaktiert worden war, der ihn zu den UPC-Veranstaltungen in der Schweiz eingeladen hatte.

Pastor Israel stellte mir viele Fragen über die apostolische Lehre. Ich erklärte es ihm und riet ihm, unserer Gemeinde beizutreten. Er sagte mir: „Ich kenne dich. Ich werde mich anschließen und versuchen, einige Pastoren, die ich kenne, davon zu überzeugen, mit mir zu kommen."

Andere Pastoren trafen sich mit Schwester Amber Hackenbruch, Missionarin in der Schweiz, Pastor Israel Pakasa und Pastor Nathan Hulsman. Ihr Einsatz führte dazu, dass viele unabhängige Pastoren wiedergeboren wurden.

Pastor Pakasa, seine Frau und Schwester Amber Hackenbruch haben in Zürich bisher mit mir bei der Erweiterung des AMTC in Biel und Couvet zusammengearbeitet, wo im Oktober 2019 eine Gemeinde gegründet wurde. Viele Schweizer und Afrikaner wurden wiedergeboren.

An einem Sonntag nahm ich Mitglieder der Gemeinde aus Duisburg nach Hagen, um mit der Gemeinde von Pastor Santo Do Espiritu Zeit zu verbringen. Ich übersetzte für Bruder Terry Shock aus Louisiana. Nach dem Treffen wurde Pastor Joao Santo in der Nähe von Hagen von Pastor Nathan Hulsman in den Namen Jesus Christus erneut getauft. Pastor Santo sagte zu mir: „Ich bin erfüllt vom wahren Frieden und Freude des Herrn. Da ich selbst dem Wort gehorcht habe, kann ich jetzt mit freiem Gewissen die Menschen meiner Gemeinde in den Namen des Herrn Jesus Christus taufen."

Während der Elisa-Konferenz 2016 war die Botschaft, die Bischof Robinette uns übermittelte, sehr klar: „2017 wird in der UPC-GSN alles verdoppelt." Nachdem wir gebetet hatten, begannen wir sofort mit der Mobilisierung der Studenten an den AMTC-Campus. Nachdem ich von Bischof Robinette die Anweisung erhielt, weitere Campus, in Hagen und Aachen zu eröffnen und die in Lüttich mit der in Aachen zu verbinden, sprach ich persönlich mit Pastor Joao Santo Do Espiritu aus Hagen, Pastor Pajo Malosa aus Lüttich und Bruder Gabriel aus Aachen, um sie über die Vision für das Jahr 2017 zu informieren. Alle diese Pastoren waren sich mit mir einig und wir arbeiteten zusammen, um diese Vision in die Wirklichkeit umzusetzen.

Die Idee war es mit dem Campus in Aachen anzufangen. Wir wussten, dass der Aachener Campus der „Eckpfeiler" unseres strategischen Plans sein würde. Somit konnten wir möglichst viele französischsprachige, portugiesischsprachige, afrikanischstämmige Pastoren und andere in Deutschland und anderen Ländern Europas erreichen.

Wir hatten Probleme, einen dauerhaften Campus in Aachen zu finden. Die Türen waren uns verschlossen, weil Pastor Pajo Maloso kein einheimischer Pastor war. Einen Monat vor dem AMTC beschlossen wir, Bruder Gabriel direkt einzuschalten, damit wir mit einigen Pastoren vor Ort Kontakt aufnehmen konnten. Schließlich fanden wir einen Ausbildungsplatz bei Pastor Michel Kaniki. Nach der Zusage beschloss ich, nach Aachen zu fahren, um alles zu prüfen und mich mit dem ganzen Team dort zu treffen. Am Montag, dem 06. März, waren wir bereit anzufangen.

Ich habe den Beginn der Schulung in Lüttich geplant, die per Videokonferenz mit dem Aachener Campus zugeschaltet wurde, die von Pastor Mitch Sayers bereit gestellt wurde. Diese neue Erfahrung hat uns geholfen, viele Studenten aus Lüttich zu der Anmeldung zu bewegen. Wir hatten etwa 50 bis 60 Studenten. Pastor Pajo Malosa, ein Student in Aachen im Jahr 2016, akzeptierte die Verantwortung für einen Campus in der Gemeinde zu übernehmen, wo wir fünf Pastoren als Studenten hatten. *Die Gemeinde in Lüttich hat Sitzplätze für bis zu 1 000 Mitglieder und die Gemeinde in Verviers für bis zu 500. Seit 2019 haben sie auch eine weitere Predigtstätte in Brüssel eröffnet. Bischof Robinette selbst besuchte zusammen mit vielen Ausbildern des AMTC die UPCI Belgien. Während diesen beiden Besuchen erfüllte Gott fast 300 mit dem Heiligen Geist, über 60 wurden in den Namen Jesus erneut getauft und fast 300 berichteten in diesen Versammlungen von bemerkenswerten Wundern.*

Der Herr hat mir erlaubt, viele Pastoren in den Städten, die nachfolgend aufgezählt werden, mit den AMTC-Campus zu verbinden: Köln, Hagen, Duisburg, Aachen, Basel, Zürich, Biel, Neuenburg, Bienn, Sainte Croix, Couvet, Lüttich, Mönchengladbach, Verviers, München, Fürth, Nürnberg, Hannover und viele andere.

Im Februar 2020 habe ich Kontakt zu Gemeinden aus Rumänien in den Städten Essen, Dortmund, Gelsenkirchen und Bochum aufgenommen. Bischof Robinette begleitete mich dorthin und predigte für sie. In diesen

Gottesdiensten hat Gott über 50 Menschen mit der Taufe des Heiligen Geistes erfüllt und viele konnten Wunder bezeugen.

Wir haben auch AMTC-Campus in diesen Städten eröffnet. Wir planen auch für diese Gemeinden ein großes Taufprogramm. Wir glauben, dass Gott uns erlauben wird, viele trinitarische Gemeinden in Deutschland und anderen Ländern zu erreichen, um das Ziel von 100 Kirchen in 10 Jahren zu erreichen."

Bischof Jim Stark
UPCI - Superintendent für die Region Ohio

„Mitte 2017 erschien es dem Heiligen Geist und uns gut (Bischof Khalid Pervais, Bischof Alan J. Shalm, Bischof Charles Robinette und Bruder James Stark), eine Reihe an Treffen in Pakistan zu planen. Es war Charles Robinettes erste Reise nach Pakistan, und ich war sehr gespannt, zu sehen, was Gott dort durch dieses mächtig gesalbte Gefäß tun würde. Er kam am 10. April 2018 in Islamabad, Pakistan an. Die Islamische Republik Pakistan ist für westliche Menschen eine ganz andere Welt. Nicht nur die Kultur und die Sprache sind anders, sondern auch das spirituelle Umfeld kann ziemlich herausfordernd sein. Zu Beginn unserer Planung hatten wir gehofft, einen großen Veranstaltungsort im Freien für ein Treffen nach Art eines Kreuzzuges zu finden, aber das politische Klima schloss mehrere Türen, und so entschieden wir uns für ein Format mit mehreren Veranstaltungen an verschiedenen Stellen im Land abzuhalten. Unser Plan war es von

einem Gästehaus in Islamabad ausgehend zu den anderen Versammlungen in Sheikapura, Kharian und Rawalpindi zu reisen. Am Sonntagmorgen wollten wir in der Hauptkirche in Islamabad sein. Obwohl wir dafür viele Stunden reisen und jede Nacht erst weit nach Mitternacht zurückkehren mussten, war dies für die Besucher aus dem Westen viel sicherer als andere Optionen. Wir mieteten einen Van inklusive Fahrer für die Woche. Nachdem wir in Islamabad angekommen waren, führte eine der radikaleren islamischen Sekten eine Reihe von gewalttätigen Protesten in Islamabad, Lahore, Karatschi und anderen Großstädten, gegen den politischen Wandel. Wir waren nicht allzu besorgt. Unruhen und Proteste sind in Pakistan keine Seltenheit und wir hatten das Gefühl, dass wir im Willen Gottes dort waren. Unser erstes Treffen in Sheikapura erforderte eine vier- bis fünfstündige Fahrt auf der Autobahn, um uns ganz in die Nähe von Lahore bringen. Wir verließen Islamabad am frühen Nachmittag in der Erwartung, vor dem Treffen irgendwo in der Nähe von Sheikapura für eine Erfrischung anzuhalten. Es handelte sich um eine ziemlich neue Gemeinde. Sie hatten noch nie zuvor ein so großes Treffen gehabt. Der Pastor war auf unseren Besuch gespannt, sowie wir auch gespannt waren, was Gott auf diesem neuen Erntefeld tun würde. Etwa eine Stunde vor unserem Ziel, bevor wir die Autobahn verließen, hielten wir an einem sehr schönen Rastplatz (für pakistanische Verhältnisse) an, der mehrere Fast-Food-Restaurants hatte, darunter einen McDonalds. Bruder Shalm, Schwester Shalm, Bruder Robinette und ich waren die einzigen Nichtpakistanis im McDonalds. Mit unseren weißen

Hemden und unserer Kleidung im westlichen Stil erregten wir sofort viel mehr Aufmerksamkeit, als wir es uns gewünscht hätten. Wir gaben unsere Bestellungen auf. Bruder Robinette und ich warteten an einem Stand auf unser Essen. Sehr bald kam eine Gruppe von Pakistanis auf uns zu und machten Fotos. Wir baten sie, dieses zu unterlassen und drehten uns von den Kameras weg. Schwester Shalm übersetzte auf Urdu und forderte sie auf, mit dem Fotografieren aufzuhören. Zur gleichen Zeit kam ein Mann mit einem leuchtend grünen Turban, der der radikalen Gruppe angehörte, die die nationalen Proteste anführte, herein und nahm gegenüber von uns im Speisesaal Platz. Er schien nur Augen für uns Westler zu haben, denn er schien nicht erfreut darüber uns dort zu sehen. Er nahm uns mit seinem Telefon auf, saß da und starrte uns grimmig an. Als wir mit dem Essen fertig waren, machten wir uns auf den Weg zum Treffen. Als wir von der Autobahn abfuhren, trafen wir auf eine große Gruppe von Menschen auf Motorrädern, die auf der Ausfahrtsrampe in die falsche Richtung fuhren. Sie umzingelten unseren Van und versuchten uns möglicherweise aufzuhalten, aber unser Fahrer fuhr weiter. Wir kamen an unserem Ziel an. Nachdem Bruder Robinette gepredigt hatte, erfüllte Gott 50 Menschen mit dem Heiligen Geist, und etwa 350 bezeugten Wunder der Heilung. Trotz des vorherigen ausdrücklichen Appells von Bruder Shalm die Rückfahrt sofort anzutreten, da es eine fünfstündige Fahrt zurück war, hatte der Pastor eine Mahlzeit für uns zubereitet. Es ist fast unmöglich, die pakistanische Gastfreundschaft unter solchen Umständen abzulehnen. Es wäre ein Verstoß gegen die kulturelle

Etikette gewesen. Wir fuhren zu dem Dorf, in dem der Pastor lebte, und gingen in sein Haus. Es waren schon einige Stunden seit Sonnenuntergang vergangen, aber die Betonwände und das Blechdach hielten die Hitze des Tages hervorragend ein. Nach fast fünfundvierzig Minuten war das Essen fertig, und Mitglieder der Familie des Pastors und der Gemeinde bedienten die Gäste. Es war ganz offensichtlich eine Ehre, anwesend zu sein. Der Raum war mehr als voll. Während wir aßen, erhielt Bischof Khalid einen Anruf, in dem ihm mitgeteilt wurde, dass Islamabad durch die Proteste völlig abgeriegelt war. Für unsere Sicherheit war es besser, dort zu bleiben, wo wir waren. Wir hatten mehrere Busladungen unserer Leute aus Lahore erwartet, aber diese Pastoren riefen an, um uns mitzuteilen, dass sie wegen der Unruhen im Stau saßen. Sie rieten uns davon ab, in dieser Nacht nach Islamabad zurückzukehren. Nacheinander erhielten alle Pakistani im Raum die Nachricht, dass die Autobahn vollständig gesperrt worden war. Sie schienen alle sehr glücklich darüber zu sein, dass wir bis zum nächsten Morgen bleiben würden. Ich wusste nicht, was ich tun sollte, denn im Haus war es so heiss, wie in einem Ofen. Dort hätte ich nicht übernachten können. Ich beschloss, dass wir beten sollten. Ich schaute auf mein Telefon und stellte fest, dass ich an diesem Ort keinen Empfang hatte. Bruder Robinette hatte zwar Empfang, aber nicht viel Akku. Ich bat ihn, seine Frau in Österreich anzurufen, damit sie meinen Sohn Jimmy in Columbus anrief, der mit unserem Gebetsteam der Gemeinde „Calvary" für uns beten sollte. Nach etwa fünfzehn Minuten sagte ich: „Lasst uns gehen." Wir gingen zu unserem Van, klopften auf die Seite des Wagens, um unseren Fahrer aus dem Tiefschlaf zu wecken, und fuhren los. Wir beteten für Schutz und fuhren zurück nach Islamabad. Wir sahen zwar einige verlassene Straßensperren, aber wir stießen nicht auf Demonstranten oder die, die versuchten, unsere Reise zu behindern. Als wir in Islamabad ankamen, ging die Sonne auf. Die Straßen waren frei. Es gab keine Anzeichen der Proteste, die die Stadt nur zehn Stunden zuvor lahm gelegt hatten. Am nächsten Nachmittag brachen wir mit Pastor Binyameen nach Kharion zur dortigen Jahreskonferenz auf. Ich besuchte schon seit vielen Jahren Kharion. Es ist immer eine schwierige und gefährliche Reise. Die Straße heißt Grand Trunk Road. Sie ist mit überladenen Lastwagen, rasenden Bussen, Motorrädern und Autos überfüllt. Jeder will so schnell wie möglich, vor dem Berufsverkehr ankommen. Der Großteil des Streckenverlaufs ist vierspurig, aber denken Sie nicht an „Amerikas Interstate." Unfälle kommen häufig vor, und noch häufiger sieht man liegengebliebene Lastwagen. Sie versuchen erst garnicht, die Wagen, von der Straße zu holen. Sie legen einfach ein paar Äste oder Steine drum herum und erwarten, dass der Verkehr sie umfährt. Mitten auf der Spur führen die Fahrer und die Mechaniker größere Reparaturen durch, ohne die rasenden Fahrzeuge neben sich zu beachten. In Kharion gab es einen großen Armeestützpunkt. Dort war ein Unterkunftslager das „CANT" genannt wurde. Ausländern war das Betreten untersagt. Es war nicht erlaubt durch ein CANT zu gehen oder sich auf einen CANT aufzuhalten. Das steht in großen fetten Buchstaben in meinem Visum. Um zur Gemeinde zu gelangen, mussten wir die CANT *umfahren, was die ohnehin schon lange Reise noch verlängerte. Pastor Binyameen hatte die Konferenz gut organisiert und wusste, dass die wichtigen Elemente eines Erntetreffens immer der Gottesdienst und das Wort waren. Er ließ nicht zu, dass der Gottesdienst verzögert oder langwierig wurde. Er stellte den Redner rechtzeitig vor und hatte immer eine gute Schar Menschen, die den Heiligen Geist brauchten. Die Konferenz fand auf einem Grundstück hinter der Gemeinde statt. An diesem Abend waren etwa 650 Menschen anwesend. Nachdem Bruder Robinette gepredigt hatte, erfüllte Gott etwa 50 Menschen mit dem Heiligen Geist und etwa 150 Menschen gaben ihr Zeugnis von Wunder der Heilung. Pastor Binyameen wusste, dass wir drei bis vier Stunden Fahrtzeit vor uns hatten. Er führte uns, direkt von der Plattform zu unserem Bus, um unsere Heimreise anzutreten. Nach etwa einer Stunde auf der Straße hielten wir bei einem KFC an. Gestärkt von dieser Mahlzeit, war der Rest der Fahrt bis zu unserem Gästehaus in Islamabad ereignislos. Am Sonntagmorgen drängten sich mehr als 450 Menschen in den Saal der Gemeinde im zweiten Stock des R. G. Cook-Gedenkgebäudes in Islamabad, wo Bischof Khalid der Pastor war. Am Ende dieses Gottesdienstes erfüllte Gott 7 Menschen mit dem Heiligen Geist. An diesem Abend reisten wir etwa eine Stunde zur Stadt Rawalpindi. Dies war die Stadt, in der Bruder Billy Cole 1996 bei einen Freilufttreffen gepredigt hatte. Bei diesem Treffen versammelte sich eine Menschenmenge von etwa 80 000 Menschen. Gott erfüllte etwa 3 000 von ihnen mit dem Heiligen Geist. Unsere Versammlung fand in einer Kongresshalle auf demselben Gelände statt, auf* dem Bruder Cole bei der Freiluftveranstaltung gepredigt hatte. Fast tausend Menschen versammelten sich an diesem Abend, und nachdem Bruder Robinette das Wort gepredigt hatte, erfüllte Gott etwa 120 Menschen mit dem Heiligen Geist. Etwa 400 gaben Zeugnis von Wunder der Heilung. Am Montagabend waren wir auf dem Weg zum Flughafen, um die Heimreise anzutreten. Bruder Robinette kehrte nach Österreich zurück, und ich war auf dem Weg nach Ohio. Am nächsten Tag kehrten Bruder und Schwester Shalm nach Malaysia zurück, um von dort aus ihren missionarischen Dienst fortzusetzen."

Pastor Jim Blackshear
Anchorage, Alaska

„Die Region Alaska-Yukon ist insofern eine sehr einzigartige Region, da unsere Gemeinden extrem abgelegen sind. Die meisten Gemeinden sind kleinere Gemeinden und nur sehr selten in der Lage, einen Gast-Evangelisten für eine Erweckung zu Besuch zu haben. Als Leiter der NAM hatte ich den Wunsch, den kleineren Gemeinden mit einer „Heilig-Geist"-Rallye an so vielen Orten wie möglich zu helfen. Als ich im Gebet nach Gottes Wille suchte, fühlte ich mich sehr stark dazu berufen, Pastor Kentenich anzurufen, um Bruder Robinette zu bitten, unser Gastredner zu sein. Er war von der Idee begeistert und wir buchten einen Termin, an dem er für 8 Tage in unserer Region sein würde. Ich erinnere mich deutlich daran, wie ich mit ihm über den Zeitplan sprach, wie viele Tage er gerne predigen und wie viele Tage er frei haben wollte, da sagte er mir unerbittlich: „Ich möchte jede Nacht einmal und am Sonntag mehrmals predigen." So sahen wir wie innerhalb von 8 Tagen in 10 Gottesdiensten eine unerwartete Anzahl von 112 mit dem Heiligen Geist erfüllt, 27 getauft und 143 Wunder der Heilung geschahen. Es war einfach wunderbar und es hat viele Gemeinden in unserem Bezirk stark beeindruckt.

Ich erinnere mich, wie er für eine Gemeinde in Anchorage gepredigt hatte. Der Pastor dort hatte noch nie an einem internationalen Kreuzzug teilgenommen. Am Ende des Gottesdienstes wurden mehrere vom Heiligen Geist erfüllt und Wunder geschahen. Bruder Robinette überreichte dem Pastor auch eine Spende von 5.000,00 Dollar für die Teilnahme an der Evangelisation in Bangladesch. In dem Augenblick dachte ich nur, dass dort ein Missionar in eine Gemeinde gekommen war, und anstatt dass er ein Opfer für seine Bedürfnisse annahm, überreichte er dem Pastor der Gemeinde ein beträchtliches Opfer. Was für eine erstaunlich selbstlose Aktion, die den Pastor für immer verändert hat.

Unsere Freundschaft war von Anfang an Gottes Wille. Es war auf einer Konferenz, auf der wir beide sprachen, auf der uns Gott auf ganz besondere Weise verband. Damals und auch heute habe ich gelernt die unglaubliche Salbung und Gabe, die Gott auf Charles Robinette gelegt hat, zu schätzen. All die Menschen auf der Welt, die von ihm durch sein wahrhaftig apostolisches Wirken beeinflusst worden sind, werden bis in alle Ewigkeit von ihren Erfahrungen erzählen können."

Pastor Charles G. Robinette

CHARLES G. ROBINETTE

UPCI-Missionar in Deutschland, der Schweiz, Liechtenstein und Österreich

Wir betreuten die Kirche der Apostelgeschichte in Wien, Österreich von 2006-2017. In diesen 11 Jahren wurden wir Zeugen vieler bemerkenswerter Wunder, die der Katalysator für eine außergewöhnliche Ernte in Österreich und darüber hinaus waren.

Während einer unserer wöchentlichen Gebetsversammlungen in der Kirche der Apostelgeschichte kam ein muslimisches Ehepaar in die Gemeinde. Sie waren beide in traditioneller muslimischer Kleidung gekleidet. Sie standen an der Rückwand des Saales und sahen uns über einen längeren Zeitraum beim Beten zu. Gegen Ende des Gebetstreffens ging ich nach hinten und fragte das Paar: „Was bringt ein muslimisches Paar während eines Gebetstreffens in eine Pfingstkirche?" Der Mann antwortete: „Wenn wir eine andere Möglichkeit gehabt hätten, wären wir nicht hier." Da musste ich natürlich laut lachen. Ich sagte: „Nun, Sie sind hier, was können wir für Sie tun?" Der Mann fuhr fort und erzählte mir von ihrem Schmerz und Leid der letzten 10 Jahre. Ich werde diese im folgenden Bericht zusammenfassen.

Das muslimische Paar war medizinisch nicht in der Lage, ein Kind zu empfangen und gebären zu können. Sie durchliefen 10 Jahre lang medizinische Behandlungen mit großem, persönlichem und finanziellem Aufwand, um ein Kind zu empfangen. Nichts hatte funktioniert. Am Tag vor ihrem Besuch in der Gemeinde, hatte ihnen der Arzt mitgeteilt,

294

dass es nichts mehr gab, was ihnen helfen konnte. Der muslimische Mann nahm seine Frau mit nach Hause und ging zur Arbeit. An diesem Abend arbeitete er mit einem Arbeitskollegen, der katholisch war. Der Arbeitskollege bemerkte das traurige Gesicht des Mannes und fragte ihn, was das Problem sei. Der muslimische Mann sagte ihm, dass sie am Ende all ihrer medizinischen Möglichkeiten angelangt waren und dass sie niemals Kinder gebären konnten. Der katholische Mitarbeiter schaltete die Maschine aus, an der sie zusammen arbeiteten, und sagte ihm: „Ich bin katholisch, also kann ich nichts für Sie tun. Aber wenn sie eine Pfingstkirche aufsuchen können, kann der Gott der Pfingstler Dinge tun, die kein anderer Gott tun kann." Sie verwendeten Google™ und fanden unter *„Pfingstkirchen in Wien"* die Kirche der Apostelgeschichte.

Der muslimische Mann sah mich an und stellte mir die Frage: „Glauben Sie, dass der Gott der Pfingstler bereit wäre, einen muslimischen Mann und einer muslimischen Frau zu heilen, damit sie ein Kind empfangen können?" Ich sagte ihm: „Auf jeden Fall!" Wir riefen die Ältesten zu uns in den hinteren Teil des Saales zusammen. Wir sagten dem muslimischen Ehepaar, dass wir die Hände auf den Mann legen würden, und er würde seine Hände auf seine Frau legen.

Wir beteten, dass Gott sofort ein Wunder schaffen würde, damit sie ein Kind empfangen konnten. Es geschah nichts Dynamisches. Das muslimische Paar weinte, während wir beteten, aber ihre emotionale Reaktion war wegen dem Schmerz, dass sie keine Kinder kriegen konnten. Sie weinten auch, weil sie so freundlich von den Christen der Gemeinde aufgenommen worden waren. Nach dem Abend sahen wir das Paar neun Monate lang nicht.

An einem Sonntagmorgen, etwa neun Monate später, besuchte der muslimische Mann wieder die Gemeinde. Mit Panik in den Augen kam er bis an den Rand der Plattform und sagte mir: „Pastor, erinnern Sie sich an mich?" Ich sagte: „Ja, Sir", und nannte ihn bei seinem Namen. Er sagte: „Sie haben für uns gebetet, dass wir ein Kind bekommen konnten. Ich komme gerade aus dem Krankenhaus, wo meine Frau gerade Zwillinge geboren hat!" Ich sagte: „Gott sei gepriesen, warum sind Sie nicht, als Sie wussten, dass Sie schwanger waren, eher gekommen? Dann hätten wir mit Ihnen, über das was Gott getan hat, feiern können." Er antwortete: „Gott hat das nicht getan. Es ist nur ein Zufall, dass wir Kinder kriegen konnten, nachdem du für uns gebetet hattest." Ich sagte: „Ok, warum bist du dann jetzt hier?" Er sagte: „Unsere Babys sind an einem Beatmungsgerät angeschlossen. Die Ärzte haben gesagt, dass sie die Nacht nicht überleben werden. Sie atmen nicht selbstständig und sind sehr schwach. Glauben Sie, dass der Gott der Pfingstler zwei muslimische Kinder heilen würde?" Ich sagte: „Auf jeden Fall! Aber nur, wenn Sie bekennen, dass Jesus Christus Gott ist!" Der muslimische Mann fiel auf die Knie. Am Altar weinte er während er den Namen Jesus ausrief. Wir riefen die Ältesten der

Gemeinde herbei und beteten für den muslimischen Mann und seine neugeborenen Kinder. Es geschah nichts Dynamisches. Der muslimische Mann stand auf, dankte mir und kehrte ins Krankenhaus zurück.

Später am Abend erhielt ich einen Anruf von dem muslimischen Mann. Er sagte: „Pastor, erkennen Sie meine Stimme?" Ich sagte: „Ja, Sir", und nannte ihn noch einmal bei seinem Namen. Er weinte und war sehr emotional. Er sagte: „Pastor, raten Sie mal, was UNSER Gott getan hat? Als ich ins Krankenhaus zurückkam, waren meine Kinder von den lebenserhaltenden Maßnahmen befreit und atmeten von selbst! Die Ärzte stehen unter Schock! Jesus hat unsere Babys geheilt! Können wir sie nächsten Sonntag zur Gemeinde bringen, damit sie dem Herrn Jesus Christus geweiht werden können?" Ich sagte: „Unbedingt!"

Am nächsten Sonntag kehrten das muslimische Ehepaar mit ihren beiden Neugeborenen in die Kirche der Apostelgeschichte in Wien, Österreich zurück.

Während der Babyweihe fiel der Heilige Geist auf diese Familie! Der muslimische Mann begann unkontrolliert zu zittern. Wir nahmen die Babys aus ihren Armen. Die muslimische Frau griff hinüber, um ihren Mann zu stützen. Als sie ihn berührte, fiel der Heilige Geist auf sie, und auch sie begann zu zittern! Beide wurden mit dem Heiligen Geist erfüllt und sprachen in anderen Zungen inmitten der Weihung ihrer Babys. Sie wurden beide am selben Tag auf den einzig rettenden Namen Jesus getauft! Das war der Beginn der großen muslimischen Erweckung und Ernte in Österreich.

Nicht allzu lange nach diesem Wunder wurden wir von einem Familienmitglied eines gläubigen Muslims kontaktiert, der an der Universität in Wien studierte. Während des Ramadan hatte dieser muslimische Bruder einen Traum. In diesem Traum sah er Jesus Christus im Himmel auf dem Thron sitzen. Er begann in Wien nach Menschen zu suchen, die glaubten, dass Jesus Christus ein im Fleisch manifestierter Gott sei.

Um ein langes Zeugnis etwas zu verkürzen, kam dieser muslimische Bruder an einem Sonntagmorgen in unsere Gemeinde, kurz bevor das Ausbildungszentrum für den Apostolischen Dienst (UPC-GSN Bibelschule) sein nächstes Semester begann. Er wollte unbedingt mit dem Erkunden des Wort Gottes anfangen, hatte jedoch weder den Heiligen Geist empfangen noch war er in den Namen Jesus getauft worden (was beides zwingende Voraussetzungen waren, bevor man sich für das AMTC anmeldete). Der Herr sprach zu mir und sagte mir, ich solle dem muslimischen Bruder erlauben, beim AMTC Seminar mitzumachen, obwohl dies gegen die festgelegten Vorgaben verstieß. Ich beschloss, einen Schritt weiter zu gehen als Gott es verlangte, und sagte dem muslimischen Bruder, er könne an den AMTC Seminaren teilnehmen, aber müsse mit dem Heiligen Geist erfüllt und in den Namen Jesus getauft werden, bevor die erste Schulungswoche zu Ende ging. Sonst könne er nicht weiter daran teilnehmen.

Viele Pastoren, darunter Missionar Radovan Hajduk und Missionar Nathan Hulsman, hielten Seminare in dem Semester das AMTC in Wien ab. Gemeinsam trugen ihre Investitionen, in die Lehre in einem unserer Abendkurse, Früchte. Während des Unterrichts sprang der muslimische Bruder auf und begann, den Namen Jesus zu bekennen. Augenblicke später sprach er in anderen Zungen. Sechs Tage später, an einem Sonntagmorgen, überwältigte die volle Offenbarung des mächtigen Gottes in Christus diesen muslimischen Mann. Er wurde an diesem Morgen in den Namen Jesus getauft und als er aus dem Wasser kam, redete er in anderen Zungen.

Der muslimische Mann machte seinen Abschluss am AMTC, und während er dem Herrn treu war, benutzte Gott ihn auf mächtige Weise. Er half mir in Wien, Österreich einen Predigtpunkt in Farsi einzurichten, der dazu führte, dass in sehr kurzer Zeit über 101 Muslime mit dem Heiligen Geist erfüllt und 159 Muslime in den Namen Jesus getauft wurden. Als wir Wien im Dezember 2017 verließen, blühte die Farsi-Predigtstätte auf und trägt weiterhin wöchentlich Früchte.

Inmitten der muslimischen Ernte Gottes in Wien, Österreich besuchte ein Filmregisseur an einem Sonntagmorgen unseren Gottesdienst. Er arbeitete an die Erstellung eines Dokumentarfilms, der auf den europäischen Filmfestivals zu sehen sein würde. Der Hintergrund des Films war die humanitäre Krise aufgrund der massenhaften muslimischen Migration in

Europa zu zeigen. Während unseres Gottesdienstes sah er etwas, das er nicht erwartet hatte. Er wurde Zeuge, wie Muslime, unter Christen aus 21 verschiedenen Kulturen, Jesus Christus anbeteten. Er wurde Zeuge, wie Muslime ihre Sünden bereuten, mit dem Heiligen Geist erfüllt wurden und im Namen Jesus getauft wurden. Nach dem Gottesdienst kam er zu mir und sagte: „Ich habe erkannt, dass es keine muslimische Krise gibt, in der es die Kraft des Heiligen Geistes gibt! Würde es Ihnen etwas ausmachen, wenn ich Ihre Gemeinde benutze und einen Dokumentarfilm darüber erstelle, wie Pfingsten das Leben der Muslime verändert?" Nach langwierigen Verhandlungen einigten wir uns. Ein Kamerateam kam an einem Sonntagmorgen zu uns in die Gemeinde. Es waren Lichter, Kameras und der „Heilig-Geist"-Aktion! Viele Muslime wurden an diesem Tag mit dem Heiligen Geist erfüllt und in den Namen Jesus getauft. Sie interviewten zwei der afghanischen Muslime, Bruder Nabi und Bruder Dawood, die wir in den Anfängen der Farsi-Gemeinde für den Herrn gewonnen hatten. In der Nacht, als Bruder Nabi und Bruder Dawood den Heiligen Geist empfingen und in den Namen Jesus getauft wurden, wurden sie bei ihrer Rückkehr in das Flüchtlingslager wegen ihres Glaubens geschlagen. Sie erzählten, dass ihnen gedroht wurde nicht zur Kirche der Apostelgeschichte zurückzugehen, denn dann würden sie umgebracht werden. Schon beim nächsten Gottesdienst kehrten sie zurück und brachten noch mehr Muslime mit, die am Ende das Wort Gottes mit Freude empfingen und ebenfalls wiedergeboren wurden. Ich weiß nicht mehr, wie viele Menschen diese beiden besonderen afghanisch-muslimischen Brüder zum Herrn gebracht haben, aber ich weiß eines: Gott wird ihre Bemühungen für die Verbreitung des Evangeliums und den muslimischen Seelen, die ihre Zeugnisse mit Freude aufgenommen haben, hoch anrechnen!

Pastor Paul Mooney erzählte dieses Zeugnis nach einem Deputationsdienst in der Gemeinde Calvary Tabernacle in Indianapolis, Indiana. Ein Mann, der den Gottesdienst live im Internet verfolgte, berichtete folgendes:

„Es gibt einen Grund, warum ich gesagt habe, dass der Geist des Herrn wirkt, wo immer Sie sind, solange Sie bereit sind." Während des ganzen Gottesdienstes fühlte ich ein Zerren in mir. Gegen Ende des Gottesdienstes begannen meine Beine, Arme und Hände zu zittern. Das Gefühl erinnerte mich an jener Nacht, als ich zum ersten Mal zum Altar ging, sowie in der Nacht, als ich getauft wurde. Ich saß auf dieser Couch und zitterte mit einem unkontrollierbaren Zittern in meinen Körper. Ich fühlte etwas bei mir. Etwas in mir! Ich hob meine Hände und sagte: „Gott, es tut mir leid. Gott ich liebe dich und ich möchte bei dir sein und mit dir gehen!" Damals fing mein Kiefer an zu zittern und meine Zunge begann sich zu bewegen, und ich sprang einfach auf, riss mir die Kopfhörer aus den Ohren und fing an herumzulaufen und Dinge zu sagen, die ich noch nie zuvor gesagt hatte. Das ging minutenlang so weiter. Als ich mich wieder hinsetzte, waren

die Schmerzen, die ich seit 3 Tagen im Nacken hatte, verschwunden, und ich fühlte mich erneuert. Ich fühlte mich freudig und glücklich und friedlich."

Pastor Hal Modglin teilte uns dieses Zeugnis mit unserem Malawi-Kreuzzugsteam mit, nachdem wir Afrika verlassen hatten:

„Lobpreis-Bericht! Ich wollte allen die Ergebnisse mitteilen, von dem was Gott durch Ihre Gebete auf unserer Missionsreise für mich getan hat. Wie viele von euch schon wissen, ließ Bruder Robinette unser Team während meines Aufenthalts in Südafrika für mich beten. Nach allen Anzeichen sah es so aus, als hätte ich Prostatakrebs. Letzte Woche ging ich jedoch zum Facharzt Anderson, und als meine Blutwerte zurückkamen, waren sie um die Hälfte gesunken. Es wurde eine Kernspintomographie gemacht, die eindeutig war. Ich danke Gott für diese Heilung und danke dem Team für seine Gebete. Wir dienen einem großartigen Gott!"

Pastor Dwaine Chapdelaine teilte uns dieses Zeugnis nach unserem Deputationsdienst in der Cornerstone Church in Kalamazoo, Michigan mit:

„Eine Dame in meiner Gemeinde hat mich gerade angerufen. Sie war die Frau, die das kleine Baby zur Welt gebracht hatte, für das gebetet werden sollte. Bei dem Baby wurde medizinisch ein sehr ernstes Problem diagnostiziert. Der Kopf war ungewöhnlich groß, so dass es einen

Helm brauchte. Wir haben am Sonntag für dieses Baby gebetet, und sie ging heute zum Arzt. Die Ärzte können nicht verstehen, was passiert ist, aber der Kopf des Babys kehrte zu seiner normalen Größe zurück, wie es eigentlich sein sollte. Das Baby ist vollständig geheilt! Die Großmutter rief mich ebenfalls weinend an und lobte Gott!"

Bruder Andrew Miller teilte mir dieses Zeugnis nach einem Deputationsdienst mit:

„Am Sonntag, nachdem Sie hier waren, erhielten wir als Ergebnis des Gebets einige Zeugnisse von den Wundern die Gott im Leben der Menschen vollbracht hatte. Eine Schwester, für die wir an dem Sonntag gebetet hatten, an dem Sie hier waren, litt unter schweren migräneartigen Kopfschmerzen. Es wurde eine Art neurologische Störung diagnostiziert. Zeitweise war ihr halbes Gesicht gelähmt. Aber am nächsten Sonntag sagte sie, dass es ihr besser ginge und sie die ganze Woche weder Schmerzen gespürt noch irgendeine Art von Lähmung erlebt hatte. „Außerdem ging ich am nächsten Tag zum Arzt, um mich untersuchen zu lassen und um die Ergebnisse einiger früherer Untersuchungen und Laborbefunde zu erhalten. Ich freue mich berichten zu können, dass Gott sich um mich gekümmert hat. Nur durch das Gebet war der Bericht des Arztes großartig, denn ich muss keine Medikamente oder irgendetwas anderes einnehmen. Er sagte mir, als wir die Voruntersuchungen mit den Sekundäruntersuchungen verglichen hatten, hätten sich die Dinge definitiv geändert. Der Klumpen, der an meinem Hals war, ist völ-

lig verschwunden. Mein Leberbild kam zurück und zeigte, dass meine Leber in ausgezeichnetem Zustand ist. Dort gibt es keine Probleme. Außerdem zeigte mein Blutdruck einen perfekten Wert von 120/80. Ich hatte einen klaren Befund... Gott sei Dank!"

Die folgenden Berichte stammen aus Zeugenaussagen, die sich während unseren Deputationsreisen in den Vereinigten Staaten ereignet haben. Die Berichte stammen aus unseren Aktualisierungsschreiben für Missionare.

❖   „Seit unserem gemeinsamen Dienst haben wir mehrere Heilungen erlebt. Ich war so begeistert von all den Wundern, die in letzter Zeit geschehen waren. Eine Schwester berichtete, dass sie von Lungenkrebs geheilt wurde. Am Tag ihrer geplanten Biopsie wurden Röntgenaufnahmen gemacht, und die Tumore und Anzeichen von Krebsgeschwülsten auf ihrer Lunge waren nirgendwo mehr zu finden. Die Ärzte haben nicht einmal die Biopsie durchgeführt, weil es nichts mehr zu „biopsieren" gab! Gelobt sei Gott!!!"

❖   „Ein anderer Bericht vor nur 2 Wochen kam von einer Schwester, die in den letzten 3 Jahren eine große Zyste im Nacken hatte. Sie ist eine der älteren Angehörigen in unserer Gemeinde. Sie beschrieb, dass die Zyste so groß wie ein Ei geworden sei und dass sie spüren konnte, wie sie sich buchstäblich um ihren Hals ausbreitete. Sie sagte, es fühle sich fast so an, als würde es sich ausbreiten, um sie zu erwürgen. Bei der Gebetsandacht am Montagabend erzählte sie der Gemeinde, dass sie nicht einmal ihrer Tochter von der Zyste erzählt hatte ... sie war einfach nicht dazu gewillt. Sie war Kranken-schwester. Sie hatte es einfach Gott überlassen. Als sich die Zyste an den Seiten ihres Halses ausbre-itete, wurde sie etwas besorgter. Als Sie in unserer Gemeinde predigten und die Leute aufriefen, die eine Heilung brauchten, nach vorne zu kommen, um diese zu empfangen, spürte sie die Salbung zum Altar zu gehen und zu beten. Niemand hatte für sie in der Kirche wegen ihrer Zyste gebetet, weil sie bis zu diesem Zeitpunkt niemandem davon erzählt hatte. Sie trug sogar Kleidung, die die ei-große Zyste absichtlich verbarg. Nachdem Sie über sie gebetet hatten, bemerkte sie in den darauffolgenden Tagen, wie die Zyste schrumpfte. Etwas drückte sich durch ihre Haut hinaus. Sie kontrollierte die Zyste jeden Tag und wischte die austretende Flüssigkeit ab. Als sie vor zwei Wochen allen in der Gemeinde von dem Wunder berichtete, sagte sie, dass es nun voll-ständig verschwunden war. Es gibt keine Spur mehr davon!!!! Halleluja dem Lamm!! Liebe in Jesus."

❖ „Ich war vor dem Gottesdienst hörgeschädigt. Als ich am nächsten Morgen aufwachte, konnte ich die Vögel zwitschern, das Wasser laufen und den Wind wehen hören! Gelobt sei Gott, der die Tauben immer noch zum Hören bringt!"

❖   „Eines Abends vor dem Gottesdienst hatte unser Baby eine allergische Reaktion. Wir riefen das Krankenhaus an, und sie rieten uns ausdrücklich dazu, unser Kind sofort ins Krankenhaus zu bringen. Wir beschlossen, ihn stattdessen in das Haus des Herrn zu bringen. Wir brachten unser Baby zum Beten nach vorne. Es hatte rote Flecken im ganzen Gesicht. Wir sagten Ihnen, dass das Krankenhaus uns geraten hatte unser Baby sofort hinzubringen. Wir wissen aber, dass Gott das selbst tun kann. Als Sie für unser Baby beteten, verschwanden das Fieber und die roten Flecken noch bevor wir zu unseren Plätzen zurückkehrten! Mächtiger Gott!"

❖   „Ich hatte vor dem Gottesdienst schweres Asthma. Ich konnte keinen einzigen Tag durchstehen, ohne meinen Inhalator mindestens dreimal täglich zu benutzen. Ich konnte nicht so anbeten, wie ich wollte, weil ich keine Luft kriegte. Aber während Sie gestern Abend predigten, hörte ich, wie der Herr mir sagte, wenn ich ihn anbeten würde, würde er mich heilen! Ich begann zu laufen und Gott mit all meiner Kraft zu preisen. Als ich an diesem Abend den Gottesdienst verließ, hatte ich mich seit Jahren nicht mehr so stark gefühlt! Als die Woche zu Ende ging, hatte ich meinen Inhalator immer noch nicht benutzt und brauchte ihn auch nicht mehr! Gott ist immer noch fähig, alles zu vollbringen!"

❖ *„Ich habe noch nie an Wunder geglaubt, aber jetzt hat Gott all das für mich geändert! Ich musste an meinem Bein operiert werden. Ich hatte eine Hüftprothese, die nicht richtig funktionierte. Ein Arzt hatte ein Bein länger als das andere gemacht. Mehr als ein Jahr lang hatte ich so starke Schmerzen. Ich konnte nicht gerade stehen und ich nahm ständig Schmerztabletten ein. Der Arzt wollte mich wieder operieren und versuchen, meinen Muskel zu dehnen. Mein Pastor, Bruder Lewis, hatte über den Glauben gepredigt, als Bruder Robinette anknüpfend über Wunder predigte. Sie beteten für mich, und Gott öffnete mir die Augen und zeigte mir, was er alles tun kann, wenn wir nur glauben. Gott ließ mein Bein ohne Operation augenblicklich wachsen! Gott nahm all meine Schmerzen sofort weg! Mein Arzt war so erstaunt! Nach dem Röntgenbild wusste er nicht, was er sagen sollte. Mein Bein wurde nicht nur länger, sondern ich wuchs insgesamt noch weiter, was, wie der Arzt sagte, nicht möglich war. Alle Ehre gebührt dem Herrn Jesus Christus!!!"*

Pastor Aaron Soto
Appleton, Wisconsin

Pastor Soto rief mich am Telefon an und sagte: *„Jemand möchte Sie begrüßen. Erinnern Sie sich an den Kerl, der bei der Jugendkundgebung fürchterliche Dread-Locks und Piercings hatte? Sie würden ihn jetzt nicht wiedererkennen!"*

Der Mann setzte sich ans Telefon und sag*te: „Ich muss Ihnen mein Zeugnis abgeben. Ich wurde sieben Jahre lang in der MAYO-Klinik behandelt. Ich wurde mehrfach operiert, hatte Strahlungsbehandlungen hinter mir, und nach all dem sagten sie mir, der Krebs sei immer noch da. Aber in der Nacht, als ich den Heiligen Geist empfing, geschah etwas mit mir. Ich ging in eine apostolische Kirche, ließ mich in den Namen Jesus taufen und ging in der nächsten Woche zu meiner regelmäßigen Untersuchung in die Mayo-Klinik zurück. Sie konnten keine einzige Spur von Krebs oder anderen Tumoren in meinem Körper finden! Vier Monate später gibt es immer noch keine Anzeichen von Krebs!"*

Rev. Whitney Bateman
Assoziierte Missionarin der UPCI

„Wir hatten lange gebetet und in den deutschsprachigen Nationen geglaubt, dass Gott uns eine generationenübergreifende, mehrsprachige und multikulturelle Erweckung senden würde. Der Herr tat genau das, als sich im Mai 2016 eine Tür mit der Farsi- und arabisch-sprachigen Gemeinschaft in Wien öffnete.

In unserem ersten Gottesdienst in der persischen Sprache war viel gebetet worden, und keiner von uns war sich ganz sicher, was zu erwarten war. Als wir vor dem Gottesdienst in der Gemeinde beteten und uns vorbereiteten, schauten wir aus dem Fenster und sahen einen wunder-

schönen Anblick, den ich nie vergessen werde: eine große Gruppe wertvoller Menschen aus dem Nahen Osten, die aus der Straßenbahn stiegen und die Straße zu unserer Gemeinde hinuntergingen.

All diese Menschen waren muslimisch erzogen worden. Einige von ihnen waren während der Flüchtlingskrise einige Monate zuvor nach Europa gekommen. Einige kamen an diesem Abend trotz der Gefahr körperlicher Gewalt ausgesetzt zu werden zum Gottesdienst. Gott zeigte sich auf wunderbare Weise, und auch am nächsten Tag, als die Gruppe zu unserem Sonntagsgottesdienst zurückkam. Am Ende dieses Wochenendes waren 10 Menschen getauft und mit dem Heiligen Geist erfüllt worden. Eine erstaunliche Erweckung hatte begonnen.

Es gibt so viele schöne Geschichten aus dieser Zeit, dass diese Menschen die Seiten ihres eigenen Buches füllen könnten. Viele von denen, die in dieser Zeit über-zeugt wurden, hatten keine vorherige Erfahrung mit dem Christentum oder der Kirche. Bruder Robinette und andere Leiter der Gemeinde gaben dieser Gruppe jede Woche Bibelstudien mit Farsi-Übersetzung. Bruder und Schwester Terry Shock, Bruder und Schwester Chris Green, und Bruder und Schwester Nathan Hulsman kamen, um eine besondere Zeit des Lehrens mit ihnen zu verbringen, und investierten viele Stunden in Ges-prächen mit Einzelpersonen aus der Gruppe, um ihnen die Grundlehre zu vermitteln.

Viele waren im AMTC eingeschrieben, der Bibelschule der GSN. Mit wachsendem Verständnis luden sie, immer mehr Menschen zu den Treffen ein. Gott erfüllte immer mehr von ihnen mit seinem Geist.

Ich werde nie die junge iranische Familie vergessen, die mit einem Neugeborenen nach Österreich eingewandert war. In ihrem ersten Gottesdienst weinten sie an Bruder Robinettes Schulter, als die Gegenwart Gottes auf sie herabkam. Beide wurden getauft und empfingen den Heiligen Geist. Bald darauf weihten sie ihr kostbares Baby den Herrn. Ich werde nie die erste Frau vergessen, die anfing, an den Farsi-Gottesdiensten teilzunehmen. Sie empfing den Heiligen Geist während eines Frauengebetstreffens. An diesem Tag hatten wir keinen Dolmetscher für sie, und sie sprach kein Englisch und nur wenige Worte Deutsch. Aber wir dienen einen Gott, der alle Sprachen spricht, und als wir beteten, flossen Tränen über ihr Gesicht, und sie sprach in anderen Zungen.

Ich werde nie den Ausdruck auf ihren Gesichtern vergessen, als an dem Tag Bischof James Stark bei uns war und von der Gruppe eines iranischen Mannes in seiner Gemeinde in Ohio erzählte. Bischof Stark sollte ausrichten, dass er für sie betete. Der Gedanke, dass jemand aus ihrer eigenen Kultur, der ebenfalls Jesus begegnet war und von der anderen Seite des Ozeans aus an sie dachte, hatte sie tief berührt. Mehrere, die sich noch nicht Gott übergeben hatten, empfingen an diesem Wochenende den Heiligen Geist.

Ich werde das Wochenende unserer Elisa-Konferenz 2016 nie vergessen, an dem Bruder Raymond Woodward predigte und einer meiner geschätzten Freunde getauft wurde und den Heiligen Geist empfing! Sie war Studentin an der Universität und war während unserer Gottesdien-

ste immer ein wenig zurückhaltend. An dem Tag, an dem sie die Entscheidung getroffen hatte, sich taufen zu lassen, kam sie schreiend aus dem Wasser hoch. Sie sprach in anderen Zungen und freute sich!

Anlässlich des einjährigen Jubiläums unseres ersten Farsi-Dienstes predigte Bruder Landon Gore. Wir hörten Zeugnisse von einigen der Mitglieder, was Gott in ihrem Leben getan hatte. Wir weinten, als sie Geschichten darüber erzählten, wie Gott sie zu unserer Gemeinde geführt hatte, wie er sich ihnen offenbart hatte, welche Opfer sie gebracht und welchen Segen sie bei ihrer Bekehrung empfangen hatten:

„Ich ging in eine andere Kirche in Wien, und sie schrien mich an und sagten, ich solle wieder gehen. Ich dachte: Das Christentum ist nicht anders als der Islam. Aber ich betete, dass Gott sich mir lebendig zeigen würde, wenn er wirklich Gott wäre. Innerhalb von 24 Stunden geschah ein Wunder in meinem Leben. Da führte er mich zu dieser Gemeinde“, sagte ein Mitglied.

„Ich hatte Angst davor, vom Islam zum Christentum zu konvertieren. Angst davor, meine Traditionen und meine Familie zu verlieren. Aber als ich aus dem Wasser der Taufe herauskam, wurde alle Angst von mir genommen. Und jetzt hat Gott mir eine neue Familie geschenkt“, sagte ein anderer.

Gott ist der Gott ALLER Völker. Wir sind in den letzten Tagen, und er gießt wahrhaftig seinen Geist über alle Menschen aus. Im Laufe der Zeit trugen einige aus der Gruppe ihre Erfahrungen mit Jesus in andere Länder und andere zurück in ihre Heimatländer.

Ich bin dankbar für das einzigartige Zeitfenster, das der Herr uns gegeben hat, um ihn mit diesen wertvollen Menschen zu teilen. Er erlaubte es uns, diese unglaubliche Erweckung aus erster Hand zu erleben. Seit dem Anfang dieser Erweckung, wurden 159 muslimische Menschen in Wien und noch mehr in unserer Region in den Namen Jesus getauft. 101 wurden mit dem Heiligen Geist erfüllt. „Jedermann". Er bewegt die Herzen immer noch!"

Bruder Reza (Alex) Namdari
Muslimischer Konvertit

Lobt den Herrn, ich schreibe dies, weil der Herr mein Leben verändert hat, und ich möchte, dass mein Zeugnis ein Segen für das Werk des Herrn ist! Es gibt nichts Schöneres, als Jesus Christus zu kennen, die Wahrheit zu kennen, in Jesus Namen getauft zu werden, vom Heiligen Geist erfüllt zu sein und für immer frei von der Dunkelheit zu sein.

Ich war ein einsamer Typ, der von VIELEN RELIGIÖSEN MENSCHEN und Ritualen anderer Kulten umgeben war. Unsere Familie gehörten der „Schaja-Islam" an, der ein Teil der islamischen Religion ist. Der Schaja-Islam ist ein großer Teil der Religion und Politik in Iran. Es war für jeden Einzelnen im Iran so wichtig, die Regeln dieser Religion zu folgen.

Ich war jeden Tag traurig. Ich fühlte mich leer, weil ich auf meine Tante und auch meine Familie hörte, die versuchten mein Leben zu kontrollieren. Eines Tages, nach 5 Jahren des Glaubens, war ich so müde von den islamischen Ritualen, dass ich meinen Vater fragte: „Warum beantwortet Gott mein Gebet nicht?"

Mein Vater sah mich an und sagte: „Vielleicht machst du etwas falsch, mein Sohn. Ich weiß es nicht, aber gebe niemals auf Gott zu suchen. Ich bin sicher, er wird dir antworten."

Ich wurde durch das, was mein Vater mir erzählte, ermutigt, aber als ich in mein Zimmer zurückkehrte, überfielen mich erneut Dunkelheit und Traurigkeit. Ich war 18 Jahre alt. Ich wurde depressiv, weil Gott meine Gebete nie erhört hatte. Ich fragte mich immer wieder, was mit mir los war. Wie konnte ein Mensch 5 Jahre lang beten, alle die islamischen Rituale durchziehen und trotzdem nichts von Gott bekommen? Ich hatte das Gefühl, dass mein Leben vorbei war. Ich hatte viele Probleme. Ich erhielt sogar eine Warnung von der Islamischen Revolutionsgarde, und sie hinderten mich daran, an der Universität zu studieren. Sie haben mein Leben völlig blockiert. Sie drohten sogar damit, mich ins Gefängnis zu stecken.

Ich konnte hören und fühlen, wie der Teufel in meinen Ohren flüsterte: „Hey Reza, das ist das Ende!" Ich begann online nach einem Weg zu suchen, den Iran zu verlassen. Ich suchte bis in die frühen Morgenstunden. Ich war so müde und hatte keine Energie. Ich fing an zu weinen und rief Gott zu: „Hilf mir, ich brauche dich in meinem Leben! Wo bist du? Ich habe 5 Jahre lang zu dir gebetet, aber du hast mir nicht geantwortet!"

Ich war müde. Ich hob meinen Kopf und wollte mich von meiner Facebook™ Seite abmelden. Da sah ich ein Bild von Jesus Christus, das einer meiner Facebook™ Freunde gepostet hatte. Oben auf diesem Bild stand ein Bibelvers in persischer Sprache: Lukas 11,9-11 „So sage ich euch: Bittet, und es wird euch gegeben werden; sucht, und ihr werdet finden; klopft an, und die Tür wird euch aufgetan werden. Denn jeder, der bittet, empfängt; wer sucht, der findet; und dem, der anklopft, wird die Tür aufgetan."

Ich betete: „Ich sage deinen Namen Jesus, ändere mein Leben oder ich beende mein Leben morgen."

Ich ging zu Bett und schlief ein. Ich sah den Herrn in meinem Traum. Ich habe in meinem Traum die gleichen islamischen Rituale durchgeführt. Jesus kam zu mir, legte seine Hand auf meine Schulter und sagte: „Was tust du, mein Sohn?"

Ich sah ihn an und war erstaunt über seine Schönheit und Herrlichkeit. Ich sagte: „Herr, ich bete um Hilfe."

Jesus sagte: „Komm mit mir, Alex, dein Name wird Alex sein, ich werde dir das Licht und den Weg zeigen. ICH BIN DER WEG!"

Er sagte, wenn ich ihm folgen würde, würde er mir Frieden und Freude schenken. Dann sagte er zu mir: „Ich werde dich meinen besten Freunden vorstellen. Höre auf sie und sie werden dir helfen."

In diesem Traum, 7 Jahre bevor ich ihn begegnete, 7 Jahre bevor ich ihn jemals zu sehen bekommen würde, zeigte mir Jesus Pastor Robinette. Als ich aufwachte, hatte ich 2 Wochen lang ein wunderbares Gefühl! Wie durch ein Wunder öffneten sich alle Türen für mich, und ich verließ den Iran! Der Herr sandte mich nach Österreich. Ich fand die Kirche der Apostelgeschichte. Ich sah Pastor Robinette zum ersten Mal. Ich wurde in den Namen Jesus getauft. Ich wurde mit dem Heiligen Geist erfüllt. Ich war erstaunt! Ich fragte: „Wie kann das sein?"

Ich habe Bruder Robinette 7 Jahre zuvor in meinen Träumen gesehen! Pastor Robinette war einer der besten Freunde des Herrn! Ehre sei dem Namen des Herrn Jesus Christus.

Ich habe Frieden gefunden! Ich habe die Wahrheit gefunden! Ich fragte Jesus, und er zeigte sich mir. Ich dachte, es gäbe keinen Gott, aber Jesus hat sich mir gezeigt. Jesus zeigte mir, dass er existiert, dass er in unserem Leben wirken wird, wenn wir ihn darum bitten. Gott segne Sie alle. Ich bete für ein wunderbares Leben für Sie alle und wünsche mir, dass der Herr Sie bei jedem Schritt in Ihrem Leben immer beschützt."

Bruder Jordan Dunning
UPCI AIM-Arbeiter

„Es erstaunt mich bis heute, dass ich vor 4 Jahren Zeuge eines unerwarteten Aufschwungs unter der Farsi-sprachigen Bevölkerung in Österreich wurde. In fast jedem

Gottesdienst tauften wir mehrere, ehemals praktizierende Muslime im Namen Jesus. Und jede Woche kamen immer mehr Muslime hinzu, um ihre eigene lebensverändernde Erfahrung zu machen.

Innerhalb des ersten Jahres hatten wir über 100 Farsisprechende Brüder und Schwestern in den Namen Jesus getauft und fast ebenso viele wurden mit dem Heiligen Geist erfüllt. Es war erstaunlich zu sehen, wie hungrig diese neuen Christen darauf waren, etwas über den Herrn Jesus zu erfahren.

Ich liebe die Art und Weise, wie Gott eine schwierige und herausfordernde Situation als einen Weg nutzen kann, um Menschen zur Offenbarung des einen Gott in Christus Jesus zu bringen. Das waren Menschen, die in ihrem Heimatland nur sehr wenig bis gar keinen Zugang zum Evangelium hatten. Für viele von ihnen war die Flucht nach Österreich die einzige Gelegenheit Jesus, seine Liebe und die Freiheit durch das Wort Gottes kennenzulernen. Nicht nur das Leben unserer neuen Brüder und Schwestern änderte sich, sondern die Erfahrung hatte auch einen tiefgreifenden Einfluss auf all jene, die bezeugten, was der Herr in Österreich wirkte."

Pastor Rachedie Mubobo
Wien, Österreich

„Ich kam 1994 in Österreich an. Ein Jahr später trat ich einer trinitarischen Gemiende bei, wo ich 2006 in den Namen des Vaters, des Sohnes und des Heiligen Geistes getauft wurde. Meine Familie und ich zogen 2008 nach

London. Ich hatte meine eigenen Pläne, mich in der Politik zu engagieren, aber meine Pläne wurden vollkommen umgeschmissen.

Das Wort Gottes sagt in Jesaja 55,8: „Denn meine Gedanken sind nicht eure Gedanken, noch sind eure Wege meine Wege, spricht der Herr."

Im Jahr 2010 wurde ich vom Herrn berufen, Pastor zu werden. Es war eine schwere Zeit für meine Familie die Entscheidungen Gottes zu akzeptieren. Mein damaliger Pastor erhielt eine Offenbarung meiner Berufung und nach einiger Zeit im Gebet bestätigte Gott uns seine Entscheidung. Und wir akzeptierten Gottes Entscheidung. Später offenbarte Gott dann meiner Frau, dass ich in London nicht ordiniert werden würde. Drei Jahre später sprach Gott klar zu uns, dass wir für seine Arbeit nach Wien zurückkehren mussten. Unser Aufenthalt in London war unsere Vorbereitung auf den Dienst. 2015 kehrten wir nach Wien zurück. Während meine Familie in Wien Urlaub machte, suchte ich nach einer Gemeinde, wo ich Gott während unseres Urlaubs anbeten konnte. Während dieser Zeit fand meine Frau ein Faltblatt der Kirche der Apostelgeschichte auf dem Sitz einer Straßenbahn, Nummer 71, und steckte es ein. Als sie nach Hause kam, zeigte sie mir das Faltblatt. Nachdem ich es gelesen hatte, führte der Geist des Herrn meine Frau und mich am folgenden Sonntag zur Gemeinde. Überraschenderweise kannten wir eine Schwester in der Gemeinde, die in der COA im Gottesdienst betete. Sie stellte uns Pastor Charles Robinette vor. Es war das erste Mal, dass wir ihn trafen. Er hieß uns herzlich willkommen. Ich erinnere mich noch gut an das Thema der Predigt, in der es um den Namen Jesus ging. Nach dem Gottesdienst lud er uns in sein Büro ein, und wir sprachen mit ihm über den Plan Gottes, eine französische Gemeinde in der Stadt Wien zu gründen.

Ohne zu zögern hat er sich uns in jeder erdenklichen Weise zur Verfügung gestellt. Im Gespräch schlug er vor, dass ich an einer der Ausbildungsinitiativen der UPC-GSN, dem Purpose-Institute, teilnehmen sollte. Es begann in der folgenden Woche. Ich nahm am Purpose-Institute teil, und meine Frau und ich beschlossen, die COA zu unserer Heimatkirche zu machen.

Einige Tage bevor meine Familie nach London zurück-kehrte, sprach der Herr zu meiner Frau in einem Traum, dass ich unsere Töchter in den Namen Jesus taufen sollte, aber sie mussten vor dem nächsten Sonntagsgottesdienst abreisen. Ich beschloss, sie in der Donau zu taufen, bevor sie abreisten.

Während meines Besuchs in der Kirche der Apostel-geschichte hörte ich mehrere Lehren über die Einheit Gottes und die Taufe in Jesus Namen. Alle diese Lehren machten mir klar, dass ich neu getauft werden musste. Wie ich bereits sagte, wurde ich zuvor in den Namen des Vaters und des Sohnes und des Heiligen Geistes getauft.

Während der COA-Gottesdienste erinnerte mich der Heilige Geist immer wieder daran, dass ich dem Wort Gottes gehorchen musste, indem ich mich in den Namen Jesus taufen lassen sollte. Der Feind versuchte immer, mich davon zu überzeugen, dass ich bereits getauft sei und *dass es keinen Sinn machen würde. Jedes Mal, als ich mich dazu entschied, mich taufen zu lassen, hörte ich wie eine Stimme mir sagte: „Jeder kennt dich hier als Pastor, schämst du dich nicht erneut getauft zu werden?"*

Ich habe meine Entscheidung jedes Mal rückgängig gemacht. Das ist mir mehrfach passiert. Was ich gelernt habe ist, dass der Herr Jesus so geduldig ist. In unserem Leben gibt es immer einen Tag, an dem der Heilige Geist in das Leben eines Menschen eintritt und beschließt, das zu tun, was auch immer er will. Widerstand ist zwecklos.

Ein Gottesdienst an einem Mittwoch hat mein Leben verändert! Während Pastor Robinette über die Taufe im Namen Jesus predigte, spürte ich in meinem Herzen, dass dies der Tag war. Der Heilige Geist sprach deutlich zu mir, dass ich diese Gelegenheit nicht verpassen durfte. Ich zitterte am ganzen Körper. Der Heilige Geist erinnerte mich daran, dass ich in der trinitarischen Formel getauft wurde. Nach dem Gottesdienst teilte ich Pastor Robinette mit, was ich während des Gottesdienstes erlebt hatte. Ich sagte ihm, dass ich wieder getauft werden müsste. Er sagte mir: „Wenn es Ihnen nichts ausmacht, können wir das am Sonntag machen?"

Ich konnte es kaum erwarten! Ich antwortete: „Nein, heute ist heute."

Es klang wie in Apostelgeschichte 8,36, in der Geschichte des äthiopischen Kämmerers und Philippus: „Und als sie auf ihrem Weg gingen, kamen sie zu einem bestimmten Wasser; und der Kämmerer sprach: Siehe, hier ist Wasser; was hindert mich daran, mich taufen zu lassen?"

Der rettende Glaube ist untrennbar mit dem Gehorsam gegenüber dem Wort Gottes verbunden. Und gehorsam zu sein ist besser als Opfer, sagt der Herr. Es war mir egal, was die Leute von mir dachten. Pastor Robinette taufte mich erneut, aber diesmal im einzigen rettenden Namen Jesus. Und als ich aus dem Wasser kam, bewegte sich der Heilige Geist auf eine mächtige Weise. Dies kann ich bis heute nicht erklären. Wir dienen einem erstaunlichen Gott, der in der Lage ist, in unserem Leben zu tun, was auch immer er will.

Niemand ist in der Lage, den wehenden Wind des Heiligen Geistes aufzuhalten. Nach der Taufe rief ich meine Frau in London an. Ich erklärte ihr, was der Herr in meinem Leben getan hatte und teilte ich ihr mit, was ich empfangen hatte. Auch sie wurde vom Wort Gottes berührt und beschloss, dass sie sich, sobald sie nach Wien in die COA zurückgekehrt war, ebenfalls neu taufen lassen würde. Dies tat sie dann auch. Meine ganze Familie ist nun in den Namen Jesus getauft. Lobet den Herrn!

Wir sind dem allmächtigen Herrn so dankbar. Wir sind auch dankbar für Pastor Robinette und seiner Familie, mit denen der Herr uns zusammengebracht hat, und die einen großen Einfluss auf unser Leben im Allgemeinen und insbesondere in meinem Dienst haben. Er ist ein Mann mit einem großen Herz, ein Seelsorger und Mentor. Er ist ein demütiger Mann Gottes. Ich danke ihn aufrichtig für all seine Liebe, Ermutigung und Unterstützung gegenüber meiner Familie. Ich danke ihm auch für die Umsetzung des allerersten Steins für die ADiPE-Kirche.

Ich möchte auch Pastor und Schwester Pace, alle Heiligen der COA, und schließlich dem Vorstand von UPC-GSN für alles danken, was sie für die ADiPE-Kirche in Wien, Österreich tun. „Möge der Herr Sie segnen, Bischof Robinette."

Pastor Naki Pedro Mumeso &
Pastor Mariana Elisa Pedro Mumeso
Manage, Belgien

„Seit Beginn unseres pastoralen Dienstes 1987 in Soyo, Angola wurden wir in der trinitarischen Taufformel getauft (Matthäus 28,19).

Wir haben auch in anderen Zungen gesprochen, aber wir lehrten immer noch die Lehre der Dreifaltigkeit. Wir kamen im Jahr 2000 nach Österreich und hatten im Oktober 2007 eine Gemeinde in Wien gegründet "Mission Neuer Bund Christi", die offiziell 2015 anerkannt wurde.

Als wir von unserer Israelreise zurückkehrten, nahmen wir Kontakt mit Bischof Charles G. Robinette auf und vereinbarten einen Termin. Das Zusammentreffen war von Gott ermöglicht. Wir lernten uns im März 2016 kennen.

Unsere Tochter Gabriela diente im Lobpreisteam der COA. Meine Frau und ich hatten das Privileg, in Zusammenarbeit mit Bishop und Schwester Robinette als Lehrkräfte in Sachen des Wort Gottes in der COA zu dienen. Bischof Robinette war zu dieser Zeit Missions-

pastor der COA und General Superintendent der UPC-GSN . Gottes Plan war es, dass wir in unserem Dienst einen notwendigen Wandel erleben sollten. Als Pastor der Missionskirche "Christi im Neuen Bund" suchten wir nach einem anderen Ort für unsere Gottesdienste. Da wir Pastor Robinette bereits kannten, fragten wir ihn, ob wir uns in seinem Gebäude treffen konnten, denn so wäre es leichter für ihn gewesen für unsere Gemeinde Seminare über biblische Lehren abzuhalten. Er nahm meinen Vorschlag herzlich an und schlug vor, seine Einrichtung sonntags um 16.00 Uhr zu verwenden. Sein Angebot war mir willkommen.

Im Laufe der Zeit hatten wir uns darauf verständigt und vereinbart, dass es besser wäre, nur eine Kirchengemeinde zu haben, anstatt dass sich die beiden Gemeinden zu unterschiedlichen Zeiten im selben Gebäude treffen würden. Wir haben die beiden Gemeinden zu einem Gottesdienst um 11.00 Uhr zusammengelegt.

Es gibt einen gemeinsamen Nenner zwischen der Trinitätslehre und der Einheitslehre: Jesus Christus. Aber es gibt einen zentralen Punkt der Kontroverse. Diese Meinungsverschiedenheit bereitete mir viele Jahre lang grundlegendes Unbehagen.

Viele Jahre lang habe ich in meinen Gebeten und Nachforschungen in Erfahrung bringen wollen: 1. Wer ist Jesus Christus wirklich? 2. Warum haben die Apostel immer ausschließlich in den Namen Jesus Christus getauft, da Jesus selbst ihnen in Matthäus 28,19 den Auftrag gegeben hatte in den Namen des Vaters, des Sohnes und des Heiligen Geistes zu taufen?

Das sind die beiden Fragen, die die Offenbarung Gottes in meinem Dienst weckten. Der Herr verwies mich auf Apostelgeschichte 4,12: „Und es ist in keinem andern das Heil; denn es ist auch kein anderer Name unter dem Himmel den Menschen gegeben, in welchem wir gerettet werden sollen!"

Der Heilige Geist konfrontierte uns mit der Wahrheit der Schriften. Wer also Jesus Christus wirklich war im Vergleich zu dem, was wir lehrten. Wie es so sein sollte, war es dann Bruder Robinette, der Gottes Werkzeug war, damit wir die volle und richtige Offenbarung von Christus erhielten.

Ich kam zu der Offenbarung, dass Jesus Christus der einzige Name des Vaters, des Sohnes und des Heiligen Geistes ist. Der Herr zeigte mir sofort, dass Jesus Christus der EINZIGE NAME Gottes ist! Denn in ihm, Jesus Christus unserem Herrn, wohnt leibhaftig die ganze Fülle der Gottheit, und in seinem Namen wird Buße und Vergebung der Sünden zu allen Völkern gepredigt. (Kolosser 2,9; Matthäus 28,18; Lukas 24,47).

Dies ist eine wunderbare heilige Offenbarung der absoluten Göttlichkeit von Jesus Christus.

Wie Andrew Urshan, der Pfingstpionier, sagte: „Die Schriften sind meiner Seele wie nie zuvor durch den Heiligen Geist offenbart worden. Der Heilige Geist hat mein Gedächtnis erfrischt, indem er den Schriften, die ich zuvor gelesen hatte, neue Bedeutung verlieh, und sie wurden neu wie der Morgentau."

Es ist wahr, „dass die Wahrheit fortschreitend ist: Wenn

Sie Gott suchen, wird sein Geist Sie zu einer größeren Kenntnis seiner Person führen, wenn Sie es ihm erlauben."

Von da an fühlten wir uns in unserem Wissen frei und zögerten nicht dieses Zeugnis, mit anderen Pastorenkollegen zu teilen, mit denen wir die gleiche Doktrin teilten. Gott verband unsere Herzen mit der Wahrheit. Von diesem Zeitpunkt an ermöglichte Gott uns viele unabhängige Pastoren in allen deutschsprachigen Ländern, kennenzulernen. Viele dieser Pastoren kamen zur Offenbarung des mächtigen Gott in Christus, ließen sich erneut im Namen Jesus taufen und wurden mit dem Heiligen Geist erfüllt.

Durch den Dienst von Rev. Charles G. Robinette haben wir mit eigenen Augen erlebt wie Hunderte von Muslimen das Evangelium der Errettung angenommen haben. Dies hatte zur Folge, dass sie in den Namen Jesus Christus und durch den Empfang des Heiligen Geistes, mit dem Sprechen in anderen Zungen, getauft wurden (Apostelgeschichte 2,38-39).

Und wissen Sie, was wir in diesem Mann, Bischof Robinette, gefunden haben? Integrität, die Furcht vor dem Herrn, einen radikalen Bewahrer der apostolischen Lehre, einen Mann des Gebets und des Glaubens, der ausdauernd ist, einen guten Verwalter und Nächstenliebe. In Wahrheit seltene Eigenschaften, besonders in dieser Zeit der Endzeit. Einer der wichtigsten Punkte in seinem Dienst ist die Lehre von der Heiligkeit. Er ist jemand mit einem Geist der Demut. Er weiß wie er Gott vertrauen kann, egal welcher Situation er ausgesetzt wird. Er hat

*keine Angst oder Vorbehalte, nach Samaria hinunter-
zugehen, wenn er dorthin gehen muss, um das Evangelium der Erlösung zu predigen. Er ist voller Kühnheit
angesichts der größten Probleme und er hat das, was
wir einen rücksichtslosen Glauben nennen. Er predigt
mit einer starken und tiefen Stimme und mit einer Haltung, die von Vertrauen in den Heiligen Geist erfüllt ist.
Nach seiner Predigt, kümmert er sich individuell um die
Menschen, und die Kraft Gottes manifestiert sich noch
immer auf wunderbare Weise durch ihn. Menschen sprechen in Zungen und Blinde sehen!*

*Der Dienst von Bischof Robinette hat mir geholfen, die
Tür zur Offenbarung von Christus zu öffnen. Ja, denn
durch sein Amt haben wir 2016 die tiefe Offenbarung des
einzigen und wahren Gott erhalten, dessen Name Jesus
Christus ist."*

Rev. Mark Drost
Internationaler Evangelist

*„Was für eine ungeheure Ehre hatte ich, als ich mit Pastor
Robinette einen Kreuzzug machen durfte. Wir trafen uns
in Peten, Guatemala mit Pastor David Bounds und dem
Evangelisationsteam. Ich war gespannt, wie sich die
Dinge entwickeln würden, wenn wir alle zu einer "Heiligen-Geist"-Evangelisation zusammenkommen würden.
Missionar Robinette hat viele Evangelisationen durchgeführt, bei denen Tausende mit dem Heiligen Geist
erfüllt worden waren. Ich selbst war auch gesegnet zu
sehen, wie Tausende mit dem Heiligen Geist erfüllt wur-*

den. Wieder einmal hatte Gott das Werk in Peten, Guatemala getan. Was während dieser Evangelisation geschah, hat man in dieser Gegend noch nie zuvor gesehen. Gott erfüllte mindestens 850 Menschen mit dem Heiligen Geist, mindestens 60 wurden in den Namen Jesus getauft und 358 Menschen berichteten von bemerkenswerten Wundern! Gott gebührt die ganze Herrlichkeit. Eines der mächtigsten Dinge, die ich aus dieser Evangelisation und aus der Zusammenarbeit mit mächtigen Männern gelernt habe, ist folgendes: Wenn man es mit Männern zu tun hat, die auf das Reich Gottes und auf Erweckung ausgerichtet sind, dann bettelt niemand um das Rampenlicht, weil sie ein gemeinsames Ziel haben. Diese Ziele werden erreicht, wenn man sieht wie Seelen gerettet werden und Jesus verherrlicht wird. Und sehen Sie, was Gott getan hat! Er hat Seelen gerettet, und er wurde verherrlicht. Ich möchte Sie, den Leser, ermutigen. Seien Sie ein auf das Reich Gottes ausgerichtet und ein von der Erweckung getriebener Mann oder Frau Gottes. Seien Sie bereit, sich zusammenzuschließen, ohne zu erwarten, im Rampenlicht zu stehen. Konzentrieren Sie sich darauf, dass Seelen gerettet werden und Jesus verherrlicht wird. ERWECKUNG ist der Name des Spiels."

Pastor Rashidi Collins
Tampa, Florida

„Der Dienst von Pastor Charles Robinette hat die New Life Familiengemeinde über die Jahre hinweg tiefgreifend beeinflusst. Bischof Davy lud ihn erstmals vor über 15 Jahren als Gastprediger ein, als seine Missionarskarriere

noch in den Kinderschuhen steckte.

Bei diesem ersten Treffen wurde uns die mächtige Salbung bewusst, die auf seinem Leben für Erweckung und Ernte lag. Für unsere Idee weitere Gemeinden in der Umgebung zu gründen, brauchten wir ein stabiles apostolisches Leitmotiv, das insbesondere auf die Erlösung der Verlorenen und dem Zuwachs des Reiches Gottes ausgerichtet war. Bruder Robinette veranschaulichte dies durch sein Engagement für das Missionsfeld in Europa und seine Leidenschaft für die Evangelisation. Gott nutzte seinen Glauben und Eifer, um explosive Gottesdienste zu ermöglichen, in denen wir die Ausgießung des Heiligen Geistes, zahlreiche Wassertaufen und unzählige Wunder erlebten.

In den letzten 5 Jahren hatten wir drei Evangelisationen mit ihm unternommen, woraufhin der Herr in unserer Gemeindefamilie wunderbar gewirkt hat. Wir hatten den Entschluss gefasst, ihn sonntags an mehreren Orten sprechen zu lassen, um seine Zeit für die Auswirkung der Ernte auszunutzen. Folglich sprach er Sonntagmorgen und Sonntagabend im Gottesdienst in der Hauptgemeinde und fuhr dann nachmittags zu unseren Tochtergemeinden, um dort zu predigen.

Das kam einigen unserer neuen Gemeinden zugute, da diese in einem kleineren Rahmen Erweckungsgottesdienste auf der Ebene der Evangelisation erleben konnten. Pastor Robinette war so freundlich, über den Ruf der Pflicht hinauszugehen, und seinem ohnehin schon hektischen Zeitplan weitere Treffen hinzuzufügen.

Im Sommer 2014 hatten wir das Privileg 71 Menschen mit der Taufe des Heiligen Geistes erfüllt zu sehen, während 30 in den Namen Jesus getauft wurden. Im Sommer 2016 gab es 24 Taufen und 80 empfingen die Taufe des Heiligen Geistes. Im Jahr 2019 sahen wir wieder mehr als 25 Personen, die im Namen des Herrn Jesus getauft und 60 Personen, die mit der kostbaren Gabe des Geistes erfüllt wurden. Wunder und Zeichen begleiteten das Verkünden des Wort Gottes in all diesen Zusammenkünften. Der Dienst von Pastor Robinette baute die Kirche Gottes auf kraftvolle Weise auf.

Es gibt etwas, was bei seinem Besuch bei uns im Jahr 2016 besonders bemerkenswert war. Als ein Täufer im Becken war, schwebte die Gegenwart Gottes mächtig um das Taufbad herum. Jeder, der vor der Taufe nicht den Heiligen Geist empfangen hatte, wurde glorreich erfüllt, als dieser aus dem Wasser kam. Diese Erfahrung hatte einen tiefgreifenden Einfluss auf den Pastor, der die Taufe durchführte. Derselbe junge Mann wurde später einer der Gemeindegründer unserer Tochterarbeit. Innerhalb von drei Jahren sind in dieser neuen Gemeinde über 600 Menschen im Namen des Herrn getauft worden. Die übernatürliche Vermittlung fand im Taufbecken statt, als Bruder Robinette das Wort des Herrn verkündete und in der Gabe des Glaubens wirkte. Wir danken Gott für das fruchtbare und gesalbte Wirken von Rev. Charles Robinette."

Pastor Goran Andreassen

Oslo, Norwegen

„Im Jahr 2014 hatte ich den Segen, Pastor David und die Baptistengemeinde in Åmli, Norwegen kennenzulernen. Diese kleine Gemeinde von etwa 30 Menschen, die vom Karen-Staat in Burma stammten, war so hungrig nach Gott und der Wahrheit. Pastor David erzählte mir, wie seine jungen Leute nach dem Heiligen Geist hungerten. Eine Erfahrung, die er selbst schon gemacht hatte, die er aber nicht mit seiner Jugend teilen konnte. Ich erzählte Pastor David vom Dienst von Pastor Robinette und wie Gott ihn benutzt hatte, um Menschen zu helfen, die den Heiligen Geist empfangen wollten. Wir beschlossen, ihn nach Åmli einzuladen.

Wir mieteten einen Saal in der Nähe und ließen seine Mitglieder zu dieser "Heiligen-Geist"-Rallye kommen. Wir hatten 15 junge Leute aus der Gemeinde, die bei diesem Treffen den Heiligen Geist empfingen. Nach dem Gottesdienst tauften wir sie in den Namen Jesus. In den folgenden Wochen ließ sich der Rest der Gemeinde erneut taufen. Die Gemeinde schloss sich dann der UPC von Norwegen an.

Pastor David hungerte danach, diese Wahrheit mit seinem Volk in Burma zu teilen. Er plante einen kleinen Kreuzzug nach Pha An, Burma. Dies befindet sich im Karen-Staat, der zu dem Zeitpunkt überhaupt keine apostolischen Kirchen hatte. Ich lud Rev. Robinette zu diesem ersten Evangelisationseinsatz ein. Das war ein Türöffner und wir hatten einen großen Durchbruch in einem kleinen Dorf in der Nähe von Pha An. 45 Menschen empfingen den Heiligen Geist und 16 ließen sich zusammen mit einigen großen Wundern in den Namen Jesus taufen.

In einem der Gottesdienste schrie eine ehemalige buddhistische Frau laut auf, weil sie von einem Dämon belästigt wurde. Nachdem wir den Dämon ausgetrieben hatten, setzten wir sie auf einen Stuhl und sie empfing augenblicklich den Heiligen Geist. Gleich nach dem Gottesdienst wurde sie in den Namen Jesus getauft. Kurz vor diesem Gottesdienst besuchten ich und Bruder Robinette das Tal der tausend Buddhas, das nur zehn Minuten vom Evangelisationsgelände entfernt lag. Wir beteten und im Gebet verlangten wir, dass dieses Gebiet für das Verkünden des Evangeliums, der Wahrheit in Anspruch genommen werden würde. Ich persönlich betrachte dieses Ereignis von Gott gegeben, der uns zeigte, dass die dämonische Macht dieser Religion nicht in der Lage war, die Wahrheit dort zu verhindern.

Am Sonntag nach unserer Evangelisation in Pha An füllte Gott in der Kirche des Hauptquartiers in Yangoon weitere 50 mit dem Heiligen Geist. Pastor David errichtete an diesem Ort eine Kirche und eine Bibelschule, die Menschen aus dem ganzen Karen-Staat zu Pastoren ausbildet. Seit diesem Evangelisationseinsatz sind 9 Gemeinden gegründet worden. Die Arbeit im Karen-Staat wächst mit explosionsartigem Tempo. Der Widerstand ist groß, und einige der neuerbauten Kirchen sind abgerissen worden. Den Menschen wird gedroht, dass sie aus ihrem Dorf vertrieben werden, wenn sie sich in den Namen Jesus taufen lassen. Trotzdem bekehren sich die Menschen im großen Maße zur Wahrheit.

Ich bin so dankbar für den Einfluss, den Rev. Robinette auf die Arbeit in Burma hatte. Die UPCI ist in der Chin-Region in Burma gut vertreten. Sie hatten die apostolische Botschaft durch Missionare erhalten, die über die Berge von Indien gekommen waren. Im Laufe der Jahre haben sie versucht, die Botschaft dem Volk der Karen zu verkünden. Aber es schien, dass sie nicht so empfänglich waren, da diese Missionare das Christentum überhaupt zur Chin-Region gebracht hatten. Aber jetzt, durch Pastor David, der ein Karen wie sie war, sind sie viel offener. Jetzt arbeiten Chin und die Karen Seite an Seite für diese wunderbare apostolische Wahrheit. Die Bibelschule, die Pastor David aufgebaut hat, steht unter der Leitung und Aufsicht der Bibelschule des Hauptquartiers in Yangoon."

Pastor Nathan Holmes
North Little Rock, Arkansas

„Die Erinnerungen an rote Wolken aus malawischem Staub, die durch die abendlichen Strahlen der untergehenden Sonne wirbeln, weiße Plastikstühle, die durch die Luft schweben, die freudigen und rhythmischen Gesänge hunderter Menschen werden in meinem Gedächtnis verewigt sein. Es war mir eine Ehre, am Malawi-Kreuzzug 2016 in Lilongwe teilzunehmen. Es mag wie ein Klischee klingen, aber die Erfahrung war lebensverändernd.

Unter der gesalbten Leitung von Missionar Robinette und Missionar Gibbs nahm das Evangelisationsteam an einer Erweckung wie in der Apostelgeschichte teil, die von

Zeichen und Wunder begleitet wurde. Als ich in Malawi ankam, war ich sowohl aufgeregt als auch skeptisch. Ich war begeistert in Afrika zu sein, doch den Geschichten gegenüber war ich skeptisch. Konnte es wirklich so sein, wie es erzählt wurde? Die erste Nacht hat mein Leben verändert. Ich sah zu, wie die Menschen nach vorne eilten, um den Heiligen Geist zu empfangen. Als sie die Hände hoben und dem Befehl gehorchten „Halleluja" zu rufen, wurden sie augenblicklich vom Geist erfüllt, und sie sprachen in anderen Zungen. Die wirkliche Ausführung und das Fließen des Geistes untergruben alle meine Skepsis. Die Apostelgeschichte war noch im 21. Jahrhundert lebendig.

Aber warten Sie, das war noch nicht alles. Bruder Robinette kam zurück zur Kanzel und sprach zu denen, die nicht gehorsam gewesen waren oder sich nicht gemeldet hatten, und sagte: „Wenn Sie den Heiligen Geist nicht empfangen haben, werden wir wiederum darum beten."

Die Menschen, die gerade Zeugen der Offenbarung des Übernatürlichen geworden waren, sich aber nicht gemeldet hatten, eilten nach vorne. Wieder auf das Signal hin rief die Menge „Halleluja", und der Heilige Geist eilte durch die Reihen der mit erhobenen Händen stehenden Menschen. Meines Wissens empfing jede Person, die nach vorne kam und gehorsam war, den Heiligen Geist.

Diese Erfahrung geschah in der Nacht vor Beginn der Evangelisation! Während der Evangelisation sah ich zu, wie lachende Männer und Frauen mit der Freude des Herrn und Gott erfüllt wurden und mit Hingabe an-

beteten. Es waren Menschen, die meist meilenweit laufen, um Wasser zu holen, und von einem US-Dollar pro Tag leben.

Es gab keine Zeitmessung, keinen Blick auf die Uhr und keine Langeweile. Die Evangelisation war vom Heiligen Geist erfüllt! Als die Opferzeit kam, gaben die Menschen alles, was sie hatten, mit Freude: Münzen, Kwacha (Währung), Krawatten, Schals und Schuhe. Als ich nach Hause kam, wand ich, die gleiche Methode an, wie ich sie in Malawi praktiziert gesehen hatte. Ich erlebte, wie die Menschen den Heiligen Geist empfingen. Ich sah, wie Menschen in unserer Gemeinde von Krankheiten und Leiden geheilt wurden. Warum? Weil der gehorsame, kindliche Glaube dem Wundersamen vorausgeht.

Jetzt vier Jahre später, wo ich an meinem Schreibtisch sitze und diese Erinnerungen tippe, füllen sich meine Augen mit Tränen. Ich danke dir, Bruder Robinette, dass du mir erlaubt hast, heutzutage eine Ausgießung zu erleben, wie in der Apostelgeschichte."

Ein letztes Wort von Missionar Charles Robinette:

Wir sind während unserer Deputationsreisen, bei den Besuchen vieler mächtigen Gemeinden in Nordamerika und Kanada reichlich gesegnet worden. Wir hatten das große Privileg, die globale Mission und die Vision der UPCI auf der ganzen Welt zu vertreten.

Wir haben an Predigtorten gedient, die im Wohnzimmer des Hauses des Pastors stattgefunden haben.

Wir haben in Hotelkonferenzräumen gepredigt. Wir haben das Evangelium in Parks in der Innenstadt verkündet. Wir haben den Namen Jesus auf Fußballfeldern und in Stadien in ganz Nordamerika und darüber hinaus verkündet. Ohne Zweifel sind wir gesegnet!

Während unserer Dienstreisen und Deputationsdienste in Nordamerika und Kanada haben wir miterlebt, wie der Herr über 26 000 Menschen mit dem Heiligen Geist erfüllt hat, über 5 000 in Jesus Namen getauft wurden, über 30 000 von bemerkenswerten Wundern Zeugnis abgelegt haben und wie Gott unsere Herzen mit einigen apostolischsten Pastoren, Prediger, Stellvertreter und Gemeindeangehörige vereint hat, die so liebe Freunde und geschätzte Gebetspartner geworden sind!

SCHLUSSFOLGERUNG

Es gibt einen gezielten Versuch des Feindes, Gottes Volk abzulenken und zu frustrieren. Abgelenkte Menschen können ihre göttliche Bestimmung nicht ausleben. Wenn wir nicht vorsichtig sind, werden wir so abgelenkt sein, dass wir nicht mitbekommen wie unser Schiff der Erweckung einläuft.

Vor über 2 000 Jahren hat Paulus eine detaillierte Beschreibung der letzten Tage überliefert. Unsere Generation durchlebt diese letzten Tage. In 2. Timotheus Kapitel 3 führt Paulus 19 gesellschaftliche Merkmale auf, die Anzeichen für eine bedrohliche Zeit sind. Die Merkmale sind:

❖ Selbstsüchtig

❖ Geldgierig

❖ Großtuerisch

❖ Eingebildet

❖ Gott und Menschen beleidigen

❖ Ungehorsam gegenüber Eltern

❖ Vor nichts mehr Ehrfurcht haben

❖ Undankbar

❖ Lieblos

❖ Unversöhnlich

❖ Missachtung der Mitmenschen

❖ Hemmungslos leben

❖ Gewalttätig

❖ Das Gute hassen

❖ Zu jedem Verrat bereit

❖ Leichtsinnig

❖ Vom Hochmut geblendet

❖ Leben nur für ihr Vergnügen und kümmern sich nicht um Gott

❖ Sie geben sich zwar einen frommen Anschein, aber von der Kraft wahrer Gottesfurcht wollen sie nichts wissen.

Am Ende der Rede von Paulus ermahnt er Timotheus: „... Halte dich von solchen Menschen fern!" **2. Timotheus 3,5**

Bei all diesen Fällen in unserer Generation, müssen wir uns weigern, den Köder des Feindes zu schlucken!

1 Petrus 5,8-9
8 Sei nüchtern, sei wachsam; denn dein Widersacher,

der Teufel, geht umher wie ein brüllender Löwe und sucht, wen er verschlingen kann:
9 die ihr im Glauben standhaft bleibt und wisst, dass die gleichen Leiden in euren Brüdern, die in der Welt sind, vollbracht werden.

Eine Schlacht der anderen Art
Wir kämpfen nicht, wie die Welt kämpft!

Wir, die *radikal-apostolische* Kirche, dürfen uns nicht in die Angelegenheiten dieser Welt hineinziehen lassen. Wir sind auch nicht Vertreter für irgendwelche weltlichen Angelegenheiten oder Belange, sei es als politische Kommentatoren, soziale Aktivisten, Demonstranten oder Gesellschaftsexperten!

2. Korinther 10,3-5 (KJV)
3 Natürlich sind wir auch nur Menschen, aber wir kämpfen nicht wie die Menschen dieser Welt.
4 Denn die Waffen unseres Kampfes sind nicht menschlich, sondern es sind die mächtigen Waffen Gottes, geeignet zur Zerstörung von Festungen.
5 Mit ihnen zerstören wir Gedankengebäude und jedes Bollwerk, das sich gegen die Erkenntnis Gottes erhebt, wir nehmen jeden solcher Gedanken gefangen und unterstellen sie Christus.

Johannes 18,36
36 Jesus antwortete: Mein Reich ist nicht von dieser Welt; wenn mein Reich von dieser Welt wäre, so würden meine Knechte kämpfen, damit ich den Juden nicht überantwortet würde; nun aber ist mein Reich nicht von dieser Welt.

Während die Apostel und die neutestamentlichen Kirchen ständig von einer bösen, gesetzlosen und sogar rassistischen Gesellschaft verfolgt wurden, habe ich keine biblischen Beispiele gefunden, in denen die Apostel sich an Ausschreitungen, Demonstrationen oder als Aktivisten beteiligt haben, um gegen soziale Ungerechtigkeiten vorzugehen.

Die Bibel ist klar hinsichtlich unserer *radikal-apostolischen* Rolle innerhalb der Kirche der Endzeit:

2. Timotheus 2,4
4 Kein Soldat, der in den Krieg zieht, lässt sich in Alltagsgeschäfte verwickeln, denn er will dem gefallen, der ihn angeworben hat.

Wir sollten uns nicht emotional dazu verleiten lassen, zu unserer alten Natur zurückzukehren und auf die Art und Weise zu kämpfen, wie die Welt kämpft und gesellschaftliche Ungerechtigkeiten öffentlich in sozialen Medien debattieren.

Wir sind Diener des Evangeliums, keine Aktivisten! Wir sind Missionare, keine Politiker! Wir sind Christen, keine Demonstranten!

Die Ungerechtigkeiten in diesem gegenwärtigen Leben können nur hierdurch zerstört werden:

❖ **Glaube an Gott!** (Hebräer 11,1-6)

❖ **Tut Buße!** (Apostelgeschichte 3,19)

❖ **Taufe durch Untertauchen im Namen Jesus!**

(Römer 6,1-6)

❖ **Vom Heiligen Geist erfüllt zu sein mit dem Beweis in anderen Zungen zu sprechen!** (Apostelgeschichte 2,1-4.38)

❖ **Ein Jünger Christi zu werden, durch Gehorsamkeit gegenüber dem Wort Gottes!** (Jakobus 1,22-25)

❖ **Durch die spirituellen Disziplinen des effektiven inbrünstigen Gebets, der Rechtschaffenheit und des Fastens!** (Jakobus 5,16; Jesaja 58,3-7)

❖ **Die heilige Natur Gottes annehmen!** (Hebräer 12,14)

Wir dürfen niemals vergessen:

❖ **Wir sind heraus gerufen worden!** (2. Korinther 6,17-18)

❖ **Wir sind abgesondert!** (Psalm 4,3)

❖ **Wir sind das Licht der Welt und eine Stadt auf einem Hügel!** (Matthäus 5,14)

❖ **Wir sind das Salz der Erde!** (Matthäus 5,13)

❖ **Wir sind eine auserwählte Generation, ein königliches Priestertum und eine heilige Nation!** (1. Petrus 2,9)

❖ **Wir sind Beispiele für die Gläubigen!** (1. Timotheus 4,12)

❖   **Wir sind Prediger des Evangeliums von Jesus Christus!**   (1. Korinther 4,1-2)

❖   **Wir sind Botschafter von Christus!** (2. Korinther 5,20-21)

❖   **Wir sind wiedergeboren!** (Johannes 3,3-7; 1. Petrus 1,23)

❖   **Wir haben eine neue Natur!** (Epheser 4,22-24)

❖   **Wir haben eine neue Flagge!** (2. Mose 17,15)

❖ **Wir haben ein neues Königreich!** (Matthäus 6,33)

❖   **Wir sind in dieser Welt, aber wir sind nicht von dieser Welt!** (Johannes 15,19)

Wir, die *radikal-apostolische* Kirche, müssen predigen, lehren und ein vorbildliches Beispiel leben wie es im fünften Kapitel des Galaterbriefes über die Früchte des Geistes geschrieben steht, während wir gleichzeitig prophetisch, kraftvoll und konsequent für die Art von Veränderung in unserer Welt beten, die zur Rettung von 7,8 Milliarden Seelen führen wird!

Als ich mich entschlossen habe, dieses Buch zu schreiben, wollte ich sichergehen, dass ich keinen klinischen Diskurs über die apostolische Kultur produziere. Ich wollte mein Herz mitteilen und jedes Kapitel mit persönlichen Berichten und Geschichten aus der ganzen Gemeinschaft illustrieren. Ich hoffe, das ist mir gelungen.

NIMM DIE BERUFUNG AN
SEI RADIKAL-APOSTOLISCH!

LITERATURHINWEISE

Bartleman, F. (1925). *Wie Pfingsten nach Los Angeles kam: Wie es am Anfang war.* Los Angeles, Kalifornien: Frank Bartleman.

Bartleman, F. (2008). *Die Wiederbelebung der Azusa-Straße.* Schule der Erweckung.

Globales Christentum: Ein Bericht über die Größe und Verteilung der christlichen Weltbevölkerung (Archiviert, 23. Juli 2013)

Heilige Bibel: King-James-Version (KJV)

Miller, B. (1955). *Gebetstreffen, die Geschichte machten.* Dallas: Chandlers Veröffentlichungen.

Murray, A. (2016). *MINISTERIUM FOR INTERCESSION: ein Plädoyer für mehr Gebet (aktualisiert und kommentiert).* S.l.: OUTLOOK VERLAG.

Pew-Forschungszentrum für Religion und öffentliches Leben (19. Dezember 2011)

seeking4truth.com
wikipedia.org

FOTOS

(Dezember 2015) In Burma mit unserem lieben Freund
Pastor Gøran Andreassen.
Wir predigten der Baptist ChinCommunity:

(März 2000) In Äthiopien mit Billy Cole

und dem Kreuzzugsteam:

(Januar 2020) In Bangladesch mit unseren lieben Freunden, der Familie Missionary Corbin und dem Team:

(Dezember 2017) In Brasilien mit Bischof Stark unddem Kreuzzugsteam:

(April 2018) In Alaska für eine Seelenernte, die von unserem lieben Freund Pastor Jim Blackshear geplant wurde. Bruder. Chris Pollard flog mich von Stadt zu Stadt. Er war so ein Segen!:

(September 2007 - August 2017) In Malawi mit A-Teamleiter Bischof Garlitz und dem Kreuzzugsteam:

(Juni 2018) In Haiti mit unseren lieben Freunden Bruder und Schwester Brian, David und Aimee Myers und dem Team aus ihrer Kirche:

*(2016-2020) Gott begann uns mit Pastoren und
Kirchen zu verbinden, die nach Wahrheit hungerten.
Wir haben gesehen, wie viele in Jesu Namen getauft
wurden und mit dem Heiligen Geist erfüllt waren:*

(October 2019) Mindanao, Philippines Crusade with the Missionary Mallory Family:

*(May 2016 - December 2017) Many Muslims were
filled with the Holy Ghost and baptized in Jesus
name in the German speaking nations:*

(März 2020) Gott begann uns eine große Ernte rumänischsprachiger Kirchen in den deutschsprachigen Ländern zu geben:

(April 2019) In Guatemala mit Pastor

David Bounds und dem Kreuzzugsteam:

*(Januar 2019) Thailand Generalkonferenz
mit Pastor Jack Cunningham und Team:*

Einige der Ältesten, die an unseren Dienst glaubten und sich in ihn investierten: (William Nix, Anthony Mangun, Jim Stark, Raymond Woodward, Stan Gleason, Lee Stoneking, Eli Hernandez und **Billy Cole**)

*Mein Vater und meine Mutter waren bei uns, als
Ich wurde zum Minister geweiht:*

ÜBER DEN AUTOR

Charles G. Robinette, seine Frau Stacey und ihre beiden Töchter Aleia und Brienna dienen als von United Pentecostal Church International ernannte Missionare nach Deutschland, in die Schweiz, nach Liechtenstein und nach Österreich.

Bruder Robinette diente als Generalsuperintendent der Vereinigten Pfingstgemeinde der Deutschsprachigen Nationen Fellowship 2009-2021. Er ist auch ein internationaler Evangelist.

Bruder Robinette hat persönlich gesehen, wie Gott über 400.000 Menschen mit der Gabe des Heiligen

Geistes mit dem Beweis erfüllte, in anderen Sprachen zu sprechen. Auf seinen Reisen in den letzten zwei Jahren hat er gesehen, wie Gott mindestens 18.376 mit dem Heiligen Geist füllte, mindestens 5.500 wurden im Namen Jesu getauft, über 26.723 zeugten von bemerkenswerten Wundern, einschließlich des Öffnens blinder Augen, der Heilung gehörloser Ohren und der Heilung lahmes Gehen, stummes Sprechen, kreative Wunder wie sofort wachsende Ohren und alle Arten von Krankheiten wurden auf wundersame Weise geheilt.

Die Familie Robinette hat Kirchen in Belgien, der Schweiz und Österreich gegründet. Sie gründeten 2008 auch das Ausbildungszentrum des Apostolischen Ministeriums (AMTC).

AMTC hat sich in den letzten vier Jahren jährlich an Standorten, Studenten und Ausbildern fast verdoppelt. Im Jahr 2019 während seines letzten Jahres als AMTC Präsident hatte AMTC 31 Standorte und fast 500 Studenten. AMTC rüstet die nächste Generation effektiv für den apostolischen Dienst aus.

Bruder Robinette und seine Familie sind weiterhin radikal apostolisch!

ACKNOWLEDGEMENT

"RADIKAL APOSTOLISCH ist nicht nur ein Buch, das Charles Robinette geschrieben hat. Es ist auch ein Leben, das er gelebt hat, mitsamt seiner wundervollen Frau Stacey und ihren entzückenden Töchtern an seiner Seite. Ich ermutige Sie, sich ihnen auf dieser Reise anzuschließen und alles zu werden, wozu Gott Sie berufen hat." **Pastor Raymond Woodward**

"Rev. Charles Robinette verließ den Hafen vom Beginn seines Dienstes an und lebt seitdem auf der hohen See des Glaubens und der Widrigkeiten. Sein Buch „Radikal Apostolisch" erzählt eine faszinierende Geschichte von heftigen Stürmen und erstaunlichen Zielen. Für die Christen, die im Hafen eine heilige Unzufriedenheit verspüren, dient dieses Buch als Karte für ihre Reise." **Pastor Aaron Soto**

*"Bruder Robinette streckt sich nach uns allen aus, damit wir die unendlichen Möglichkeiten erkennen, die da kommen, um radikal apostolisch zu sein." **Bischof Joel N. Holmes***

BOOKS BY THIS AUTHOR

What You Meant For Evil ...

Coming Soon!

The Missing Pieces ... Cooperation, Collaboration And Communication That Facilitates Global Harvest!

Coming Soon!

The Core! Becoming God's Vision Of Me!

Coming Soon!

Made in the USA
Las Vegas, NV
03 January 2025

15780204R00213